TR

Pete O'Donovan

Published by: POD CLIMBING 2015

Text, Topos and Photography
©Pete O'Donovan

Maps ©Pete O'Donovan, based on
original material from OS Open Data
(Crown Copyright 2015).

ISBN 978-0-9567006-3-6

Cover: **Chequers Buttress** HVS 5a • Froggatt Edge • Andy Gardner (Page 235)
This Page: **Flying Buttress Direct** E1 5b • Stanage Edge • James Turnbull (Page 140)

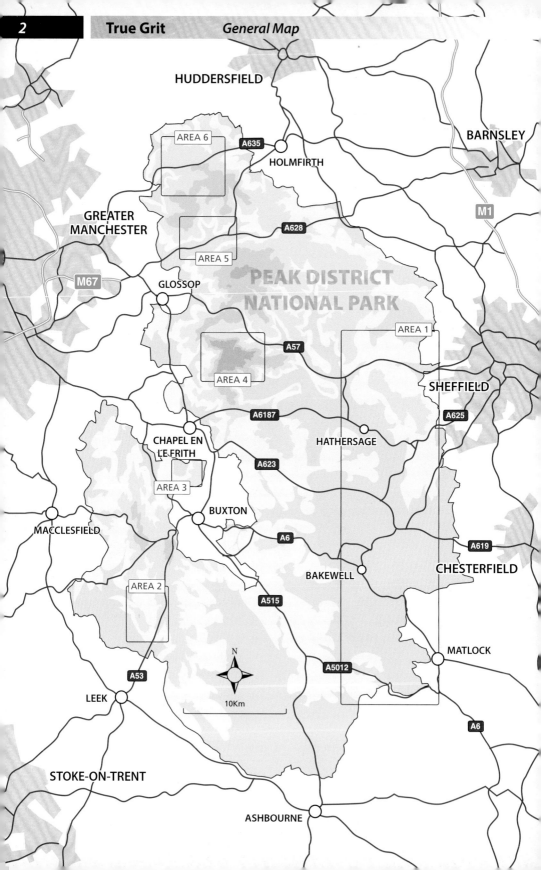

HUDDERSFIELD

BARNSLEY

AREA 6

A635

HOLMFIRTH

M1

GREATER
MANCHESTER

A628

AREA 5

M67

GLOSSOP

PEAK DISTRICT
NATIONAL PARK

AREA 1

A57

AREA 4

SHEFFIELD

A6187

A625

CHAPEL EN
LE FRITH

HATHERSAGE

A623

AREA 3

BUXTON

MACCLESFIELD

AREA 2

A6

BAKEWELL

A619

CHESTERFIELD

A515

MATLOCK

N

A53

A5012

10Km

LEEK

A6

STOKE-ON-TRENT

ASHBOURNE

Traveller in Time E4 6a • Ramshaw Rocks
Dan Barbour (Page 312)

Working on this guidebook for the past couple of years has resulted in some wonderful things. Not only have I had the opportunity to revisit some of the routes I did in my youth, but I've also done many, many superb, classic Gritstone climbs for the very first time. This was sufficient reward in itself, but along the way I've also met hundreds of new people and made dozens of new friends. These range from fresh young climbers just starting out in the sport to grizzled veterans with decades of experience under their belts. Many of these folk have acted as 'models' for the action photographs, either by chance encounter or, more often, through prearranged meetings aimed at securing shots of a particular climb on a particular crag at a particular time of day. In the latter case belayers have also had to be co-opted. Other people have proofread, painstakingly checked the topos and route information, offered advice and support, or simply given encouragement during times when I've been flagging a little. To all these people I would like to express my heartfelt gratitude.The order in which the following list of names appears is purely alphabetical (based on surnames and/or organizations) and bears no relationship to the magnitude of the owner's contribution. Inevitably there will be those who I've inadvertently overlooked, and to these people I offer my sincere apologies.
Pete O'Donovan / November 2015

Tom Adams • John Allen • Claudia Amatruda • Simon Bainbridge • Dan Barbour • Phil Borodajkewycz
Dawn Brinkman • Dave Brown • Adam Brown • John Burns • Debbie Bushby • Nic Collins
Neil Colquhoun • Neil Comwyn • Ben Cossey • Katy Coutts • Steve Cunnington • Andy Deacon
Joe Doldun • Jack Drake • Lena Drapella • Guy Duke • Charlie Fell • Duncan Fritsch • Neil Furniss
Andy Gardner • Billy Greenough • Matt Groom • Graeme Hammond • Rebecca Hammond
Harrison Cameras • Jamie Heywood • Dave Hesleden • Terry Hirst • Tom Hodgkinson • Shaun Humphreys
Eszter Hurvath • Ian Hylands • Helen Jackson • Andy Janezko • Charlie Jefferson • Vicky Jennings
Ben Kelsey • Simon Kincaid • Charlotte King • Jon Lawton • Dominic Lee • Harry Lewis
Andrzej Malinowski • Jez Martin • John Maxfield • Neil Mcallister • Alex McCann • James McHaffie
Gordon McNair • Dan Osbaldeston • Graham Parkes • John Pemblington • (The) Peak Climbing Club
Ellie Price • Nick Priestly • Dominic Proctor • Mark Rankine • Mark Reed • Àngels Rius-O'Donovan
James Rogers • John Scott • (The) Sheffield 'Grumps' (Graham, Steve, Gordon, Dave, Mike, Mary, Marjorie, John, Cath, Gerry, Nick, et al...) • (The) Sheffield University Mountaineering Club
Rachel Smith • Nina Stirrup • Frances Taylor • Dick Turnbull • James Turnbull • Rob Turnbull
Richard Wheeldon • Pete Whittaker • Jake Young • Mark Yoxon

We also offer our grateful thanks to the following advertisers for their support:

RAB (Inside Front Cover) www.rab.equipment
Rock On (Page 5) www.rockonclimbing.co.uk
Beta Climbing Designs (Pages 9 & 11) www.betaclimbingdesigns.co.uk
Awesome Walls (Page 13) www.awesomewalls.co.uk
Hitch 'n' Hike (Page 15) www.hitchnhike.co.uk
Alienmountain (Page 74) www.alienmountain.co.uk
Outside (Page 141) www.outside.co.uk
Rock & Run (Inside Rear Cover) www.rockrun.com
Scarpa (Rear Cover) www.scarpa.co.uk

About the Peak District

The Peak District is an upland area of central and northern England covering much of the county of Derbyshire, but also including parts of Cheshire, Greater Manchester, Staffordshire and Yorkshire. Closely bordered by the major cities of Sheffield and Manchester, and with Birmingham, Nottingham and Leeds only slightly further away, its leafy dales and heather-clad moors attract millions of visitors each year.

This is an area of outstanding natural beauty offering magnificent views, but for those who wish to do more than simply look, it is also an outdoor activist's paradise. In particular its many Gritstone edges and tors, weathered by wind and rain over the ages into spectacular and unique formations, offer some of the finest rock climbing in the country.

Though rather diminutive in height when compared to the big mountain crags of Snowdonia, the Lake District and the Western Highlands of Scotland, Peak Gritstone has always held a special place in the hearts and minds of the nation's climbers. Indeed, enthusiasts have been scaling these crags since the late 19th century and though generally a far safer activity now than it was in those early days, the physical aspects of climbing on Grit remain essentially the same: an honest tussle with a worthy opponent.

About this guidebook

True Grit is a selective guidebook to rock climbing on Peak District Gritstone. The aim of the book is to provide visiting climbers with a single-volume work encompassing everything from the wild and windswept high-moorland crags in the northwest of the region, down through the perennially popular Eastern Edges close to Sheffield, and onwards to the wonderful Staffordshire outcrops on the southwest fringes of the area.

Within these pages details can be found of dozens of different crags throughout the region and over 4,000 individual routes — enough to keep the vast majority of climbers occupied for a very, very long time.

Practical Considerations
The Rock

Gritstone is a hard, coarse-grained rock, once used extensively to make millstones and grindstones for milling flour, pulping wood and sharpening blades. Having been superseded by other materials in those industries, the roughness of Gritstone is now the sole preserve and delight of the rock climber.

Peak Gritstone edges rarely rise beyond 25m in height and are usually somewhat lower. What the climbs lack in size, however, they more than make up for in content, often providing intense physical and mental experiences, pushing both body and mind to the limit.

Constant erosion by wind and rain has created a surface with few of the positive edges and pockets commonly found on many other rock types. Instead, rounded vertical cracks and horizontal breaks, or smooth and featureless slabs make up the language of Gritstone.

Climbers coming from other types of rock, and especially those whose previous experience is limited to indoor walls, will probably find a period of adjustment is necessary before feeling comfortable on Gritstone.

Climate and Conditions

Providing visitors adopt a reasonably flexible approach, climbing on Peak Gritstone is a year-round activity with no particular 'season'.

That said, the Peak District suffers a slightly higher rainfall than the UK average, and with much of the area lying above 1,000 feet (300m) strong winds can be a problem on the more exposed edges at certain times of the year, although a boon — drying wet rock after sudden spring showers or dispersing clouds of midges on balmy summer evenings — at others. Climbers wishing to try the harder routes will relish the cold, clear days of mid-winter, when the friction between skin, rubber and rock is at its greatest. More specific information concerning conditions will be found in the introductions to each crag.

Public Transport

Let's face it, a car is one of the most important pieces of climbing gear you'll ever own. It'll get you to the crags (or at least the parking areas) with the minimum of fuss and effort, and allow you to spend more time on the rock than would otherwise be possible.

However, despite the fact that private vehicle ownership is nowadays considered as rather less than a luxury, for some, particularly the younger generation, it is simply not economically viable. Climbers in this position should not be deterred from Peak Gritstone, as with a little forward planning combined with an early start, a reasonably full day's action at many of the crags featured in this guidebook can be had using public transport, be it bus, train or a combination of both. A useful source of information with which to begin your search is: http://www.peakdistrict.gov.uk/visiting/publictransport.

Long Climb (Pitch 2) S 4a
Laddow Rocks • Helen Jackson & Jez Martin (Page 412)

Conservation and Access

None of the crags featured in this guidebook are currently affected by serious access issues, but there is absolutely no guarantee that this happy state of affairs will continue indefinitely.

The majority of crags included are situated in uncultivated upland moorland settings and, as such, are covered by 'CRoW', the Countryside and Rights of Way (2000) Act, which guarantees pedestrian access subject to certain rules and regulations. These include temporary footpath closures due to fire risk, the leashing of dogs during lambing and nesting periods, and various other restrictions pertaining to nature and heritage conservation.

Climbers are by no means the only users benefitting from the unparalleled freedoms currently enjoyed by visitors to the Peak, but as a group we should all make a special effort to act in a responsible and exemplary manner.

In particular:

Use only designated parking areas.

Keep dogs leashed during the spring nesting and lambing periods, and under close control at all other times. Take your dog's waste away with you.

Do not start fires.

Take all litter, even biodegradable stuff, away with you.

Obey temporary restrictions on access (usually posted on notice boards in parking areas) to the letter.

Exercise extreme discretion in matters of personal hygiene.

Note: certain crags are subject to special restrictions. These will be mentioned in the introductions to those particular cliffs.

The B.M.C

The British Mountaineering Council (BMC) is the representative body that exists to protect the freedoms and promote the interests of climbers, hill walkers and mountaineers in the UK. They also offer insurance services specifically devised for climbers. Becoming a paid member of the BMC is an excellent way of ensuring that we climbers continue to have a strong, collective voice fighting on our behalf. For more details visit www.thebmc.co.uk.

MOUNTAIN RESCUE

In the event of an accident requiring assistance, dial **999** and ask for:

POLICE - MOUNTAIN RESCUE

Crag Etiquette

As is normal for such a renowned climbing area, on busy days the more popular Peak Gritstone crags can become rather crowded. In fact, on sunny weekends and bank holidays those who really dislike sharing the crag with other users should definitely avoid such places as Stanage (Popular End), Froggatt and The Roaches — there are plenty of less frequented crags nearby. Nevertheless, at some time or another all climbers find themselves in situations where getting along with unknown fellow enthusiasts becomes a necessity. General good manners and politeness will go a long way towards making the day a pleasurable experience for all concerned, but more specific advice would include:

Do not create unacceptable levels of noise.

Do not hog popular routes (make repeated attempts leaving your ropes in place between tries) for protracted periods when it's obvious that other teams wish to get on the route.

Do not let your dog run amok! You may think your pet is irresistibly cute, but other folk may feel differently…

For instructional and recreational groups using top-ropes:

Do not monopolize entire sections of crags (with multiple top-ropes) for extended periods.

Do not set up abseil descents on popular climbs.

Do not allow your pupils/clients to climb in inappropriate or dirty footwear, as this leads to rapid and unnecessary erosion of holds.

Other Guidebooks

BMC guidebooks: for climbers wishing to explore the area thoroughly the *BMC* guides to Peak Gritstone are essential reading. Currently running at five volumes, they aim to list *every* route and *every* boulder problem in great detail, as well as describing the area's climbing history. A separate publication *On Peak Rock* presents a very selective collection of routes on both Gritstone and Limestone within the area. More details are available at www.thebmc.co.uk.

Rockfax: Rockfax currently offer two semiselective volumes covering Peak Gritstone: *Eastern Grit* (2015) and *Western Grit* (2009) as well as a dedicated bouldering guidebook to the area. More details at www.rockfax.com.

Vertebrate Publishing: Peak District Climbing (2008) offers a selected range of routes (both Gritstone and Limestone) in the low and medium grades. *Peak District Bouldering* (2011) does what it says on the tin. More details can be found at www.v-publishing.co.uk.

TENAYA®

snap

Technical Equipment

It is a sobering thought that many of the routes in this guidebook, including some that, even today, are still considered to be extremely tough challenges, were first ascended in an age when climbing equipment was rudimentary, to say the least: no sticky-rubber shoes; no harnesses; no metal nuts or camming devices; no helmets. Lion-hearted leaders, shod in nailed boots or plimsolls, would effectively solo a route, dragging a hemp rope (replaced by nylon in the 1950s) behind them or, if they were lucky, perhaps finding the odd runner by looping a sling over a rock spike or threading it around a natural chockstone lodged in a crack. The prevailing climbing mantra of the time "the leader does not fall" seems very apt...

By contrast, the range and choice of purpose-built gear available for today's climber is little short of bewildering.

Ropes

A single 60m x 10mm 'lead' rope will suffice perfectly well for most routes on Peak Gritstone and can even be doubled if required (to cope with wandering lines where rope drag may be an issue) and still be long enough for the majority of situations. However, for a variety of reasons (some worthwhile, others not) UK climbers traditionally use double 8/9mm 'half' ropes for anything other than sport climbing, and that includes Grit.

Rack

On what are relatively short climbs it can sometimes feel like overkill to carry a large rack of gear, but unless you know exactly which pieces are required there is often little alternative. A potentially well-protected route can quickly turn into a poorly protected one if the right sized nut or cam is not to hand.

A typical Gritstone rack should include a wide range of wired-nuts and camming devices, quickdraws and short slings for extending placements which would otherwise cause the rope to drag, and longer slings for threading natural chockstones or looping around cliff-top boulders when setting up belays.

Camming devices, in particular, work very well in the many parallel-sided and flared cracks present on Gritstone and unlike most other types of rock in the UK, it is not unusual for routes (even those of modest grade) to require several large or even very large units in order to protect them adequately. However, care should be taken not to over-cam i.e. pulling the triggers back to their absolute limit and forcing the unit into a place-

ment smaller than its optimum size-range, as they can then become extremely difficult to remove. The growing number of abandoned/jammed cams on many classic routes attest to this fact. Similarly, wired-nuts can become well and truly stuck on occasion, particularly after they've held falls — a nut-key is a very useful tool for aiding in their extraction. If a cam or wire does become irretrievably jammed do NOT batter hell out of the rock trying to remove it. Gear is replaceable, the rock isn't!

Larger sized 'passive' protection (Hexentrics, etc.) offers a cheaper alternative to mid-range cams and can often provide very secure placements in the right situation.

Helmets

Loose rock, one of the principal reasons for wearing helmets in other areas of the UK, is comparatively rare on Peak Gritstone, but head injuries sustained from falls are, sadly, rather more common. Formerly, climbing helmets were heavy, cumbersome affairs, but today's models are lightweight, comfortable and hardly noticeable to the wearer. In simple terms there are many good reasons for wearing a helmet, and few not to.

Crashpads/Bouldering Mats

Formerly the sole preserve of hardcore boulderers, these are now commonly used by roped teams to safeguard unprotected starting moves. They can also provide very comfortable seating arrangements for those inclined to watch rather than actually climb...

Chalk

The use of Magnesium Carbonate is now accepted practice on Gritstone, as it is elsewhere, but in order to minimize the visual impact on this dark rock please use it as sparingly as possible. The use of 'tick' marks — arrows chalked on the rock in order to mark the position of crucial hand and foot holds before lead attempts — is increasingly being regarded as bad form. If you must use them, brush them off once you've finished.

Tape and Jamming Gloves

Although considered as somewhat cowardly, at best, or even cheating, at worst, by certain members of the Gritstone 'Old Guard', taping up the hands before attempting particularly brutal jamming cracks definitely prevents skin damage and temporary disfigurement. Purpose-made re-usable Jamming Gloves have taken this one step further and are well worth considering for those who intend to get down and dirty on a regular basis.

Totemcam.*

"One Cam to Rule Them All"

Andy Kirkpatrick - 21st November 2012

AWESOME WALLS

CLIMBING CENTRES

AWESOMEWALLS.CO.UK

AWESOME WALLS SHEFFIELD
GARTER ST, SHEFFIELD,
S4 7QX

AWESOME WALLS STOCKPORT
PEAR MILL, STOCKPORT,
SK6 2BP

AWESOME WALLS STOKE
SEFTON RD, LONGTON,
ST3 5LW

AWESOME WALLS LIVERPOOL
ATHOL ST, LIVERPOOL,
L5 9TN

BMC ASSOCIATE MEMBER   AALA   ABC

In a back street in Liverpool a small wall was created in 1998 by a passion to prove to the world that climbing walls can be fun and inspiring places to climb and train. Awesome Walls Climbing Centres aim to provide frequent well set routes and boulder problems in a clean and friendly atmosphere!

DID YOU KNOW WE HAVE AN APP? DOWNLOAD IT HERE

 Download on the App Store

 GET IT ON Google play

Indoor Climbing Walls

This is a guide to *outdoor* climbing, but despite the ever-increasing accuracy of modern meteorological forecasting, there will almost certainly come a time when your plans for a day on the rocks have to be changed or even abandoned entirely due to unexpectedly adverse weather conditions. The following is a list of climbing walls located in and around the Peak District, which accept single-visit paying customers:

Awesome Walls (Sheffield, Stockport, Stoke-on-Trent)
www.awesomewalls.co.uk

The Foundry (Sheffield)
www.foundryclimbing.com

The Climbing Works (Sheffield)
www.climbingworks.com

The Matrix (Sheffield)
www.sport-sheffield.com

The Face (Wirksworth)
Tel: 01629 824717

High Sports (Rotherham)
www.high-sports.co.uk

Rope Race (Stockport)
www.roperace.co.uk

Glossop Leisure Centre
Tel: 01457 842272

Huddersfield Climbing Centre
www. huddersfieldclimbingcentre.com

Upper Limits (Leek)
Tel: 01538 483054

Manchester Climbing Centre
www.manchesterclimbingcentre.com

The Leeds Wall
www.theleedswall.co.uk

CityBloc (Leeds)
www.citybloc.co.uk

The Depot (Leeds)
www.theclimbingdepot.co.uk/leeds

Climbing Gear Retailers

The following climbing equipment retailers are situated within the Peak District:

Outside (Hathersage)
www.outside.co.uk

Hitch n Hike (Bamford)
www.hitchnhike.co.uk

Cotswold Outdoors (Bakewell)
www.cotswoldoutdoors.com

GO Outdoors (Hathersage)
www.gooutdoors.co.uk

Jo Royle Outdoors (Buxton)
www.jo-royle.co.uk

Billy Whiz, E2 5c
Lawrencefield • Harry Lewis (Page 211)

General Overview

The crags in this guidebook are geographically divided into six 'areas' described in roughly clockwise order, starting with the Eastern Edges near Sheffield and finishing with the Chew Valley cliffs in Greater Manchester (see map on page 2). Coverage is selective and varies from area to area and from crag to crag: some crags are of such extent and offer such consistent quality that they form sizeable portions of the book, while other less remarkable venues, although worthy in their own right, may warrant just a few pages.

True Grit does not provide text descriptions for individual routes. Instead, the information is conveyed through large, high-resolution topos (photo diagrams) accompanied by route-tables listing details of each route's name and grade. We also assign each climb a protection/boldness rating (see Pages 16 - 17 for details).

Where particular sections of crag have been featured, in most cases all the routes on that piece of rock are displayed. There are, however, several exceptions to this rule:

1) Minor variations on routes.

2) Routes of an extremely 'eliminate' nature where, in order to create artificial difficulty, holds on adjacent routes must be deliberately avoided even though easily within reach.

3) Routes of very questionable quality.

Girdle traverses — sideways excursions across large sections of cliff, are also largely absent as, invariably, much of their climbing is already included in other routes.

Each crag is described from left to right, even in cases where the direction of approach is the exact opposite. This may seem counter-intuitive to some, but it has proven time and time again to be the least confusing method. Likewise, routes on particular buttresses or sections of crag are also generally described left to right, though this may vary slightly where crags are split into several tiers or in cases of routes with variations.

Route lines are marked in various colour combinations. The colours used have absolutely no significance in terms of a route's quality or difficulty, they are chosen simply on the basis of what works best to define exactly where that particular route goes. Boulder problems are always displayed in blue/white. Arrows are occasionally used to denote when part or all a route is not visible from the angle the topo picture was taken, but only when we judge that the correct line will be easy enough to follow.

Grading

True Grit uses the standard UK 'dual' grading system, featuring a combination of adjectival and technical grades. It is designed to give climbers an indication of a route's overall difficulty — not only technical difficulty but also such factors as the exposure and the amount of available protection — as well as a purely technical rating for the route's hardest move.

The adjectival grades and their abbreviations as used in this book are:

Moderate (Mod)
Difficult (Diff)
Very Difficult (V. Diff)
Hard Very Difficult (HV. Diff)
Severe (S)
Hard Severe (HS)
Very Severe (VS)
Hard Very Severe (HVS)
Extremely Severe (E1, E2, etc. up to E10)

We supply technical ratings for routes of Severe (S) and above, and these start at 3c and currently extend to 7b.

The table near-right compares UK grades with their approximate foreign equivalents.

Bouldering

Although Peak Gritstone is one of the UK's most important centres for bouldering, the sheer volume makes it impossible to do little more than scratch the surface in this route-based guidebook.

The few problems we do include are those which could be described as 'route-like' i.e. they have independent lines taking obvious features. Some of these can be actually be pretty high, hence the term 'highball'. Sit-starts, extreme eliminates, low-level traverses, etc., are not included.

Exactly what constitutes a route and what constitutes a boulder problem is a source of increasing debate amongst local climbers, particularly as many formerly unprotected (and therefore extremely serious) 'routes' are now regularly climbed in relative safety above a stack of crashpads. Taken to its logical conclusion, with enough crashpads virtually anything on the Gritstone edges could be reduced to boulder problem status! Therefore, for the purposes of this guidebook, we *mostly* err on the side of tradition, retaining route grades for climbs which were originally ascended as such. Boulder Problems are graded using the well-accepted 'F' (Fontainbleau) scale. The table far right compares these with the 'V' rating system, as well as UK technical (route) grades.

ROUTE GRADES

UK Adjectival	UK Technical	French Sport	USA	AUS	UIAA
Mod		1	5.1	9	I
Diff		2	5.2	10	II
V. Diff			5.3	11	III
HV. Diff	3c	3	5.4	12	IV
S	4a	4	5.5	13	IV+
HS	4b	4+	5.6	14	V-
			5.7		V
VS	4c	5	5.8	15	V+
			5.9	16	VI-
HVS	5a	5+	5.10a	17	VI
E1	5b	6a	5.10b	18	VI+
		6a+	5.10c	19	VII-
E2	5c	6b	5.10d	20	VII
		6b+	5.11a	21	VII+
E3		6c	5.11b	22	VIII-
		6c+	5.11c	23	VIII
E4	6a	7a	5.11d	24	VIII+
		7a+	5.12a	25	
E5		7b	5.12b	26	IX-
	6b	7b+	5.12c	27	IX
E6		7c	5.12d	28	IX+
E7	6c	7c+	5.13a	29	X-
		8a	5.13b	30	X
E8		8a+	5.13c	31	X+
		8b	5.13d	32	
E9	7a	8b+	5.14a	33	XI-
		8c	5.14b	34	XI
		8c+	5.14c	35	
E10	7b	9a	5.14d		XI+
		9a+	5.15a		
		9b	5.15b		

BOULDERING GRADES

FONT Grade	UK Tech.	V. Grade
F3	4a	
F3+	4b	
F4	4c	V0
F4+	5a	V0+
F5	5b	V1
F5+	5c	V2
F6A		V3
F6A+	6a	V3
F6B		V4
F6B+		V4
F6C	6b	V5
F6C+		V5
F7A		V6
F7A+		V7
F7B	6c	V8
F7B+		V8
F7C		V9
F7C+		V10
F8A	7a	V11
F8A+		V12
F8B	7b	V13
F8B+		V14
F8C		V15

Risk and Boldness

On what are relatively small cliffs, certainly when compared to those found in the UK's mountain ranges, it is easy to underestimate how serious climbing on Gritstone can be. True, with modern equipment many of the routes on these crags can be completely 'stitched up' — nuts and/ or cams placed so close together that, barring incompetence or human error, any leader falls *should* be relatively risk-free.

Since their introduction in the late 1970s, camming devices, in particular, have revolutionized Gritstone climbing, transforming many formerly bold leads into relatively safe adventures. Nevertheless, a good number of routes on Grit remain as badly protected today as they've always been, and must effectively be soloed. Furthermore, this level of seriousness isn't just reserved for the harder climbs, it can be encountered throughout the grades.

The UK dual-grade system (described on Page 14) often acts as an excellent indicator of a route's seriousness and works particularly well on Grit in this respect. The key lies in the correlation between a route's adjectival grade (VS, HVS, etc.) and its technical grade (4b, 4c, etc.). Thus a route with a relatively low adjectival grade compared to its technical rating is invariably less serious than a route with a relatively high adjectival grade compared to the same technical rating. For example, the adjacent climbs of *Sunset Crack* and *Sunset Slab* at Froggatt Edge (Page 224) both have a technical rating of 4b, but while the former route, a crack, is very well protected and hence has an adjectival grade of only Hard Severe (HS), the latter is an extremely bold slab climb with a high crux offering no useful protection whatsoever, and thus warrants an adjectival grade of Hard Very Severe (HVS), fully two grades higher than its near neighbour. Moving further up the scale, comparing two of the classic 5c climbs at Millstone Edge (Pages 199 & 201): *Knightsbridge* (E2 5c) features one short, hard section, well protected by wires, while *Edge Lane* (E5 5c) is a harrowing lead/solo (particularly so if attempted on-sight) with potential for a 10 metre groundfall from its crux moves.

However, the system is not without its anomalies: *London Wall*, again at Millstone (Page 205) though universally accepted as E5 6a, is a good example. One might expect the E5 adjectival grade to suggest above average levels of boldness for a 6a technical rating, but that's not the case here: the route is well enough protected by most people's standards. Instead, the high E grade refers to the very sustained nature of the actual climbing (as opposed to just one or two hard moves). In other words, 'E' is used for effort in certain instances.

Traditional guidebooks usually add a few words of advice/warning concerning boldness to the individual route descriptions, but in our topo-style guide that is not an option. Instead, as a means of providing climbers with a truly independent risk assessment rating, we have created a very simple symbol-based protection/boldness (P/B) system. Each route is assigned one of five different symbols:

☺ Denotes a well-protected route on which, strength and stamina permitting, it is possible to place reliable gear throughout the length of the climb.

😐 Denotes an 'adequately' protected route or, where no protection is available and solo climbing is mandatory, a route of low boldness for the given grade. This is our most commonly used symbol and in practice can mean one of several things:
1) The harder sections of the route are well protected but much easier moves, either before or after the crux/cruxes, may not be.
2) The route has absolutely no protection (a solo) but the hard climbing is very close to the ground and what lies above is considerably easier.
3) The route is potentially very well protected but the gear may either be tricky to place or of a 'specialist' nature, e.g. multiple very large cams for a wide crack.

☹ Denotes a bold route with big fall potential either from crux moves or sections of the route which are only slightly easier than the hardest parts. It may also denote less than perfect gear placements and/or suspect rock (the latter is rare on Gritstone and only really relevant to the quarries). Also used for routes with no protection (solos) where the crux moves are high enough up to cause serious injuries in the event of a ground fall. ***Approach with caution!***

Great Slab E3 5b ☠ • Froggatt Edge
Jake Young (Page 232)

☠ Denotes an extremely bold route with potential for ground falls from crux moves high enough to cause extremely serious or even life-threatening injuries. ***Approach with extreme caution!***

B Denotes a boulder problem where ascents are normally made without a rope above one or more crashpads. The majority of these are not high enough to present serious risk (using crashpads) but some 'highballs' need to be treated with caution.

Note 1: the P/B rating assumes that the climber is operating at or near his or her personal limit of technical ability on that particular route. It stands to reason that climbers regularly leading, say, E5, are generally not going to be unduly worried by an unprotected VS...

Note 2: the P/B rating assumes that the climber not only has the appropriate equipment for the route he/she is attempting but is also ***fully competent in its usage***.

Note 3: the P/B rating is given for onsight attempts. At the time of writing, however, on the very hardest routes this rarely happens. Extensive top-rope practice before finally leading ('head-pointing') is commonly employed on poorly protected routes in the E5 and above category, and unprotected starting moves are now invariably 'padded out' — made safer by the use of several crashpads stacked one on top of another.

Note 4: On some unprotectable routes it is accepted practice to use 'side' runners i.e. one or more pieces of protection placed in a section of an adjacent route, which would otherwise not be climbed. Such routes are denoted by a red letter *S* after the P/B rating in the route tables.

Key to understanding topos and route tables

Below is an example of a topo and route-table combination, as used throughout the book (this one features *The Knight's Move* buttress at Burbage North). *Note:* in this example some routes have been omitted from the table for the sake of brevity.

Route lines. Colours have no significance in terms of difficulty or quality

General orientation of this section of the crag

Approximate vertical height of routes displayed on this topo

Route number corresponding with number in route table

Name of Route

Protection / Boldness rating *

Grade of Route

Blue/white colouring indicates a line regarded and graded as a Boulder Problem

Route number corresponding with number on topo

* For a full explanation of the P/B rating system see Pages 16 - 17.

N°	Name	P/B	Grade	✓
19	**Green Crack** *	☺	V. Diff	☐
20	**Dover's Progress** *	☹	HVS 5a	☐
21	**Hollyash Crack** **	😐	VS 4b	☐
22	**The Knight's Move** ***	😐	HVS 5a	☐
23	**Peter's Progress** **	😐	VS 4c	☐
24	**Arme Blanche** **	😐ˢ	E5 6a	☐
27	**Enterprise** **	B	F 7C	☐

Tick box for recording ascents

Indicates that side-runners are customary at the given grade

The Star rating system (between zero and 3 stars) is now a universally accepted feature of British guidebooks. As a basic guide:
* denotes a good route, ** denotes a very good route and *** denotes an exceptional route.
However, quality in climbing terms is a rather subjective matter and these ratings should be used as general guide, not a cast-iron promise. Even routes with no stars should not be dismissed out of hand.

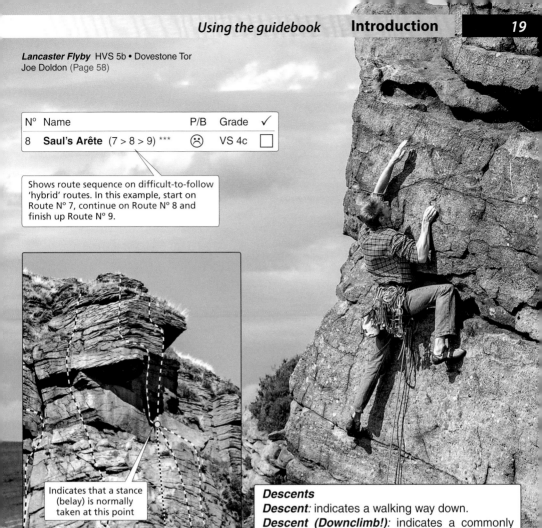

Lancaster Flyby HVS 5b • Dovestone Tor
Joe Doldon (Page 58)

N°	Name	P/B	Grade	✓
8	**Saul's Arête** (7 > 8 > 9) ***	☹	VS 4c	☐

Shows route sequence on difficult-to-follow 'hybrid' routes. In this example, start on Route N° 7, continue on Route N° 8 and finish up Route N° 9.

Indicates that a stance (belay) is normally taken at this point

Descents
Descent: indicates a walking way down.
Descent (Downclimb!): indicates a commonly used descent which requires scrambling or easy climbing. Not suitable for the inexperienced!

GPS markers on Maps and Crag-Overview pictures.
GPS coordinates (in decimal degrees) are used on approach maps in order to pinpoint parking areas. They are also marked on some crag-overview pictures and/or topos where, used in conjunction with a dedicated GPS device (or one of the GPS Apps available for mobile phones) they can greatly help first time visitors identify hard-to-find buttresses from clifftop paths.

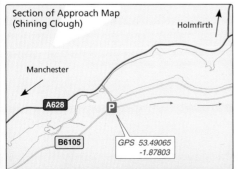

Section of Approach Map (Shining Clough)
Holmfirth
Manchester
A628
B6105
P
GPS 53.49065 -1.87803

Section of Crag-Overview Picture (Ramshaw Rocks)
GPS 53.15811 -1.97172
Flakey Buttress

Area 1
The Eastern Edges

Introduction: Though a handful of climbers based in other parts of the Peak may disagree, the Eastern Edges undoubtedly offer the highest concentration of quality Gritstone climbing in the region. That alone is enough to ensure the area's enduring appeal and popularity, but throw in ease of access — the majority of crags are situated only minutes from the road and most are within relatively easy reach of those using public transport — and it's easy to see why the Eastern Edges are such a compelling attraction.

The crags featured in our selection are generally considered to be the pick of the bunch, but there are many other more minor outcrops in this area. Full details of these can be found in the various definitive BMC guidebooks (three volumes).

Fern Hill E2 5c
Cratcliffe Tor • Simon Kinkaid (Page

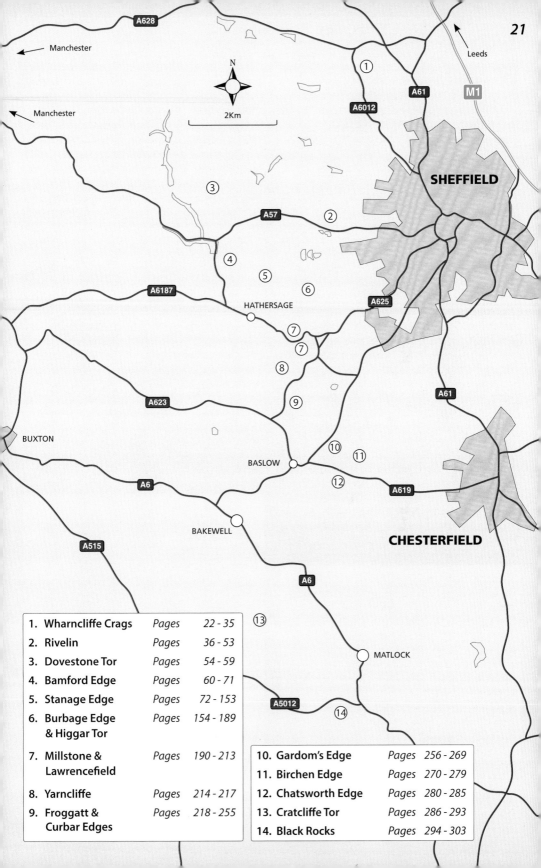

21

Manchester

Manchester

A628

N

2Km

Leeds

① A61

M1

A6012

SHEFFIELD

③

A57

②

④

⑤

⑥

A6187

HATHERSAGE

A625

⑦

⑦

A61

⑧

A623

⑨

BUXTON

⑩ ⑪

BASLOW

A6

⑫

A619

CHESTERFIELD

BAKEWELL

A6

A515

⑬

MATLOCK

A5012

⑭

Introduction: Strictly speaking, Wharncliffe is not in the Peak District at all, but situated some 12km north of Sheffield, overlooking the industrialised upper Don Valley. However, for the purposes of climbing guidebooks it is generally grouped with the Eastern Gritstone Edges and we see no reason to break with tradition.

The rock here is not actually 'true' Gritstone but a 'Coal Measure Sandstone' (to use the technical term) displaying fine texture and a predominance of sharp, incut holds, as opposed to the rough and rounded horizontal breaks and vertical cracks of other natural Gritstone edges.

Although the setting is rather more urban than the mainstream Peak venues, the outlook is not unpleasant, though it has to be said that some recently added graffiti (to the utter dismay of local climbers) together with the giant electricity pylons and traffic noise from the nearby A616 Stocksbridge Bypass, slightly detract from the overall experience.

On the plus side, the climbing is often excellent, with dozens of fine routes ranging from classic 'easy' chimneys and cracks (some of which date back to the earliest days of Gritstone exploration in the 19th century) to thoroughly modern face and arête climbs up to E7 in difficulty. With its tallest buttresses reaching no more than 12m in height, Wharncliffe isn't a big crag. The terrain below the routes, however, is often very blocky and uneven, and many climbs feature truly awful landings. This lends an air of seriousness to the crag out of all proportion to its modest stature and the use of Bouldering mats (to safeguard unprotected starting moves as well as 'highball' solos) makes a lot of sense here.

Note: although few would describe Wharncliffe as a major Peak crag it is actually quite extensive with upwards of 400 routes spread across several different areas. Our selection features only the most notable buttresses on the main crag, as well as *Long John's Stride*. For full details of all Wharncliffe's areas and routes consult the BMC *Burbage, Millstone and Beyond* guidebook (2005).

Conditions and Aspect: The main crag faces almost due west and suffers very little from seepage. It is also situated at a considerably lower altitude than most of the other Eastern Edges and is thus somewhat more sheltered from inclement weather. *Long John's Stride* faces southwest, but lies amongst trees, which means it can be rather greener than the main crag and take a while longer to dry out after rain.

Approach: From the A6102 in Deepcar turn onto Station Road (if approaching via the A616 Stocksbridge Bypass this is the first left on entering town) and park approximately 200m from the junction, close to the Lowood Working Mens' Club. On foot, cross the road bridge over the River Don then turn left onto

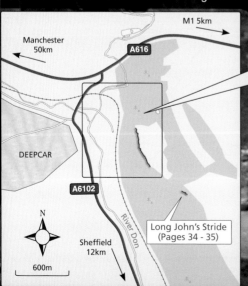

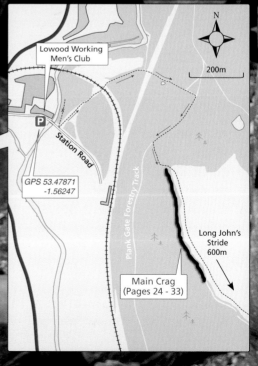

a public footpath. Follow this steeply uphill for some 100m to join a wide track, which is followed leftwards for approximately 450m, passing beneath two bridges and then by a small man-made pond, to reach a junction with a major bridleway — the Plank Gate Forestry track. Follow this rightwards for approximately 200m until just before a huge pylon then pass through a gate on the left and continue up a vague trail to reach a prominent pinnacle — *Gallipoli Rock* — at the left-hand end of the crag (12 minutes from P). The buttresses covered in our selection (apart from *Long John's Stride*) are situated between here and approximately 450m to the right of *Gallipoli Rock,* but unless heading directly for the nearest of these it is a good idea to gain the crag-top path immediately (the jumble of blocks and boulders at the base of the crag makes for slow progress) and follow this rightwards before dropping down to your intended destination. Our overview pictures show the relative positions of each buttress and we have also provided GPS coordinates as a further aid to identifying them from above (not easy on first acquaintance). *Long John's Stride* is situated some 600m beyond the main area and is reached by continuing in a southerly direction along the crag-top path (25 minutes from P).
Area Map on Page 21.

Banana Wall E3 6a
Wharncliffe Crags • Terry Hirst (Page 32)

Gallipoli Rock

N°	Name	P/B	Grade	✓
1	Tailor's Crack *	😐	V. Diff	☐
2	Gallipoli Rock **	🙂	VS 5a	☐
3	Insurrection *	😐	HVS 5b	☐
4	Face Climb	😐	VS 4c	☐
5	Steel Town *	🙁	E5 6b	☐
6	The Moire *	🙁	E5 6b	☐
7	Querp *	🙁	E3 6b	☐
8	Outside Route *	🙂	HS 4b	☐
9	The Nose *	🙂	VS 4c	☐
10	Pylon Crack	😐	V. Diff	☐
11	Quern Crack	😐	S 4a	☐
12	Jimmy Puttrell * is a Legend (12 > 14)	😐	VS 4c	☐
13	Hamlet's Climb *	😐	HV. Diff	☐
14	Hamlet's Climb Direct *	😐	VS 4c	☐
15	Hamlet's Traverse (13 > 15) *	😐	VS 4b	☐
16	Reqiem of Hamlet's Ghost *	😐	E1 5b	☐
17	The Crack of Doom *	😐	HS 4b	☐
18	Despair	🙁	E2 5c	☐

Prow Rock

Pylon Buttress

N°	Name	P/B	Grade	✓
19	**Scarlett's Wall Arête** *	☹	VS 4c	☐
20	**Scarlett's Climb** *	☹	HS 4c	☐
21	**Scarlett's Edge** *	☹	VS 4b	☐
22	**Scarlett's Chimney** *	🙂	Diff	☐
23	**Suspense** *	🙂	VS 5b	☐
24	**Mellicious**	🙂	E1 5c	☐
25	**Tensile Test** *	🙁	E1 5c	☐
26	**Elastic Limit** *	🙂	E1 5c	☐
27	**Abair** *	🙂	E1 5b	☐
28	**Forget-me-not** *	🙁	HS 4a	☐
29	**Handover Arête** *	🙂	VS 4c	☐
30	**Cracked Arête**	🙂	V. Diff	☐
31	**Legover Arête**	🙂	VS 4c	☐
32	**Monolith Crack** *	🙂	HV. Diff	☐

Scarlett's Wall

Tensile Test

GPS 53.47764 -1.55625

Pylon Buttress (Page 24)

GPS 53.47653 -1.55583

Mantelshelf Pillar (Page 26)

Prow Rock (Page 24)

Gallipoli Rock 30m

Scarlett's Wall (Page 25)

Tensile Test (Page 25)

Letter Box Buttress (Page 26)

Mantelshelf Pillar

N°	Name	P/B	Grade	✓
1	**Mantelshelf Pillar** *	🙂	HVS 5a	☐
2	**The Mantelshelf** *	🙂	HS 4b	☐
3	**Back and Foot**	🙂	V. Diff	☐
4	**Rook Chimney** *	🙂	Diff	☐
5	**Letter Box Buttress** *	🙂	V. Diff	☐
6	**Post Horn** *	🙁	VS 4c	☐
7	**Tears Before Bedtime** *	🙁	E4 6a	☐
8	**Reveille**	🙁	E4 6a	☐
9	**Letter Box Arête** *	🙂	V. Diff	☐
10	**The Corner**	🙁	VS 5a	☐
11	**Slab and Corner** *	🙂	HS 4b	☐
12	**Photo Finish** *	🙂	E1 5b	☐
13	**Dead Heat** *	🙁	E5 6a	☐
14	**Renrock** *	🙁	E1 5a	☐

Letterbox Buttress

The Rocking Block

N°	Name	P/B	Grade	✓
15	**Black Wall** *	😑	HS 4b	☐
16	**Hard Cheese** *	😐	E1 5b	☐
17	**Cheese Cut** *	😊	Diff	☐
18	**Cheese Cut Crack** *	😐	V. Diff	☐

N°	Name	P/B	Grade	✓
19	**Cheese Block**	🙁	HS 4b	☐
20	**Cheese Cut Groove**	😐	Mod	☐
21	**Cheese Cut Flake Left** *	🙁	HV. Diff	☐
22	**Cheese Cut Flake** *	😐	HV. Diff	☐

The Cheese Block

Great Buttress
(Page 29)

GPS 53.47611
-1.55583

GPS 53.47511
-1.55547

GPS 53.47464
-1.55553

Rocking Block
(Page 26)

Cheese Block
(Page 26)

Cumberland Crack
(Page 28)

Pete's Sake
(Page 28)

Black Slab
(Page 29)

Approach Info: Pages 22 - 23

50m

8 -10m

N°	Name	P/B	Grade	✓
1	**Railway Wall** *	😐	VS 4c	☐
2	**Chimney Groove** *	😐	V. Diff	☐
3	**Easy Groove**	😐	Diff	☐
4	**Pinnacle Arête** *	🙁	E1 5b	☐
5	**Cumberland Crack** *	😊	HV. Diff	☐
6	**V Groove**	😐	V. Diff	☐
7	**Baal** *	🙁	E2 5c	☐

N°	Name	P/B	Grade	✓
8	**Pete's Sake** *	🙁	E1 5b	☐
9	**Leftover Chimney** *	😐	V. Diff	☐
10	**Overhanging Chimney**	😐	HV. Diff	☐
11	**Ma'son** *	😐	E2 5b	☐
12	**Drums and Kicks**	😐	E1 5b	☐
13	**Overhanging Crack** *	😐	S 4b	☐
14	**En Passant**	😐	E1 6b	☐

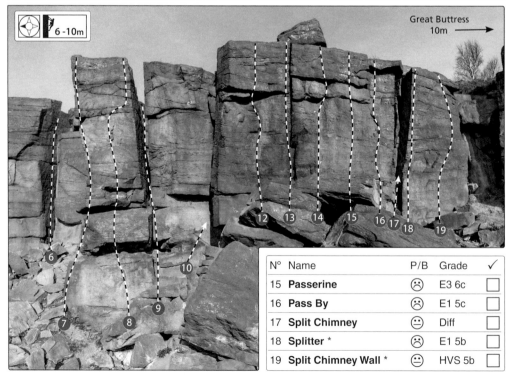

6 -10m

Great Buttress
10m →

N°	Name	P/B	Grade	✓
15	**Passerine**	🙁	E3 6c	☐
16	**Pass By**	🙁	E1 5c	☐
17	**Split Chimney**	😐	Diff	☐
18	**Splitter** *	🙁	E1 5b	☐
19	**Split Chimney Wall** *	😐	HVS 5b	☐

Great Buttress

⬧ 6-12m

Climber: Jez Martin

25

23
22
24
30 31
29
28
27
26

31
32

Black Slab
10m →

Approach Info: Pages 22 - 23

20 21

⬧ 10m

33 34 35

Black Slab

N°	Name	P/B	Grade	✓
20	**Alpha Crack** *	😦	Diff	☐
21	**Beta Crack** **	😦	S 4a	☐
22	**Trapezium** *	😐	E1 5b	☐
23	**The Great Chimney** *	😦	Diff	☐
24	**Great Chimney Crack**	😐	S 4a	☐
25	**Great Buttress Arête** ***	😐	E1 5b	☐
26	**Great Buttress** *	😐	VS 4c	☐
27	**Just a Minute** *	😐	E1 5b	☐
28	**Romulus** *	😊	V. Diff	☐
29	**Remus** *	😐	S 4a	☐
30	**Fly Wall**	😦	HS 4a	☐
31	**Gold Leaf** *	😦	HVS 5b	☐
32	**Leaf Buttress** *	😦	VS 4c	☐
33	**Black Slab Left** *	😦	HV. Diff	☐
34	**Black Slab Centre** *	😐	V. Diff	☐
35	**Black Slab Right** **	😊	Mod	☐

10m

Black Slab
(Page 29)
10m
←

The Twin
Pillars
25m
→

Climber: Jez Martin

Nº	Name	P/B	Grade	✓
1	**Black Finger** *	🙂	E2 5c	☐
2	**Diamond White**	🙁	E3 5c	☐
3	**Anzio Breakout / Pilgrimage** *	🙁	E5 6b	☐
4	**Puttrell's Progress** ***	🙂	S 4a	☐
5	**Helping Hand** *	🙂	E1 5c	☐

Approach Info: Pages 22 - 23

Pete's Sake E1 5b • Wharncliffe Crags
Terry Hirst (Page 28)

Twin Pillars

Defile Buttress

The Twin Pillars 25m

N°	Name	P/B	Grade	✓
6	**Little Fellow**	🙁	E2 5b	☐
7	**Bolster ***	🙁	E1 5b	☐
8	**First Pillar Route 2**	🙁	E1 5a	☐
9	**Summer Lightening**	🙁	E1 5b	☐
10	**Flake Climb ***	🙂	VS 4c	☐
11	**Schard ***	🙁	E2 5b	☐
12	**Defile Left**	🙂	HS 4b	☐
13	**Brand New Nothing**	🙁	E4 6a	☐
14	**The Blue Defile ***	😐	VS 4b	☐
15	**Blasphemy ***	🙁	E4 6b	☐
16	**Duplicate ***	🙂	E1 5b	☐

10 - 12m

N°	Name	P/B	Grade	✓
1	**Himmelswillen** ***	🙂	VS 4c	☐
2	**Serrated Edge** *	🙁 S	E1 5b	☐
3	**Teufelsweg** *	🙂	Diff	☐
4	**Y.M.C.A. Crack** *	🙂	V. Diff	☐

N°	Name	P/B	Grade	✓
5	**Dragon's Hoard** **	🙂	E6 6b	☐
6	**Cardinal's Treasure** *	🙂	E4 6b	☐
7	**Banana Wall** **	🙂	E3 6a	☐
8	**The Tall and the** * **Short of it**	🙁	E4 6a	☐

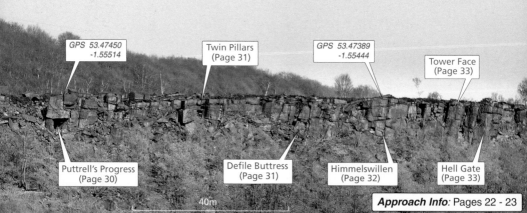

GPS 53.47450
-1.55514

Twin Pillars
(Page 31)

GPS 53.47389
-1.55444

Tower Face
(Page 33)

Puttrell's Progress
(Page 30)

Defile Buttress
(Page 31)

Himmelswillen
(Page 32)

Hell Gate
(Page 33)

40m

Approach Info: Pages 22 - 23

Tower Face

10-12m

N°	Name	P/B	Grade	✓
9	**Tower Face** ***	😐	HS 4b	☐
10	**Down to Earth** *	🙁	E4 5c	☐
11	**On the Air** **	☹️	E5 6a	☐
12	**Journey Into Freedom** *	🙁	E7 6b	☐
13	**Seconds Out** *	🙁	E5 6b	☐
14	**Hell Gate Gully** *	😐	Mod	☐
15	**News at Zen** *	🙁	E3 5c	☐
16	**Desolation Angel** ***	☹️	E6 6b	☐
17	**Hell Gate** **	😐	V. Diff	☐
18	**Gavel Neese** *	🙁	E2 5b	☐
19	**Lucifer** *	😐	E2 6a	☐
20	**Hell Gate Crack** **	😐	HS 4b	☐
21	**Primal Void** * (21 > 20 > 21 > 18)	😐	HVS 5a	☐
22	**Joie-de-Vivre** *	😐	E1 5c	☐

GPS 53.46978
-1.54650

10-12m

Long John's Stride

Approach / Descent
10m

Descent 10m

N°	Name	P/B	Grade	✓
1	**October Climb**	😐	S 4a	☐
2	**October Arête** **	☹	E2 5c	☐
3	**Autumn Wall** ***	😐	E4 6a	☐
4	**Equinox** *	😐	E3 6a	☐
5	**Grammarian's Progress** **	☹	VS 4c	☐
6	**Gwyn** *	☹	E3 5c	☐
7	**Grammarian's Face** (8 > 7 > 6 > 5)	☹	E1 5b	☐
8	**Grammarian's Face Direct** *	☹	E2 5b	☐
9	**Long John's Eliminate** **	☹	E2 5b	☐
10	**Long John's Superdirect** *	😐	E3 5c	☐
11	**Cannae**	☹	E2 5b	☐
12	**Impish** *	B	F 6C	☐
13	**Long Chimney** *	🙂	Diff	☐
14	**Inclusion** *	😐	E1 5b	☐
15	**Richard's Revenge** **	🙂	VS 4c	☐
16	**Face Dance**	😐	E4 6a	☐
17	**Lincoln Crack** **	😐	HV. Diff	☐
18	**Long John's Arête** *	B	F 6B	☐

Approach Info: Pages 22 - 23

Autumn Wall. E4 6a.
Wharncliffe Crags • John Scott (Page 35)

Introduction: Rivelin Edge and its nearby quarry, situated in a lovely woodland setting, lie within a stone's throw of Sheffield's western suburbs, but should certainly not be neglected by those living further afield. The Edge offers excellent climbing on almost perfect, fine-grained Gritstone, with some particularly classic cracks in the VS/HVS range. The centrepiece of the crag is an impressive free-standing monolith, the *Rivelin Needle,* which at VS 4c by its easiest route, is one of the Peak's least accessible mini-summits.

By contrast, the Quarry's best offerings are almost exclusively in the E grades and feature several stunningly blank and impressive face and arête climbs. It should be mentioned that although originally developed in the 1980s and 1990s, until very recently the quarry had been languishing in obscurity after many years of neglect, and only the stalwart cleaning efforts of some young Sheffield-based activists have made the routes viable again. Only the cleaner routes are described here — for full details consult the BMC *Burbage, Millstone and Beyond* guidebook (2005).

Conditions and Aspect: South-facing and very sheltered from northerly winds, Rivelin is often the best choice amongst the Eastern Edges for those chilly, blustery days that can occur anytime between October and April. One or two of the deeper cracks may retain moisture after rain, but on the whole the crag is extremely quick to dry out. The Quarry can take a little longer to dry but is, if anything, even more sheltered than the Edge.

Approach - The Edge: On the far side of the eastern end of the larger of the two Rivelin Dams, just off the A57 Sheffield to Glossop road, there is a large free car park. A height restriction barrier (6'2"/1.88m) is in place, denying entry to high vehicles (VW Transporter size upwards) though these can be parked on a dead-end lane 50m to the right (do not block access to Fox Holes Lodge). Walk back over the dam to reach the A57 and cross this with great care (pay particular attention to the blind bend just up the road, around which vehicles often drive extremely quickly) to the start of a well-marked public footpath. Follow this for approximately 200m, passing a green conservation signboard, to reach a wooden post with a small yellow marker. Fork left here and follow a narrow trail for a further 100m to where it splits again: for the centre and right-hand side of the crag (*Rodney's Dilemma* to *Altar Crack*) take the better-defined right-hand branch; for *Kremlin Krack*, *President's Buttress* and *Birch Buttress* take the lesser-defined left fork up through the trees and boulders (although these areas can also be reached from the main crag by traversing leftwards). Allow 10-12 minutes from the parking area.

President's Buttress (Page 39)

Rodney's Dilemma (Page 42)

Rivelin Needle (Page 44)

Birch Buttress (Page 38) 60m

Kremlin Krack (Pages 40 - 41)

P 10 min

Blizzard Ridge (Pages 42 - 43)

Face Climb (Pages 42 - 43)

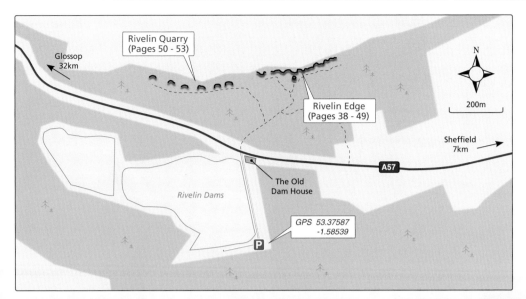

Approach - The Quarry: as for the previous approach until reaching the green conservation signboard. Fork left here and follow a narrow path up through the woods for approximately 100m to where it veers left and crosses a break in a dry stone wall. Continue leftwards on the increasingly vague trail, passing the first two quarried bays (some good, hard bouldering in the first, a few rather dirty routes in the second) for approximately 120m to reach the *Big Quarry* (10 minutes from P). The other bays described are reached by continuing leftwards, with the furthest *(Rhododendron Crack)* being situated some 300m from the dry stone wall.

Note 1: several routes in the quarry utilize in-situ pegs for protection and aspirant leaders are strongly advised to check the condition of these before trusting them to hold falls.

Note 2: the access situation at Rivelin is rather delicate: please use only the approaches described and do not wander off into pathless areas of the wood.

Area Map on Page 21.

Rivelin Edge - Overview

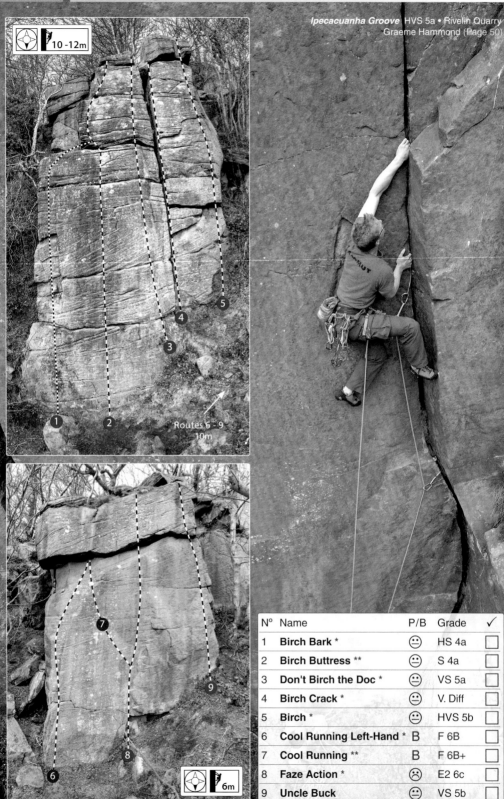

10 - 12m

Ipecacuanha Groove HVS 5a • Rivelin Quarry
Graeme Hammond (Page 50)

Routes 6 - 9
10m

6m

N°	Name	P/B	Grade	✓
1	**Birch Bark** *	😐	HS 4a	☐
2	**Birch Buttress** **	😐	S 4a	☐
3	**Don't Birch the Doc** *	😐	VS 5a	☐
4	**Birch Crack** *	😐	V. Diff	☐
5	**Birch** *	😐	HVS 5b	☐
6	**Cool Running Left-Hand** *	B	F 6B	☐
7	**Cool Running** **	B	F 6B+	☐
8	**Faze Action** *	☹	E2 6c	☐
9	**Uncle Buck**	😐	VS 5b	☐

N°	Name	P/B	Grade	✓
10	**Red's Slab** *	🙁	HS 4b	☐
11	**We're Only Here for the Smear** *	🙁	E4 5c	☐
12	**Red's Slab** * **Variations** (10 > 12)	😐	VS 4c	☐
13	**White House Crack** *	😐	S 4a	☐
14	**President's Crack** *	😐	HVS 4c	☐
15	**Milena** *	🙁	E6 6b	☐
16	**Senator's Gully** *	😐	S 4b	☐
17	**Money for Old Rope**	😐	E3 6b	☐
18	**Ray Crack** *	😐	VS 5a	☐
19	**Parallel Universe** *	😐	E3 6b	☐
20	**Ukase**	😐	HS 4b	☐

Descent

N°	Name	P/B	Grade	✓
1	**Ausfahrt** **	😣 S	E3 5c	☐
2	**Exit** **	😐	E3 5c	☐
3	**Der Kommissar** *	😐	E4 6b	☐
4	**Jaded** **	😐	E4 6b	☐
5	**Moontan** *	B	F 7A+	☐
6	**Kremlin Krack** **	😐	HVS 5a	☐
7	**Scarlett's Chimney** *	😐	VS 4b	☐
8	**Left Under** *	😐	HVS 5a	☐
9	**Left Edge** **	😣	HVS 4c	☐
10	**Better Late** * than Never	😣	E1 5a	☐
11	**Rivelin Slab**	😐	Mod	☐

Rodney's Dilemma

8 - 10m

N°	Name	P/B	Grade	✓
4	**Isolation** *	😐	S 4a	☐
5	**Rodney's Dilemma** **	😐	S 4a	☐
6	**Clinker** *	😐	E5 6c	☐
7	**Temple Crack** *	🙂	HtV. Diff	☐
8	**Crafty Cockney** *	😐	E2 5c	☐
9	**Pious Flake** *	😐	S 4b	☐
10	**Tree Crack** *	😐	Diff	☐
11	**Ulex** *	😐	HS 4b	☐
12	**Gardener's Pleasure** *	😐	HS 4b	☐
13	**White Out** **	😐	E2 5c	☐
14	**Blizzard Ridge** *** **Direct** (14 > 15)	🙁	E1 5b	☐
15	**Blizzard Ridge** ***	🙁	HVS 5a	☐
16	**The Tempest** **	🙁	E5 6a	☐
17	**Jonathan's Chimney** *	😐	VS 4c	☐
18	**Jonad Rib** *	🙁	VS 4c	☐
19	**David's Chimney** **	😐	V. Diff	☐
20	**Mad as Cows**	😐	E1 5c	☐
21	**Layback Crack** *	😐	V. Diff	☐
22	**Corner Crack** *	😐	V. Diff	☐
23	**Face Climb No 1** *	🙁	V. Diff	☐
24	**Face Climb No 1.5** *	🙁	VS 4c	☐

N°	Name	P/B	Grade	✓
1	**Angle Rib**	😐	HVS 5a	☐
2	**Angle Crack** *	😐	Diff	☐
3	**Solitaire** *	😐	V. Diff	☐

Descent Path

10 - 15m

Blizzard Ridge

10-15m

8-10m

Face Climb
5m

N°	Name	P/B	Grade	✓
25	**I'm Back** **	🙂	E4 6a	☐
26	**Jelly Baby** *	🙂	E1 5c	☐
27	**Face Climb No 2** *	🙁	VS 4b	☐

N°	Name	P/B	Grade	✓
28	**Crack One**	🙂	S 4a	☐
29	**Garibaldi Twins**	🙂	E3 6b	☐
30	**Takes the Biscuit** *	🙁	E4 6b	☐
31	**Oversight**	🙁	HS 4b	☐
32	**Crack Two**	🙂	V. Diff	☐
33	**Where** * **Bulldykes Daren't**	B	F 6c	☐
34	**Shelf Wall** *	🙂	VS 4c	☐

Face Climb - Left

6 - 8m

Face Climb - Right

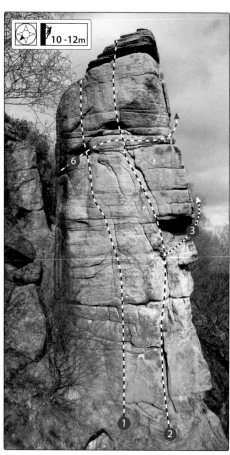

N°	Name	P/B	Grade	✓
1	**Declaration** *	😐	E5 6c	☐
2	**Angst** **	😐	E3 5c	☐
3	**The Original Route** (3 > 4) **	😊	E2 5c	☐
4	**Croton Oil** ***	😊	HVS 5a	☐
5	**Only Human** *	😐	E5 6c	☐
6	**The Spiral Route** ** (4 > 6 > 4)	😊	VS 4c	☐
7	**Jumpey Wooller** *	🙁	E6 6b	☐
8	**The Eye** *	😐	E2 6a	☐

Abseil Chain & Maillon

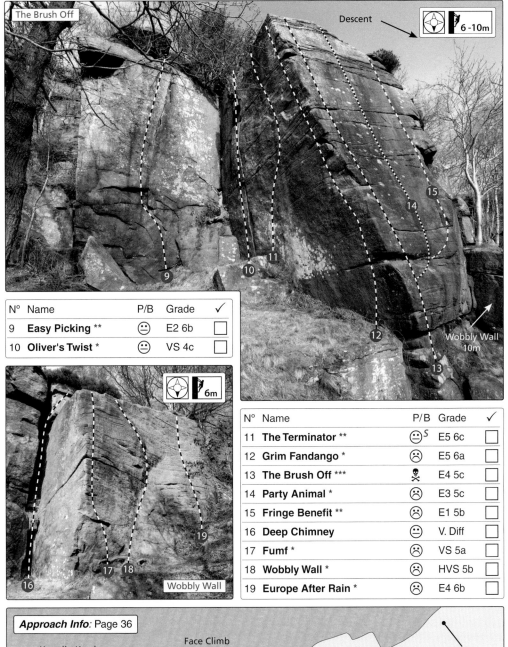

The Brush Off

Descent ➡️

6 - 10m

N°	Name	P/B	Grade	✓
9	**Easy Picking** **	😐	E2 6b	☐
10	**Oliver's Twist** *	😐	VS 4c	☐

Wobbly Wall
10m

6m

Wobbly Wall

N°	Name	P/B	Grade	✓
11	**The Terminator** **	😐 S	E5 6c	☐
12	**Grim Fandango** *	😟	E5 6a	☐
13	**The Brush Off** ***	☠	E4 5c	☐
14	**Party Animal** *	😟	E3 5c	☐
15	**Fringe Benefit** **	😟	E1 5b	☐
16	**Deep Chimney**	😐	V. Diff	☐
17	**Fumf** *	😟	VS 5a	☐
18	**Wobbly Wall** *	😟	HVS 5b	☐
19	**Europe After Rain** *	😟	E4 6b	☐

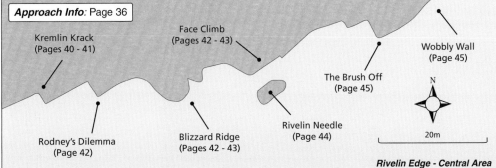

Approach Info: Page 36

Kremlin Krack
(Pages 40 - 41)

Face Climb
(Pages 42 - 43)

Wobbly Wall
(Page 45)

The Brush Off
(Page 45)

N

Rodney's Dilemma
(Page 42)

Blizzard Ridge
(Pages 42 - 43)

Rivelin Needle
(Page 44)

20m

Rivelin Edge - Central Area

Auto da Fe E4 6a • Rivelin Edge
Dom Proctor (Page 47)

Approach Info: Page 36

8-12m

Descent

2

Auto da Fe

3

1

4

5

The Plague

6

7

9

8-10m

Auto da Fe

11

15

14

13

10

12

N°	Name	P/B	Grade	✓
1	**Caravaggio** *	😐	E3 6a	☐
2	**Outsider** **	😐	E2 5c	☐
3	**Ring of Roses** *	😐	HVS 5b	☐
4	**Big Al** **	😧	E7 6c	☐
5	**Plague** *	😐	E4 6b	☐
6	**The Crevice** *	😐	HV. Diff	☐
7	**The Slot**	😐	HV. Diff	☐
8	**Moss Side** *	😐	HS 4b	☐
9	**Lichen Slab**	😐	S 4a	☐
10	**Sparks** **	B	F 7B	☐
11	**Palm Charmer** **	😐	E3 5c	☐
12	**Auto da Fe** ***	😐	E4 6a	☐
13	**Reprieve** *	😧	E3 5c	☐
14	**Left Holly** * **Pillar Crack**	🙂	S 4a	☐
15	**Right Holly** * **Pillar Crack**	😐	S 4a	☐

Wilkinson's Wall — 7m

Roof Route - Left — 10m

Roof Route 20m →

N°	Name	P/B	Grade	✓
1	**Wilkinson's Wall** *	🙂	VS 4b	☐
2	**Of Mice and Men**	☹️	E5 6b	☐
3	**Summertime** *	☹️	E3 5c	☐
4	**Small Time**	🙂 ^S	E2 6b	☐
5	**Renshaw's Remedy** **	😐	HV. Diff	☐
6	**Regular Route** *	😐	HVS 5a	☐
7	**Groove Route** *	😐	HVS 5b	☐

N°	Name	P/B	Grade	✓
8	**Roof Route** **	🙂	HVS 5b	☐
9	**Root Route** **	😐	S 4a	☐

Roof Route - Right — 6-10m

Altar Crack 30m →

N°	Name	P/B	Grade	✓
10	**Dynasty**	😐	E4 6a	☐
11	**April Fool** *	☹️	E2 5b	☐
12	**Steph** *	😐	HVS 5a	☐

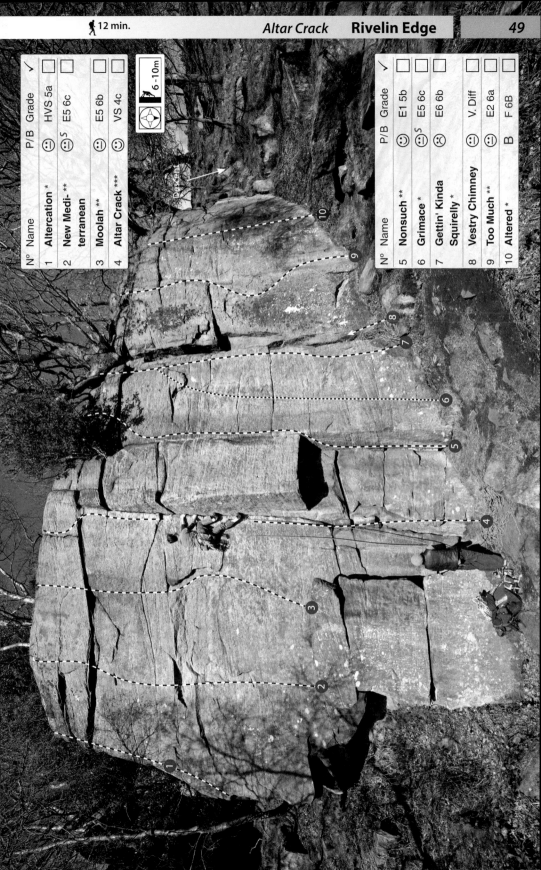

N°	Name	P/B	Grade	✓		
1	Altercation *	🙂	HVS 5a	☐	☐	
2	New Medi-terranean **	🙂S	E5 6c	☐	☐	
3	Moolah **	🙂	E5 6b	☐		
4	Altar Crack ***	🙂	VS 4c	☐		

N°	Name	P/B	Grade	✓		
5	Nonsuch **	🙂	E1 5b	☐	☐	☐
6	Grimace *	🙂S	E5 6c	☐	☐	
7	Gettin' Kinda Squirelly *	🙁	E6 6b	☐		
8	Vestry Chimney	🙁	V. Diff	☐		
9	Too Much **	🙂	E2 6a	☐		
10	Altered *	B	F 6B	☐	☐	☐

6–10m

Descent

◈ ⬆ 10 - 14m

Paddington E4 6a • Rivelin Quarry
Mark Rankine (Page 53)

Routes 5 - 7
15m →

Nº	Name	P/B	Grade	✓
1	**Entrapment**	☹	E2 5b	☐
2	**Rhododendron Crack** *	☹	E1 5a	☐
3	**Ipecacuanha Groove** *	☺	HVS 5a	☐
4	**Ipecacuanha Crack**	☺	VS 4c	☐
5	**Earthboots** **	😐	E6 6c	☐
6	**Jack The Groove** **	☹	E6 6c	☐
7	**Syrup of Figs**	☺	VS 4c	☐

8m

Black Slab
25m →

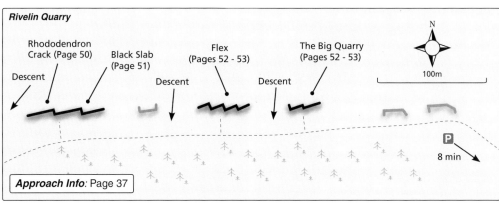

N°	Name	P/B	Grade	✓
8	**Sex Drive** *	😐	E4 6b	☐
9	**Black Slab Arête** *	😐	E1 6a	☐
10	**Black Slab** *	😐	HVS 5a	☐

N°	Name	P/B	Grade	✓
11	**The Two Toms** *	😐	E1 5b	☐
12	**Piglet** **	🙂	HVS 5b	☐
13	**That's My Lot** ***	🙁	E8 7a	☐

Flex (Page 52) 100m ➡

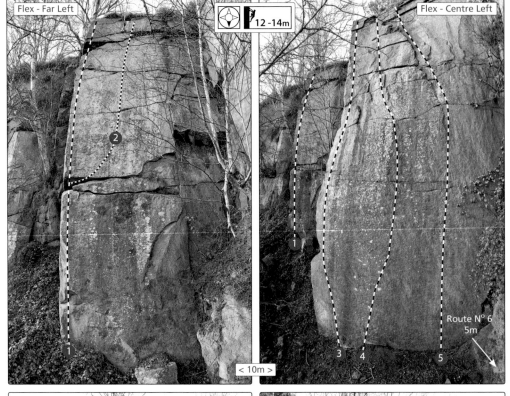

Flex - Far Left

12 -14m

Flex - Centre Left

Route Nº 6
5m

< 10m >

Flex - Centre Right

12 -14m

Flex - Far Right

The
Big Quarry
60m

< 5m >

N°	Name	P/B	Grade	✓
1	**Mr. Creosote** *	😐 S	E5 6c	☐
2	**Snivelin' Rivelin** *	😐	E3 6a	☐
3	**Portnoy's Complaint** **	🙁	E2 5b	☐
4	**Flex** ***	🙁	E6 6c	☐
5	**The Final Overthrow of The Green Devil** *	😐	E5 6b	☐
6	**Direct Comeback** *	🙂	HVS 5b	☐
7	**Stunt Children**	😐	E4 6b	☐
8	**Cold School Closure** *	😐	E4 6c	☐
9	**Crab Waddy** *	🙁	E2 5b	☐
10	**Florence**	😐	HVS 5a	☐
11	**Delivered** *	😐	E4 6a	☐
12	**Awkward Willy** *	😐	E2 5c	☐
13	**Feet Neet** **	😐	E5 6c	☐
14	**Super Ted** *	😐	E5 6c	☐
15	**Teddy Bears' Picnic** **	😐	E4 6b	☐
16	**Dextrasol** *	😐	E1 5b	☐

The Bear Necessities E5 6b
Rivelin Quarry • Mark Rankine (Page 53)

The Big Quarry

Descent

8-12m

Flex 60m

N°	Name	P/B	Grade	✓
17	**Glucose** *	😐	HVS 5a	☐
18	**The Bear Necessities** **	😐	E5 6b	☐
19	**Paddington** **	🙁	E4 6a	☐

Introduction: A fine, 'old-fashioned' crag situated in a position of splendid isolation almost an hour's walk from the road. The pick of the routes lie in the VS/HVS bracket and give excellent, juggy climbing against the magnificent backdrop of the Upper Derwent Valley, best enjoyed in late August when the blooming heather turns the moorland purple. There are close to one hundred routes on the Tor, and more on several other crags along Derwent Edge. Our selection, however, is limited to the major buttresses of the Tor itself. Full details of all the climbing in this vicinity can be found in the BMC *Burbage, Millstone and Beyond* guidebook (2005).

Conditions and Aspect: An orientation of due west makes Dovestone Tor an excellent venue for summer evenings, particularly as the often-present breeze should help keep the midges at bay. Spring and autumn may also yield reasonable conditions, though some routes require several fine days to thoroughly dry out after extended periods of rain. The rock is generally sound but can often feel a little gritty on the less popular routes due to lack of traffic.

Approach: Park in a spacious lay-by on the southern side of the A57 Sheffield to Manchester Road (the 'Snake Pass') approximately 900m after passing the turn-off to Strines when approaching from Sheffield. Thefts from vehicles are unfortunately rather common here so leave nothing of value in your car.

Walk down a path on the left-hand side of the road for approximately 200m to Cut Throat Bridge (additional parking here for 4-5 vehicles — do not block access to the gate). Cross the road, pass through a gate and then follow a well-marked path (ignoring a minor trail cutting leftwards after 150m) first rightwards, then back left, up and across the moor. Approximately 1.7km from the road a junction of paths is reached: take the right-hand (uphill) option and continue along the crest of Derwent Edge, crossing the Derwent to Moscar public footpath and passing a curious Gritstone formation — The Wheelstones. Approximately 2.7km from the junction of paths (4.4km from the road!) there is a National Trust signpost for 'High Peak Estate/Derwent Edge' on a paved section of path. About 70m after this signpost turn sharply left and follow a vague trail through the heather, passing a large, flat boulder featuring a distinctive circular 'solution' pocket. Roughly 30m from the main path the short walls of the upper tier (not described) can be seen just to the left (facing out). Continue down and right along vague trails to reach the main crag (60 min from P). *Note:* the crag is not visible from above, so pay particular attention to the position of the National Trust signpost in order to identify the correct final approach path. The map on page 55 also provides a GPS coordinate indicating the top of the final approach path.

Area Map on Page 21.

Great Buttress
(Pages 56 - 57)

Jonah
(Page 55)

Route 1 Buttress
(Page 58)

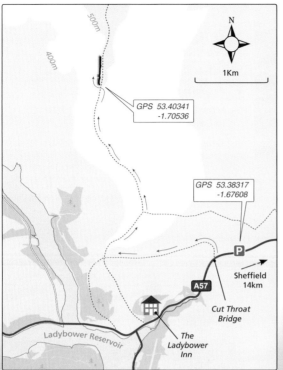

GPS 53.40341
-1.70536

GPS 53.38317
-1.67608

Sheffield
14km

Cut Throat
Bridge

The
Ladybower
Inn

Ladybower Reservoir

A57

N

1Km

THE NATIONAL TRUST

HIGH PEAK ESTATE
DERWENT EDGE

Welcome to the High Peak

Where the Red Grouse calls

Nº	Name	P/B	Grade	✓
1	**Windblasted** *	😊	Diff	☐
2	**Windblown** *	🙁	V. Diff	☐
3	**Domusnovas** *	😐	E2 5c	☐
4	**Jonah** *	😊	Diff	☐
5	**Tight 'Uns** *	😐	VS 5a	☐

Nº	Name	P/B	Grade	✓
6	**Titanium** *	😊	VS 5a	☐
7	**Titanic** **	😊	VS 4c	☐
8	**Titania** **	😐	VS 4c	☐
9	**Iltis** *	😊	VS 4b	☐

8-10m

N°	Name	P/B	Grade	✓
1	**Polecat ***	☺	VS 4b	☐
2	**Poll Taxed**	☺	S 4a	☐
3	**Pole-Axed ***	☺	S 4a	☐
4	**Jacobite's Route ***	☺	V. Diff	☐
5	**Slow Cooker ***	☺	S 4a	☐
	(5 > 4 > 5)			
6	**Slocum ***	☹	S 4a	☐

10 -20m

Descent

Approach Info: Page 54

N°	Name	P/B	Grade	✓
7	**First Come**	😐	HVS 5a	☐
8	**Gruyère**	😐	VS 4c	☐
9	**Dovestone Gully**	🙂	Mod	☐
10	**Dovestone Edge** *	🙂	S 4a	☐
11	**Dovestone Wall** **	😐	V. Diff	☐
12	**A Little** * **Green-Eyed God**	😐	VS 4c	☐
13	**Barney Rubble** **	🙂	VS 4c	☐
14	**Thread Flintstone** **	😐	HVS 5b	☐

N°	Name	P/B	Grade	✓
15	**Brown Windsor** *	😐	VS 4b	☐
16	**Mock Turtle** *	😐	E1 5b	☐
17	**Great Buttress Eliminate** *	😐	HVS 5a	☐
18	**Great Buttress** ***	😐	HVS 5a	☐
19	**Sforzando** **	😐	E5 6a	☐
20	**Central Climb** * P1 4c, P2 5a	😐	VS 5a	☐
21	**Fennario** * P1 4b, P2 4c	😐	VS 4c	☐
22	**Nippon, Nippoff**	😐	E3 6a	☐

14 -16m

Approach Info: Page 54

Nº	Name	P/B	Grade	✓
1	**Route 1 ***	😐	VS 4c	☐
2	**The Shylock Finish **	😐	VS 5a	☐
3	**Blue Velvet ***	😐	E1 6a	☐

Nº	Name	P/B	Grade	✓
4	**Claw Climb **	😐	HVS 5a	☐
5	**Talon ***	😐	VS 4b	☐
6	**Lancaster Flyby **	😐	HVS 5b	☐
7	**Route 2**	😐	VS 4c	☐

Great Buttress HVS 5a • Dovestone Tor
Ian Hylands (Page 57)

Introduction: A gem of a crag offering superb routes on some of the best Gritstone in the Peak. Its situation, perched on the edge of Bamford Moor, overlooking Ladybower Reservoir and the upper reaches of the Derwent Valley, is equally memorable. Although not the highest of Peak Gritstone edges, the climbing is extremely varied: classic middle-grade jamming cracks share space with the thinnest of slabs and most powerful of roof-climbs.

Note: only the major buttresses of this extensive crag are covered in our selection. Full details of all of Bamford's climbs can be found either in the BMC *Burbage, Millstone and Beyond* guidebook (2005) or the Rockfax *Eastern Grit* (2015).

Conditions and Aspect: High-lying and fully exposed to the elements, this is not a crag for blustery weather. In fact Bamford is one of the few Eastern Edges where climbing in full-on summer conditions can feel perfectly fine, even though its southwesterly orientation ensures plenty of sunshine from midday onwards.

Approach: Although subject to CRoW (the Countryside and Rights of Way Act 2,000) granting statutory public access, Bamford Edge is a special case. The landowner actively manages Bamford Moor as a grouse shoot, meaning walkers and climbers must adhere to certain rules and regulations, as agreed between the landowner and the British Mountaineering Council (BMC):

1) Absolutely no dogs are allowed.
2) For reasons of land management the owner has the right to close the moor for up to 28 days a year (excluding bank holidays, summer weekends or more than four weekend days outside the summer period).
3) The approach described below is the ONLY way climbers should access the crag.

New Road is a small lane, which starts 200m south of the Yorkshire Bridge Inn on the A6013 Bamford to Ladybower road and runs uphill to the Dennis Knoll parking area (Stanage). Approximately 1.7km from the junction with the A6013 (1.5km from Dennis Knoll) there is a wooden gate and stile on the northern side of the lane. Park in grassy lay-bys as close to the gate as possible. Cross the stile and take the left-hand of two well-marked paths. After 30m the paths split: again take the left-hand alternative, following a trail diagonally leftwards across the hillside to reach *Gun Buttress* at the right-hand end of the crag (10 minutes from P). Well marked paths lead leftwards from here along the base of the crag, running as far as the *K Buttress*, but beyond that the going becomes more indistinct. The far left-hand buttresses (*Great Tor - Upper and Lower Tier*) are better reached by dropping down from the major path running along the top of the crag. The overview picture below shows their relative positions and GPS markers highlight the tops of key buttresses.

Area Map on Page 21.

GPS 53.36076
-1.68980

Great Tor - Upper Tier
(Pages 64 - 65)

GPS 53.35946
-1.68798

K Buttress
(Pages 66 - 67)

Wrinkled Wall
(Page 67)

Great Tor - Lower Tier
(Pages 62 - 63)

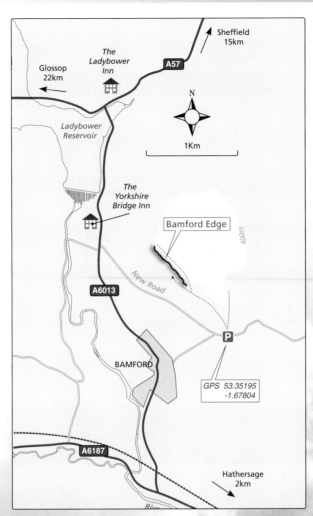

Sheffield
15km

A57

The
Ladybower
Inn

Glossop
22km

N

1Km

*Ladybower
Reservoir*

*The
Yorkshire
Bridge Inn*

Bamford Edge

400m

New Road

A6013

BAMFORD

P

GPS 53.35195
-1.67804

A6187

Hathersage
2km

River

GPS 53.35861
-1.68625

GPS 53.35792
-1.68517

P 12 min

Neb Buttress
(Pages 68 - 69)

Gun Buttress
(Pages 70 - 71)

Salmon Slab

10 - 12m

Climber: Theo Moore

8 - 10m

N°	Name	P/B	Grade	✓
1	**Hasta La Vista**	😣	HV. Diff	☐
2	**Back Flip** *	😣	E1 5b	☐
3	**Benberry Wall** *	😞	E3 5b	☐
4	**The Naked Eye** *	😣	E3 5b	☐
5	**Bilberry Crack** **	😊	VS 5a	☐
6	**Recess Crack** *	😐	V. Diff	☐
7	**Nemmes Pas Harry** **	😐	E1 5b	☐
8	**Quien Sabe?** ***	😊	VS 4c	☐
9	**Brown's Crack** ***	😊	HS 4b	☐
10	**Jetrunner** **	😐	E4 6a	☐
11	**Trout** ***	😞	E6 6b	☐
12	**Salmon Direct** ***	😞	E6 6c	☐
13	**The Salmon** ***	😞	E7 6c	☐
14	**Smoked Salmon** ***	😞	E7 7a	☐
15	**Curving Crack** **	😐	VS 4c	☐
16	**Poached Salmon** *	😞	E5 6b	☐
17	**Sandy Crack** *	😐	HS 4b	☐
18	**Greydon Boddington** *	😐	HVS 5b	☐
19	**Fizz** *	😐	E1 5c	☐
20	**Two Real Doleys Scrounging**	😐	E3 6b	☐

Bilberry Crack VS 5a
Bamford Edge • Simon Bainbridge (Page 63)

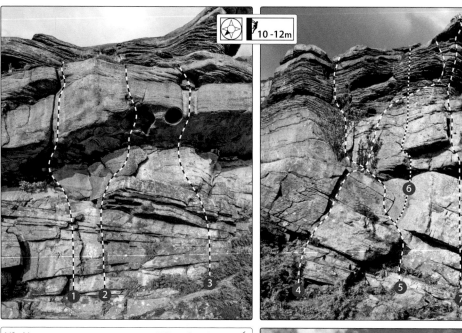

Nº	Name	P/B	Grade	✓
1	**Undercut Crack** ***	🙂	E2 5c	☐
2	**MAy35** **	🙂	E6 6b	☐
3	**Avoiding the Traitors** **	🙁	E7 6c	☐
4	**Terrace Wall**	🙁	VS 4b	☐
5	**Terrace Trog** *	🙂	Mod	☐
6	**Old Wall** *	🙂	HVS 5b	☐
7	**Gargoyle Flake** ***	🙂	VS 4c	☐
8	**Left Wing**	🙂	S 4a	☐
9	**Almost Granite** *	🙁	E1 5b	☐
10	**Tinner** *	🙁	HVS 5a	☐
11	**Right-Hand Twin** *	🙂	HVS 5a	☐
12	**Private Practice** *	🙁	E1 5b	☐
13	**Solstice Arête**	🙂	VS 4c	☐

GPS 53.36113
-1.68970

1 - 3

4 - 7

8 - 13

K Buttress
(Pages 66 - 67) →
90m

Approach/
Descent

Great Tor - Lower Tier
(Pages 62 - 63)

Approach Info: Page 60

Jet Runner E4 6a
Bamford Edge • Dom Proctor (Page 63)

Gargoyle Flake VS 4c
Bamford Edge • Andy Gardner (Page 64)

Great Tor
(Pages 62 - 65)
← 90m

Approach Info: Page 60

N°	Name	P/B	Grade	✓
1	**K Buttress Slab Direct** *	🙂	V. Diff	☐
2	**K Buttress Slab** *	🙂	V. Diff	☐
3	**K Buttress Crack** **	🙂	S 4a	☐
4	**K'od** *	B	F 5+	☐
5	**Wrong Hand Route** **	🙂	E1 5c	☐
6	**Skarlati** *	☹	E2 5b	☐
7	**Fern Chimney**	🙂	Diff	☐
8	**Bracken Crack** *	🙂	V. Diff	☐
9	**The Bookend** ***	B	F 6B	☐
10	**The Plumber has Landed** *	B	F 6B	☐
11	**Down to Earth** **	🙂	E3 6a	☐
12	**Crunchy Nuts**	🙂	HVS 5a	☐
13	**Wee Lassie**	🙂	VS 5a	☐
14	**Special K** *	🙂	HVS 5b	☐
15	**Dead Mouse Crack**	🙂	HS 4c	☐
16	**Hanging Crack**	🙂	HS 4b	☐
17	**Bamboozer** *	🙂	E2 6a	☐
18	**Spike** **	B	F 7B	☐
19	**Jasmine** ***	☹	E6 6b	☐
20	**Access Account** *	🙂	E3 6a	☐

N°	Name	P/B	Grade	✓
21	**Wrinkled Wall** ***	🙂	VS 4c	☐
22	**Old and Wrinkled** *	☹	HVS 5a	☐
23	**The Crease** **	☠	E1 5a	☐
24	**Sinuous Crack**	🙂	Diff	☐

8 - 10m

6 - 10m

Neb Buttress
(Pages 68 - 69)
150m ➡

Routes 21 - 24

8 - 12m

Climber: Pete O'Donovan

N°	Name	P/B	Grade	✓
1	**Cleopatra**	🙂	VS 4c	☐
2	**Samson's Delight** *	🙂	VS 4c	☐
3	**Dirty Stop Out** **	😐	E2 5c	☐
4	**Delilah** *	🙁	HS 4a	☐
5	**Short Curve** *	😐	HV. Diff	☐
6	**The Business Boy** *	B	F 6B	☐
7	**N.B. Corner**	😐	Diff	☑
8	**Big Ben**	🙂	VS 4c	☐
9	**Parliament** *	😐	E1 5c	☐
10	**Neb Buttress Direct** ***	😐	HVS 5a	☐
11	**Auricle** **	😐	E2 5c	☐

N°	Name	P/B	Grade	✓
12	**Jumping Jack Longland** **	😐	E3 5c	☐
13	**Neb Buttress** ***	😐	HVS 5a	☐
14	**Bamford Rib** **	😐	HVS 5a	☐
15	**The Happy Wanderer** **	😐	HVS 5a	☐
16	**Reach** *	😐	VS 4c	☐
17	**Bamford Wall** **	😐	S 4a	☐
18	**Bamford Buttress** *	😐	S 4a	☐

Neb Buttress - Left

8 -12m

N°	Name	P/B	Grade	✓
19	**Busy Day at Bamford**	😐	VS 5a	☐
20	**Twin Cracks** *	😐	VS 4b	☐
21	**Custard's Last Stand** *	😐	HVS 5b	☐
22	**Deep Cleft** *	😐	Mod	☐
23	**Oracle** (22 > 23) **	😐	HS 4b	☐
24	**Sterling Moss** *	😐	E4 6b	☐

N°	Name	P/B	Grade	✓
25	**Ontos** **	😐	E3 6b	☐
26	**Fatal Inheritance**	😐	E4 6a	☐
27	**Trouble With Lichen** **	😐	HVS 5b	☐

Routes
8 & 9

Neb Buttress - Right

12 -15m

Approach Info: Page 60

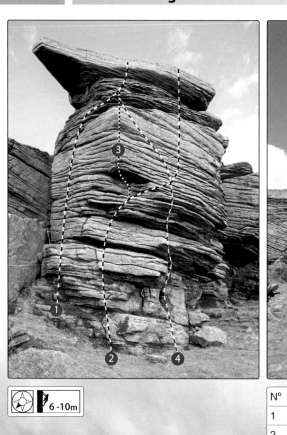

6 -10m

N°	Name	P/B	Grade	✓
1	**Shadow Wall** *	😐	VS 4c	☐
2	**Randy's Wall** **	😐	HVS 5a	☐
3	**Life During Wartime** *	😐	E2 5c	☐
4	**Magnum Force** *	😐	HVS 5b	☐
5	**Gunpowder Crack** **	🙂	VS 5b	☐
6	**Master Blaster** *	😐	E1 5c	☐

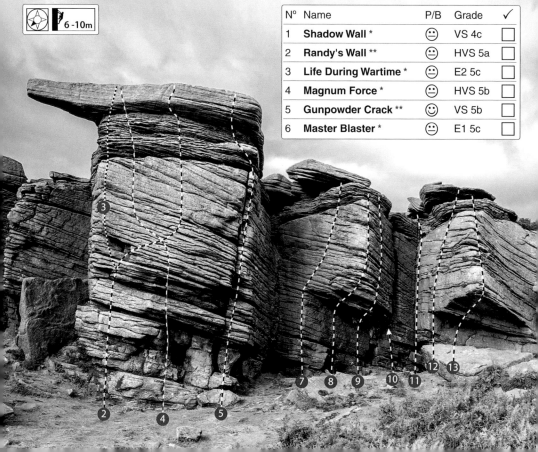

N°	Name	P/B	Grade	✓
7	**Ammo**	😐	S 4a	☐
8	**Long John** *	😐	HVS 5b	☐
9	**Three Real** * **Men Dancing**	😐	E2 6a	☐
10	**Green Chimney**	😐	Diff	☐
11	**Artillery Corner**	😐	Diff	☐
12	**Gangway**	😐	S 4a	☐
13	**Green Parrot** *	😐	VS 5b	☐
14	**Bosun's Slab** *	😐	Mod	☐
15	**Concave Slab**	😐	Diff	☐
16	**Convex or Perplexed**	😐	VS 5a	☐

N°	Name	P/B	Grade	✓
17	**Adjacent Slab Direct**	😐	S 4c	☐
18	**Hypotenuse** *	😐	Mod	☐
19	**Opposite**	😐	S 4a	☐
20	**Vertigo** *	😐	HS 4c	☐
21	**Armed and Dangerous** *	😐	E4 6a	☐
22	**Dynamite Groove** *	😐	E1 5b	☐
23	**Funny Side**	😐	S 4a	☐
24	**Topside**	😐	HS 4b	☐
25	**Sunny Side** *	😐	S 4a	☐
26	**Right Side**	😐	S 4a	☐
27	**Slopey Side**	😐	E1 5b	☐

6 - 8m

Approach Info: Page 60

Left Unconquerable E1 5b
Stanage - Plantation • James Turnbull (Page 119)

Introduction: At over four kilometres in length and hosting somewhere in the region of 1,300 routes, Stanage is by far the most extensive of the Peak Gritstone edges. Add to that its superb rock quality, ease of access and generally south-westerly orientation, and its position as Britain's most popular climbing destination is not hard to fathom.

Stanage hosts literally hundreds of classic climbs throughout the grades and even the lesser routes here are mostly well worth doing. Of course, popularity has its drawbacks, and if weekends and bank holidays happen to coincide with fine weather then climbers searching for peace and tranquillity should definitely give the appropriately named 'Popular End' of the cliff a wide berth. That said, the more remote areas of the crag are rarely, if ever, busy, and offer some very fine climbing.

Note1: such is the extent of Stanage that our selection, of necessity, omits many worthwhile buttresses and routes which, were they on any other cliff would almost certainly have made the cut. For full details of all Stanage's delights consult either the definitive BMC guidebook (2007) or the Rockfax *Eastern Grit* (2015).

Note 2: in recent years the presence of Ring Ouzels nesting on certain parts of the cliff in spring and early summer has led to some temporary restrictions. Please adhere strictly to these. At such times warning signs are posted on the approach paths.

Conditions and Aspect: Lying at an altitude of approximately 450m and having a bold, open aspect, Stanage is entirely at the mercy of the weather, be it fine or foul. Its predominantly south-westerly orientation (more like west/northwest at its northern end) ensures afternoon sunshine on clear days throughout the year, and when combined with the fresh, westerly breeze that invariably blows across the moors, creates superb drying conditions. Days of seriously strong wind are probably best spent somewhere lower and more sheltered, though if you happen to be here on a still, muggy evening in July or August, when the midges are at their irritating worst, you'd probably sell your soul for a gust or two.

Barring the odd, esoteric route, the rock is impeccably clean, though, inevitably, somewhat polished on the more popular classics.

Approaches: See map on Page 75. Stanage Edge lies approximately 12km west of the centre of Sheffield, and little more than half that from the city's south-western suburbs. In order to simplify approach information we have split the crag into four main sections: *Stanage - End, Stanage - High Neb, Stanage - Plantation* and *Stanage - Popular.* Two minor sections, *Apparent North* and the *Cowper Stone,* are described separately.

Stanage - End: Two alternative approaches are possible: 1) There is limited parking in grassy lay-bys next to a metal gate at Moscar Top (don't block the gate!) on the A57 'Snake Pass' road, approximately 100m west of a large signpost marking the city limits of Sheffield (P1). Climb over a stile next to the metal gate and follow the obvious track, which quickly joins another path (the start of this is 50m up the road from the parking area). Follow the path, often boggy after wet weather, for approximately 1km to reach the first group of buttresses, *End Slab* to *Problem Corner* (15 min). The second group of buttresses, *Marble Wall* to *Crow Chin,* lies some 600m further right (south) and is best approached using the cliff-top path (20-25 min. from P1).

2) Follow the approach for Stanage - High Neb (see below) then continue leftwards along the well-marked footpath to reach *Crow Chin* (25 min. from P2).

Stanage - High Neb: Park at Dennis Knoll - P2 (see map on page 75). This is a small purpose-built parking area, which is supplemented by extensive roadside verges.

Continued on Page 74 ▷

◁ *Continued from Page 73*
From the car park follow a major track — the 'Causeway' — gently uphill towards the edge. For buttresses between *Exodus* and *High Neb Buttress:* after approximately 500m climb the second stile on the left and follow a narrow but well-marked footpath up and left, joining with another (horizontal) path after about 400m. *High Neb Buttress* now lies directly in front: cross directly over the horizontal path and follow a smaller trail up to the crag (15 min. from P2). The other buttresses *(Exodus* to *Youth)* are situated between 50m and 250m left of *High Neb Buttress* (18 - 20 min. from P2*)*.

For buttresses between *Titanic Buttress* and *Anniversary Arête:* continue up the Causeway for a further 950m, cross a stile on the left then follow a well-marked path horizontally leftwards to reach the disjointed buttresses forming this part of the crag. Walking times range from 20 minutes *(Anniversary Arête)* to 25 minutes *(Titanic). Note: Titanic Buttress* can also be reached via the *High Neb Buttress* approach (see above) followed by a 300m stroll southwards along the clifftop path (20 min).

Stanage - Plantation: Park at Hollin Bank pay and display carpark (P3 — see map on page 75). From here follow a wide, well-marked path up towards the crag, reaching a gate at the boarders of the wooded 'Plantation' after approximately 300m. For buttresses between *Count's Buttress* and *Hathersage Trip:* continue up the main path, passing through a second gate, from where the individual buttresses are clearly visible. Various minor paths lead up to the crag (10 -12 min. from P3).

Count's Buttress is situated some 200m to the left (north) of where the path reaches the top of the edge, and is best reached by walking along the crag-top path (15 min. from P3).

For buttresses between *Pegasus Wall* and *The Unconquerables:* immediately after the gate at the entrance to the Plantation, head first rightwards and then straight up, keeping to the right-hand border of the trees, to reach the crag (10 - 12 min).

Stanage - Popular: Hook's Car (P4) is an extensive roadside parking area situated directly below the crag (see map on page 75). From here several well-marked footpaths lead up to the crag and then along both its base and top (8 -15 minutes, depending on your chosen buttress or route).

Apparent North: Approximately 1km up the road from the Hook's Car parking area (and around the same distance from Upper Burbage Bridge if approaching from the other direction) there is a long lay-by offering plentiful parking (P5). From here follow a well-marked footpath up towards the edge. The *Apparent North* block lies just to the right of the path, approximately 500m from P5 (5 min).

The Cowper Stone: Use the most westerly of the Upper Burbage Bridge parking areas (P6). Walk up the road towards Stanage main edge as far as the first large bend (some 130m from the parking area) then turn right onto a well-marked footpath heading westwards across the moor. After about 600m leave the principal path, heading rightwards to the base of the distinctive overhanging block (10 min).

Area Map on Page 21.

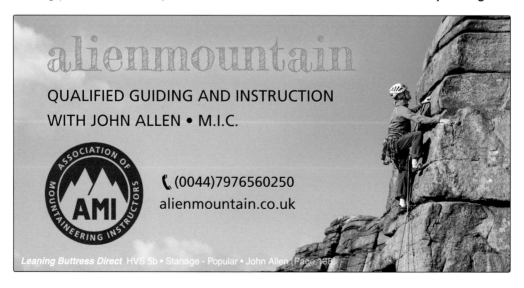

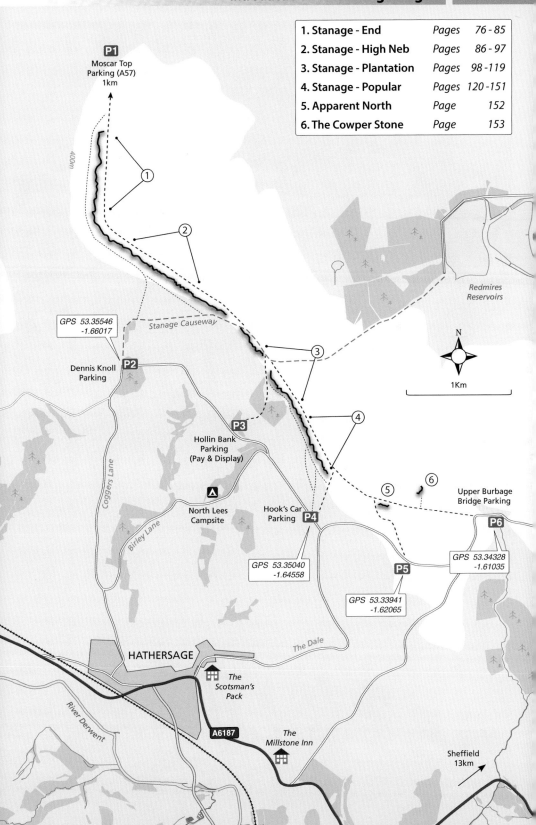

P1

Moscar Top
Parking (A57)
1km

400m

①

②

GPS 53.35546
-1.66017

Stanage Causeway

P2
Dennis Knoll
Parking

③

Redmires
Reservoirs

N

1Km

P3
Hollin Bank
Parking
(Pay & Display)

④

North Lees
Campsite

Coggers Lane

Birley Lane

Hook's Car
Parking
P4

⑤

⑥

Upper Burbage
Bridge Parking

P6

GPS 53.35040
-1.64558

P5

GPS 53.34328
-1.61035

GPS 53.33941
-1.62065

The Dale

HATHERSAGE

The
Scotsman's
Pack

River Derwent

A6187

The
Millstone Inn

Sheffield
13km

10 -14m

High Flyer
(Page 77)

N°	Name	P/B	Grade	✓
1	**Another Turn** *	🙁	HS 4a	☐
2	**The Pinion** **	🙂	HV. Diff	☐
3	**Steamin'** *	😐	E1 5b	☐
4	**The Ariel** **	😐	V. Diff	☐

N°	Name	P/B	Grade	✓
5	**Green Streak** **	😐	VS 4c	☐
6	**Incursion** **	🙁	E1 5b	☐
7	**Incursion Direct** **	B	F 6A	☐

End Slab & The Vice
(Pages 76 - 77)

Surgeon's Saunter
(Pages 78 - 79)

◄— P1
(Moscar Top)
-15 Min-

10 -12m

N°	Name	P/B	Grade	✓
8	**High Flyer** **	☹	E4 6a	☐
9	**Chip Shop Brawl** ***	☹	E5 6c	☐
10	**Caliban's Cave** *	😐	HS 4b	☐
11	**The Tempest** *	😐	VS 5a	☐

N°	Name	P/B	Grade	✓
12	**Prospero's Climb** **	😐	V. Diff	☐
13	**The Crab Crawl** **	😐	S 4a	☐
14	**Crab Crawl Arête** **	😐	VS 4c	☐
15	**The Vice** ***	😐	E1 5b	☐

The Wobbler
(Page 80 - 81)

Problem Corner
(Pages 80 - 81)

Marble Wall
(Pages 82 - 83)
500m →

P2 →
(Dennis Knoll)
30 Min.

Approach Info: Page 73

N°	Name	P/B	Grade	✓
1	**Doctored**	😐	HVS 5c	☐
2	**Cripple's Crack** *	😐	S 4a	☐
3	**Physician's Wall**	😐	E1 6a	☐
4	**Which Doctor?** *	🙁	E5 6a	☐
5	**Doctor's Chimney** **	😐	S 4a	☐
6	**Doctor's Saunter** (6 > 7) **	😐	HVS 5a	☐
7	**Surgeon's Saunter** ***	🙂	HVS 5b	☐
8	**Kelly's Corner**	😐	HV. Diff	☐
9	**Heath Robinson** ***	😐	E6 6b	☐
10	**Niche Climb** (8 > 10)	😐	S 4b	☐
11	**Manhatten Arête**	🙁	V. Diff	☐
12	**Wilbur's Wall** *	B	F 5+	☐
13	**Wilbur's Corner** *	B	F 5	☐
14	**Manhatten Chimney** *	😐	S 4a	☐
15	**New York, New York** **	B	F 6B	☐
16	**Sir Chilled** (15 > 16) *	😐	E5 6b	☐
17	**Manhatten Crack** *	😐	VS 4c	☐
18	**Rib Tickler**	😐	VS 5a	☐

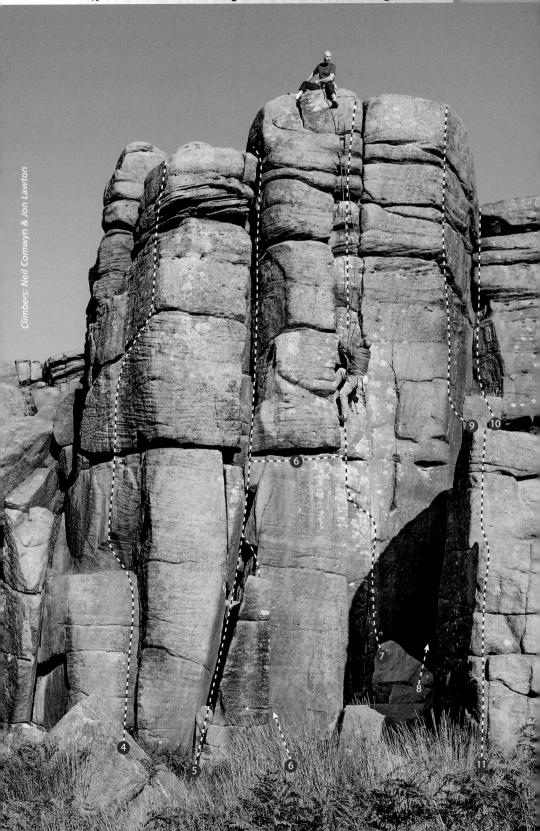

Climbers: Neil Comwyn & Jon Lawton

Descent

6 -10m

Approach Info: Page 73

Nº	Name	P/B	Grade	✓
1	**Concept of Kinky** *	🙁	E6 6c	☐
2	**Good Clean Fun** **	😐	E4 6b	☐
3	**The Wobbler** **	😐	E1 5c	☐
4	**Gameo**	🙁	E2 5b	☐

N°	Name	P/B	Grade	✓
9	**Mars**	😐	S 4a	☐
10	**February Crack** *	😊	HS 4b	☐
11	**Exaltation** **	☹	E6 6c	☐
12	**Old Salt** **	😐	HVS 5a	☐
13	**Rimmington Place** *	😐	E2 5c	☐
14	**Skimmington Ride** **	B	F 6B	☐
15	**Valediction** **	😊	HVS 5a	☐
16	**Monad** *	😐	E2 6b	☐
17	**Boomerang Chimney**	😐	S 4b	☐
18	**Twin Cracks** *	😐	V. Diff	☐
19	**Quiver** *	😐	HVS 5c	☐
20	**Arrow Crack** *	😐	VS 5a	☐
21	**Blinkers**	😐	VS 5b	☐
22	**Balance**	😐	Diff	☐
23	**Thin Problem Crack**	😐	VS 5b	☐
24	**Microbe Left-Hand** *	B	F 6B	☐
25	**Microbe** **	😐	HVS 5c	☐
26	**Germ** *	☹	E2 6b	☐
27	**Crumbling Crack**	😐	HS 4b	☐
28	**Problem Corner** *	😐	VS 5b	☐
29	**Love Handles** *	B	F 6A	☐
30	**Mr. M'Quod and the Anti-rock Squad** *	😐	HVS 5c	☐

N°	Name	P/B	Grade	✓
5	**Marathonette**	😐	HVS 5b	☐
6	**Avril** *	😊	HS 4b	☐
7	**Mai**	😐	VS 4b	☐
8	**Tupperware**	☹	E2 6a	☐

Descent (Downclimb!)

Descent

8 -12m

8m

Nº	Name	P/B	Grade	✓
1	**Marble Tower Flake** *	🙁	S 4c	☐
2	**Marble Arête** **	🙁	VS 4c	☐
3	**Sceptic** *	🙁	HVS 5b	☐
4	**The Lamia** *** P1 5b, P2 5c	😐	E3 5c	☐
5	**Terrazza Crack** ***	😊	HVS 5b	☐
6	**Harvest** **	😐	E4 6b	☐
7	**Nectar** *** P1 6b, P2 6b	😐	E4 6b	☐
8	**Spinach Slab** *	😐	E6 6c	☐
9	**Orang-Outang** ***	😐	E2 5c	☐
10	**Orang-Outang Direct** ***	🙁	E3 5c	☐
11	**Mother of Pearl** ***	🙁	E8 7a	☐
12	**Marbellous** ***	🙁	E8 7a	☐

N°	Name	P/B	Grade	✓
13	**Goosey Goosey Gander** ***	😐	E5 6a	☐
14	**Don's Delight** *	🙁	E1 5b	☐

Hanging Belay
For Route N°4

Problem Corner
(Pages 80 - 81)
500m

Marble Wall
(Pages 82 - 83)

Cleft Buttress
(Page 84)

Crow Chin
(Page 85)

P1 (Moscar Top)
25 Min.

P2
(Dennis Knoll)
25 Min.

Approach Info: Page 73

N°	Name	P/B	Grade	✓
1	**Hideous Hidari**	😐	E3 6b	☐
2	**Left-Hand Tower** *	😐	HVS 5a	☐
3	**Turtle Power**	🙁	E6 6c	☐
4	**Slap 'n Spittle** **	😖	E4 6a	☐
5	**Pacemaker** *	😐	HVS 5b	☐
6	**Vena Cave-In** *	😐	E3 5c	☐
7	**Right-Hand Tower** ***	😐	HVS 5a	☐
8	**Wild and Woolly** **	😐	E1 5b	☐
9	**Tempskya** *	🙁	E3 5c	☐
10	**First Sister** **	🙂	VS 5a	☐
11	**Keep it in the Family**	😐	E1 5b	☐
12	**Second Sister** *	😐	VS 4c	☐
13	**Richard's Sister** *	🙂	HS 4b	☐
14	**Not Richard's Sister Direct** *	😐	E1 6a	☐
15	**Sister Blister**	😖	HVS 5a	☐
16	**Difficult Sister**	😐	Diff	☐

Descent

Crow Chin
(Page 85)
100m

Descent

Descent

6 -10m

N°	Name	P/B	Grade	✓
1	So Many Classics / So Little Time	😟	E4 6b	☐
2	Rabbit's Crack	🙂	VS 5a	☐
3	Jim Crow *	🙂	HVS 5a	☐
4	Perforation *	🙂	HVS 5a	☐
5	Feathered Friends *	😟	VS 4b	☐
6	Kelly's Crack **	🙂	V. Diff	☐

N°	Name	P/B	Grade	✓
7	Kelly's Eye *	🙂	HS 4b	☐
8	Kelly's Eliminate **	😟	HS 4b	☐
9	October Crack **	🙂	Diff	☐
10	May Crack	😐	VS 4c	☐
11	October Slab **	🙂	HS 4b	☐
12	Big Al	🙂	HVS 5a	☐

N°	Name	P/B	Grade	✓
13	Bent Crack *	🙂	HV. Diff	☐
14	New Year's Eve	🙂	S 4b	☐
15	The Marmoset *	🙂	HS 5a	☐
16	Autumn Gold *	🙂	HS 4a	☐
17	Clare	🙂	HS 4b	☐
18	Bright Eyed *	🙂	HS 4b	☐

Nº	Name	P/B	Grade	✓
1	**Cheeky Little Number**	😖	E2 5b	☐
2	**Exodus** *	😊	HVS 5a	☐
3	**Deuteronomy** **	😐	HVS 5b	☐
4	**Leviticus** *	😊	HVS 5b	☐
5	**Missing Numbers**	😐	HVS 5a	☐
6	**E.M.F.** *	😐	HVS 5a	☐
7	**Treatment**	😐	VS 5a	☐
8	**Sudoxe** *	😐	HVS 5b	☐
9	**Radox**	😐	S 4b	☐
10	**Jam Good**	😊	V. Diff	☐
11	**Pup** *	😐	HVS 6a	☐

◀── Crow Chin (Page 85)
      300m

Exodus
(Page 86)

Puss
(Pages 86 - 87)

Cosmic Buttress
(Page 87)

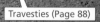
Travesties (Page 88)

Approach Info: Pages 73 - 74

Cosmic Buttress

6 - 10m

N°	Name	P/B	Grade	✓
12	**Puss** *	🙂	HVS 5c	☐
13	**Kitten** *	😐	VS 5b	☐
14	**Lucky**	😐	VS 5b	☐
15	**Pulse**	😐	VS 4c	☐
16	**Beanpod**	🙂	S 4a	☐
17	**X-Ray** *	🙂	HS 4b	☐

N°	Name	P/B	Grade	✓
18	**Electron** *	🙂	VS 5a	☐
19	**Quantum Crack** **	😐	HVS 5a	☐
20	**Cosmic Crack** **	🙂	VS 4c	☐
21	**Hale-Bopp**	😐	E1 6a	☐
22	**Cosmos**	😐	S 4a	☐

High Neb Buttress (Pages 92 - 95)

Blurter Buttress (Page 90)

Duo Slab (Page 91)

Youth Buttress (Page 91)

P2   (Dennis Knoll) 15 min

N°	Name	P/B	Grade	✓
11	An Embarrassment of Riches *	B	F 6B+	
12	No more Excuses ***	☺	E4 6b	
13	The Knutter **	☹	HVS 5b	
14	Hearsay Crack *	☹	E1 5a	
15	Pure Gossip	☹	HS 4b	

N°	Name	P/B	Grade	✓
6	Timothy Twinkletoes	☺	E2 6a	
7	Pig's Ear **	☺	E1 6a	
8	Deep Chimney	☹	V. Diff	
9	Crew Pegs Diffs *	☹	E3 6a	
10	Suitored *	☹	E4 6a	

N°	Name	P/B	Grade	✓
1	The Long and the Short	☺	VS 5b	
2	Lamia Antics	☺	HVS 5b	
3	Heather Crack *	☺	HV. Diff	
4	Flipside *	☹	E4 6a	
5	Travesties **	☹	HVS 5b	

6 -10m

Quietus E2 5c
Stanage - High Neb • Tom Adams (Page 93)

N°	Name	P/B	Grade	✓
1	**Meddle** *	😊	E2 5c	☐
2	**Youth Meat** *	😦	E4 6b	☐
3	**The Blurter** ***	😊	HVS 5b	☐

N°	Name	P/B	Grade	✓
4	**Overhanging Chimney** **	😊	HV. Diff	☐
5	**Wolf Solent** **	😦	E4 5c	☐
6	**Typhoon Direct**	😊	E3 6a	☐
7	**Typhoon** **	😊	VS 4c	☐
8	**Aries** *	😊	HS 4b	☐
9	**Three Calm Men** *	😦	E1 5b	☐

10 - 18m

Blurter Buttress

Approach Info: Pages 73 - 74

Blurter Buttress
(Page 90)

Duo Slab
(Page 91)

Youth Buttress
(Page 91)

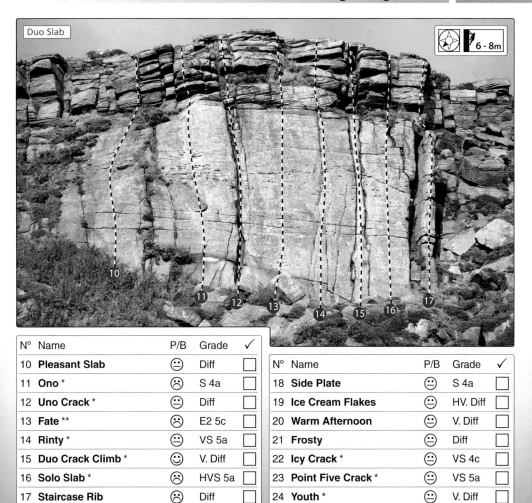

Duo Slab

6 - 8m

Nº	Name	P/B	Grade	✓
10	**Pleasant Slab**	😐	Diff	☐
11	**Ono** *	😟	S 4a	☐
12	**Uno Crack** *	😐	Diff	☐
13	**Fate** **	😟	E2 5c	☐
14	**Rinty** *	😐	VS 5a	☐
15	**Duo Crack Climb** *	😊	V. Diff	☐
16	**Solo Slab** *	😟	HVS 5a	☐
17	**Staircase Rib**	😟	Diff	☐

Nº	Name	P/B	Grade	✓
18	**Side Plate**	😐	S 4a	☐
19	**Ice Cream Flakes**	😐	HV. Diff	☐
20	**Warm Afternoon**	😐	V. Diff	☐
21	**Frosty**	😐	Diff	☐
22	**Icy Crack** *	😐	VS 4c	☐
23	**Point Five Crack** *	😐	VS 5a	☐
24	**Youth** *	😐	V. Diff	☐
25	**Mirror Hopping Days** *	😐	Diff	☐

6 - 8m

Youth Buttress

Nº	Name	P/B	Grade	✓
1	**Way Fruitsome Experience**	😐	HVS 5c	☐
2	**Gunter**	😐	VS 4c	☐
3	**Straight Crack** *	😐	HS 4b	☐
4	**Eric's Eliminate** *	😐	S 4a	☐
5	**Twisting Crack** **	🙂	S 4a	☐
6	**Kelly's Overhang** ***	😐	HVS 5b	☐
7	**Inaccessible Slab**	😐	S 4c	☐

Nº	Name	P/B	Grade	✓
8	**Mouthpiece** (7 > 8) **	😐	E1 5c	☐
9	**Smelly Roof** *	🙁 S	E4 6a	☐
10	**Inaccessible Crack Direct** **	😐	VS 4c	☐
11	**The Beautician** **	🙁	E4 5c	☐

1 - 18 (Pages 92 - 93)

19 - 31 (Page 93)

32 - 49 (Pages 94 - 95)

Approach Info: Pages 73 - 74

8 - 15m

N°	Name	P/B	Grade	✓
12	**Inaccessible Crack** ***	🙂	VS 4c	☐
13	**Impossible Slab** ***	☹	E3 5c	☐
14	**Eckhards Chimney** *	🙂	V. Diff	☐
15	**Zen Boy** *	😐	E7 6c	☐
16	**Quietus** ***	😐	E2 5c	☐
17	**Norse Corner Climb** **	🙂	HS 4c	☐
18	**Silence** *	😐	HVS 5b	☐
19	**Quietus Right-Hand** ** (18 > 19)	☹	E4 6a	☐
20	**Kelly's Variation** (20 > 17) *	😐	S 4a	☐
21	**King Kong** **	🙂	E3 6a	☐
22	**The Logic Book** *	😐	E3 6a	☐
23	**Sogines** *	😐	HVS 5b	☐
24	**Neb Corner**	🙂	Diff	☐
25	**Cent**	☹	E1 5b	☐
26	**Boyd's Crack** *	😐	V. Diff	☐
27	**Limbo**	☹	S 4a	☐
28	**Lost Soul**	🙂	S 4a	☐
29	**Tango Crack** *	🙂	V. Diff	☐
30	**Tango Buttress** **	😐	HS 5a	☐
31	**Where did my Tan Go?** *	😐	HVS 5a	☐

10 - 15m

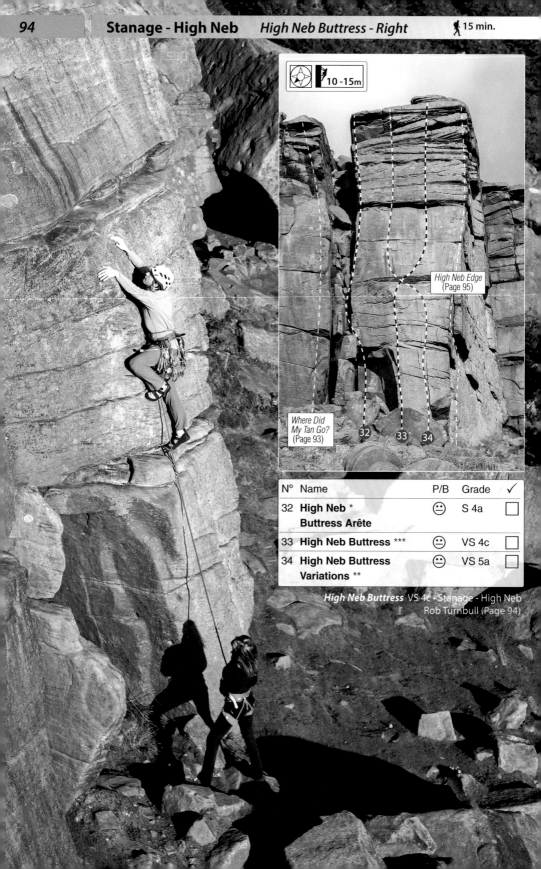

10 -15m

High Neb Edge
(Page 95)

*Where Did
My Tan Go?*
(Page 93)

32   33   34

Nº	Name	P/B	Grade	✓
32	**High Neb** * **Buttress Arête**	😐	S 4a	☐
33	**High Neb Buttress** ***	😐	VS 4c	☐
34	**High Neb Buttress Variations** **	😐	VS 5a	☐

High Neb Buttress VS 4c · Stanage - High Neb
Rob Turnbull (Page 94)

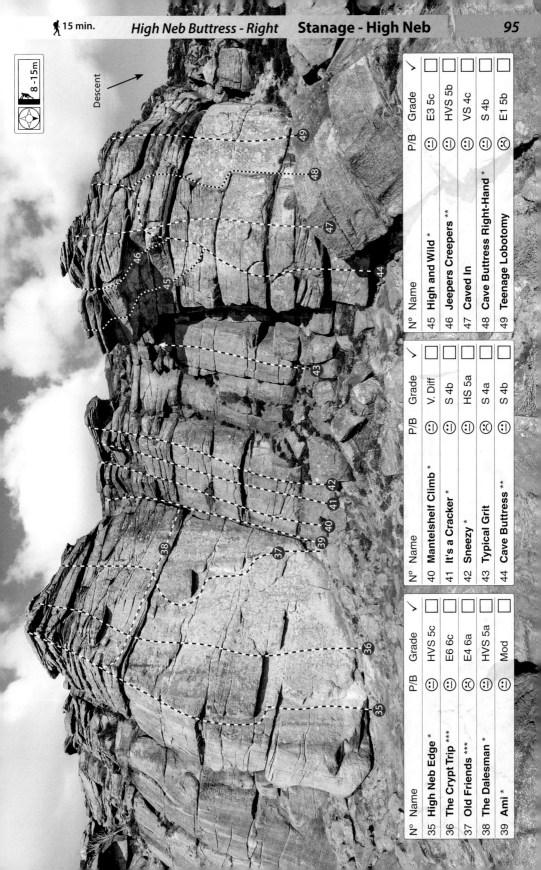

8 - 15m

Descent

№	Name	P/B	Grade	✓
45	High and Wild *	🙂	E3 5c	☐
46	Jeepers Creepers **	🙂	HVS 5b	☐
47	Caved In	🙂	VS 4c	☐
48	Cave Buttress Right-Hand *	🙂	S 4b	☐
49	Teenage Lobotomy	😵	E1 5b	☐

№	Name	P/B	Grade	✓
40	Mantelshelf Climb *	🙂	V. Diff	☐
41	It's a Cracker *	🙂	S 4b	☐
42	Sneezy *	🙂	HS 5a	☐
43	Typical Grit	😵	S 4a	☐
44	Cave Buttress **	🙂	S 4b	☐

№	Name	P/B	Grade	✓
35	High Neb Edge *	🙂	HVS 5c	☐
36	The Crypt Trip ***	🙂	E6 6c	☐
37	Old Friends ***	😵	E4 6a	☐
38	The Dalesman *	🙂	HVS 5a	☐
39	Ami *	🙂	Mod	☐

Titanic Buttress

N°	Name	P/B	Grade	✓
1	**Gnat's Slab**	🙂	Diff	☐
2	**Gnat's Slab Direct**	🙁	HS 4b	☐
3	**Gnat's Slab Arête** *	🙁	HS 4c	☐
4	**Marie Celeste**	🙁	E1 5b	☐

N°	Name	P/B	Grade	✓
5	**Lusitania** *	🙂	HS 4b	☐
6	**Q.E.2** *	🙂	VS 5a	☐
7	**Titanic** ***	🙂	VS 4c	☐
8	**Gypsy Moth** *	🙁	E1 5b	☐
9	**Titanic Direct** ***	🙂	HVS 5a	☐

High Neb Buttress
(Pages 92 - 95)
300m
←

Titanic Buttress
(Page 96)

Blockhead
(Page 97)

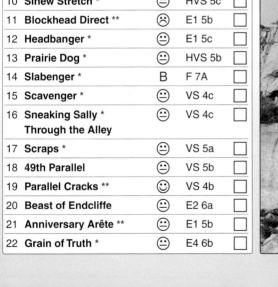

N°	Name	P/B	Grade	✓
10	**Sinew Stretch** *	😐	HVS 5c	☐
11	**Blockhead Direct** **	🙁	E1 5b	☐
12	**Headbanger** *	😐	E1 5c	☐
13	**Prairie Dog** *	😐	HVS 5b	☐
14	**Slabenger** *	B	F 7A	☐
15	**Scavenger** *	😐	VS 4c	☐
16	**Sneaking Sally** * **Through the Alley**	😐	VS 4c	☐
17	**Scraps** *	😐	VS 5a	☐
18	**49th Parallel**	😐	VS 5b	☐
19	**Parallel Cracks** **	🙂	VS 4b	☐
20	**Beast of Endcliffe**	😐	E2 6a	☐
21	**Anniversary Arête** **	😐	E1 5b	☐
22	**Grain of Truth** *	😐	E4 6b	☐

Approach Info: Pages 73 - 74

P2
(Dennis Knoll)
15 - 20 min.

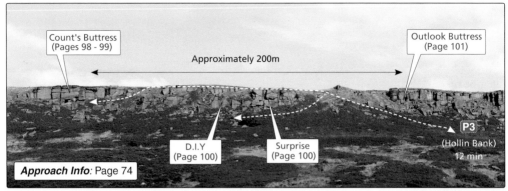

Count's Buttress
(Pages 98 - 99)

Approximately 200m

Outlook Buttress
(Page 101)

D.I.Y
(Page 100)

Surprise
(Page 100)

P3
(Hollin Bank)
12 min

Approach Info: Page 74

N°	Name	P/B	Grade	✓
1	**Eden Arête** *	🙂	S 4a	☐
2	**Nightmare Slab** **	🙁	E2 5c	☐
3	**Dream Boat** *	🙁	E3 6b	☐
4	**Daydreamer** ***	🙁	E2 6b	☐
5	**Nightrider** *	🙁	E3 6b	☐
6	**Sleepwalker** *	🙁	E2 6a	☐
7	**Nightride Corner**	🙂	S 4a	☐
8	**Out for the Count** *	🙁	E4 6a	☐

N°	Name	P/B	Grade	✓
9	**Cool Curl** **	🙁	E6 6b	☐
10	**Count's Chimney** *	🙂	Diff	☐
11	**Counterfeit**	🙁	E2 5b	☐
12	**Count's Wall** *	🙂	E1 5b	☐
13	**Counterblast** *	🙁	E2 5b	☐
14	**Abacus** *	🙁	E2 5c	☐
15	**Count's Buttress** ***	🙂	E2 5c	☐

8 - 15m

Descent

N°	Name	P/B	Grade	✓
16	**Count's Buttress Direct** *	😐	E3 6a	☐
17	**Count Me Out** *	😐	E3 6a	☐
18	**The Count** ***	🙁	E2 5c	☐
19	**Count's Crack** ** **Left-Hand** (21 > 19)	🙂	HVS 5a	☐
20	**Count's Crack Direct** *	🙂	HVS 5c	☐
21	**Count's Crack** **	🙂	VS 4c	☐
22	**B Crack** *	🙂	S 4b	☐
23	**Anxiety Attack 2**	😐	E2 6a	☐
24	**Dracula** *	😐	HVS 5b	☐
25	**Scraped Crack**	😐	V. Diff	☐
26	**Basil Brush** *	😐	HVS 5b	☐
27	**Mop Up**	😐	E1 5c	☐
28	**Lino**	😐	VS 4c	☐
29	**Prickly Crack**	😐	V. Diff	☐
30	**Shirley's Shining Temple** ***	🙁	E5 7a	☐
31	**Shock Horror Slab** **	😐	E2 6b	☐

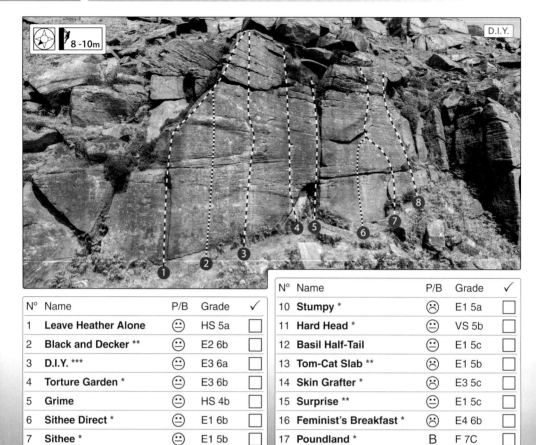

N°	Name	P/B	Grade	✓
1	**Leave Heather Alone**	🙂	HS 5a	☐
2	**Black and Decker ****	🙂	E2 6b	☐
3	**D.I.Y. *****	🙂	E3 6a	☐
4	**Torture Garden ***	🙂	E3 6b	☐
5	**Grime**	🙂	HS 4b	☐
6	**Sithee Direct ***	🙂	E1 6b	☐
7	**Sithee ***	🙂	E1 5b	☐
8	**Committed**	🙂	VS 5a	☐
9	**Dot's Slab ***	🙂	Diff	☐

N°	Name	P/B	Grade	✓
10	**Stumpy ***	🙁	E1 5a	☐
11	**Hard Head ***	🙂	VS 5b	☐
12	**Basil Half-Tail**	🙂	E1 5c	☐
13	**Tom-Cat Slab ****	🙁	E1 5b	☐
14	**Skin Grafter ***	🙁	E3 5c	☐
15	**Surprise ****	🙂	E1 5c	☐
16	**Feminist's Breakfast ***	🙁	E4 6b	☐
17	**Poundland ***	B	F 7C	☐
18	**Surprise Direct ***	B	F 6B+	☐
19	**Mother's Day ***	🙂	VS 4c	☐

D.I.Y. 20m ←

N°	Name	P/B	Grade	✓
1	Outlook Buttress *	🙂	HVS 5b	☐
2	Tying the Knot	🙂	E3 6a	☐
3	Look Before you Leap	🙂	E1 6a	☐

N°	Name	P/B	Grade	✓
4	Outlook Layback *	🙂	S 4b	☐
5	A Thousand Natural Shocks	😦	E2 5c	☐
6	Weather Report **	😦	E6 6c	☐
7	Nords with Attitude	🙂 S	E4 6c	☐

N°	Name	P/B	Grade	✓
8	Outlook Crack *	🙂	VS 4c	☐
9	Outlook Chimney *	🙂	VS 5a	☐
10	I Didn't Get Where I am Today	😦	E3 5c	☐
11	Lookout Flake *	🙂	S 4b	☐
12	Shard **	😦	HVS 5b	☐
13	Splinter *	😦	HVS 5b	☐
14	Delicatessen *	🙂	HVS 5a	☐
15	Tales of Yankee Power *	🙂	E1 5c	☐

8 - 10m

Fern Crack (Page 102)

15m

8 -15m

Descent (Downclimb!)

Descent

N°	Name		P/B	Grade	✓
9	**Wall End Slab Direct Finish** **	🙂		E3 5c	☐
10	**Pure, White and Deadly** *	🙁		E2 5c	☐

N°	Name		P/B	Grade	✓
6	**Bridge's Variation** (5 > 6) *	🙂		VS 5a	☐
7	**Wall End Slab** * **Super Duper Direct**	🙁		E3 5c	☐
8	**Wall End Slab Direct** ** (8 > 5)	🙁		E2 5b	☐

N°	Name		P/B	Grade	✓
1	**Silk** ***	🙂		E5 6c	☐
2	**Fern Crack** ***	🙂		VS 5a	☐
3	**Fern Groove** **	🙂		E2 5c	☐
4	**Smash Your Glasses** *	🙁		E5 6b	☐
5	**Wall End Slab** ***	🙂		VS 5a	☐

Fern Groove E2 5c
Stanage - Plantation • Tom Adams (Page 102)

10 -18m

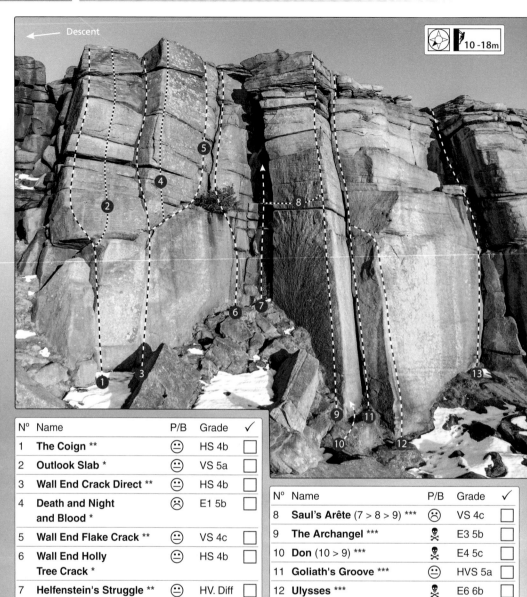

Descent

N°	Name	P/B	Grade	✓
1	**The Coign** **	🙂	HS 4b	☐
2	**Outlook Slab** *	🙂	VS 5a	☐
3	**Wall End Crack Direct** **	🙂	HS 4b	☐
4	**Death and Night and Blood** *	🙁	E1 5b	☐
5	**Wall End Flake Crack** **	🙂	VS 4c	☐
6	**Wall End Holly Tree Crack** *	🙂	HS 4b	☐
7	**Helfenstein's Struggle** **	🙂	HV. Diff	☐

N°	Name	P/B	Grade	✓
8	**Saul's Arête** (7 > 8 > 9) ***	🙁	VS 4c	☐
9	**The Archangel** ***	☠	E3 5b	☐
10	**Don** (10 > 9) ***	☠	E4 5c	☐
11	**Goliath's Groove** ***	🙂	HVS 5a	☐
12	**Ulysses** ***	☠	E6 6b	☐

Goliath's Groove
(Pages 104 - 105)

Fern Crack
(Page 102)

Wall End Slab
(Page 102)

Plantation Boulders
(Pages 106 - 107)

10 -18m

Descent

Nº	Name	P/B	Grade	✓
13	**Holly Bush Gully Left** *	😐	HS 4b	☐
14	**White Wand** ***	🙁	E5 6a	☐
15	**Leaps and Bounds** *	🙁	E1 5b	☐
16	**Holly Bush Gully** * **Right - Direct** (16 > 17)	😐	S 4a	☐

Nº	Name	P/B	Grade	✓
17	**Holly Bush Gully Right** **	😐	V. Diff	☐
18	**Last Arête** *	🙁	E5 6a	☐
19	**Fairy Groove** *	B	F 6C	☐
20	**Gnome Man's Land**	🙁	E5 6b	☐
21	**Fairy Steps** **	🙁	VS 4a	☐

Tower Face
(Pages 108 - 109)

The Strangler
(Page 110)

Approach Info: Page 74

Climber James Sample

N°	Name	P/B	Grade	✓
1	**The Storm** **	B	F 7B+	☐
2	**The Breadline** ***	B	F 6C	☐
3	**Big Air** ***	☹	E6 6b	☐
4	**Scoops Groove** *	B	F 6A	☐
5	**Scoops Slab** *	B	F 4+	☐
6	**Scoops Arête** *	B	F 5	☐
7	**Ron's Slab** *	B	F 7B+	☐
8	**Crescent Arête (Left)** ***	B	F 5+	☐

N°	Name	P/B	Grade	✓
9	**Crescent Arête (Right)** **	B	F 6A+	☐
10	**Crescent Slab** **	B	F 7A	☐
11	**Careless Torque** ***	B	F 8A	☐
12	**Not to be Taken Away** ***	B	F 6C	☐
13	**Broken** **	B	F 6B	☐
14	**Adults Only** **	B	F 6C	☐
15	**Bradpit** ***	B	F 7C	☐
16	**The Photograph** *	☹	E3 5c	☐

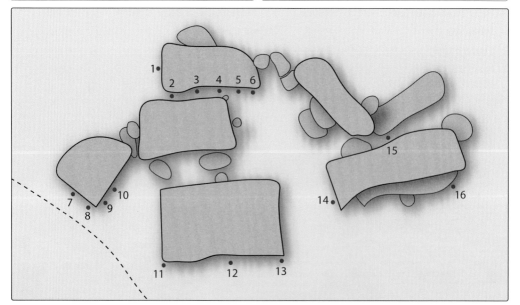

Big Air E6 6b • Adam Long

The Storm F 7B+ • Ben Cossey

Adults Only F 6C • Dave Hesleden

Crescent Arête (Right) F 6A+ • Dani Andrada

12-22m

6-12m

Descent

Routes 1 - 5
10m

N°	Name	P/B	Grade	✓
1	**Fina** **	😐	HVS 5b	☐
2	**Four Star** *	🙁	E4 6b	☐
3	**Hot and Bothered**	😖	E4 6b	☐
4	**Centaur** **	😐	E2 5c	☐
5	**Additive Chimney**	😐	HS 4b	☐
6	**Cinturato** **	😖	E2 5b	☐
7	**Grace and Danger** **	😖	E6 6c	☐
8	**Darkness Falling** *	😐	E6 6c	☐
9	**Esso Extra** **	😊	E1 5b	☐
10	**Waterloo Branch** *	😐	VS 4c	☐
11	**Tower Gully** *	😐	HS 4b	☐
12	**Tower Crack** **	😊	HVS 5b	☐
13	**Tower Chimney** ***	😐	E1 5b	☐
14	**Common Misconception** *	😐	E6 6c	☐

Nº	Name	P/B	Grade	✓
15	**Flight of Ideas** ***	🙂	E6 7a	☐
16	**Indian Summer** *	😐	E6 6c	☐
17	**Tower Face** (17 > 19) ***	🙂	HVS 5a	☐
18	**Tower Face Direct** ***	🙂	E2 5b	☐
19	**Tower Face Indirect** *	😐	VS 4b	☐
20	**Scrole not Dole** *	🙁	E5 6b	☐
21	**Stretcher Case** *	🙂	E2 5c	☐
22	**Scuppered** *	😐	E4 6a	☐
23	**Invisible Maniac** *	🙂	E3 6b	☐
24	**Nuke the Midges** *	😐	E1 5b	☐

Nº	Name	P/B	Grade	✓
25	**Miserable Miracle** **	🙁	E2 5b	☐
26	**Four Star, E10, 7b**	🙁	E5 6c	☐
27	**Nihilistic Narl** *	🙁	E5 6b	☐
28	**The Descrittalizer**	🙁	E5 6b	☐
29	**Scrittalacious**	😐	E4 6a	☐
30	**Terrace Gully**	🙂	HV. Diff	☐
31	**The Chute**	🙂	HS 4b	☐
32	**Scapa Flow** **	🙁	E6 6c	☐
33	**Dreadnought** *	🙁 ˢ	E7 7a	☐
34	**The Mangler** **	🙂	E1 5c	☐
35	**Crescent** *	😐	VS 5a	☐

🧭 🧗 6 - 22m

Descent

Descent (Downclimb!)

N°	Name	P/B	Grade	✓
1	**Grooved Arête** *	😐	S 4a	☐
2	**Anji** *	😐	VS 5a	☐
3	**The Swooper** *	🙁	E5 6b	☐
4	**Newtrons for Old** *	😐	E2 5c	☐
5	**The Strangler** ***	🙁	E4 5c	☐
6	**Skidoo - 1** *	🙁	E6 6b	☐
7	**Skidoo - 2** *	🙁	E6 6c	☐
8	**Slab and Crack**	😐	VS 5a	☐
9	**Obstinance** *	😐	HVS 5a	☐
10	**Sustenance** *	😐	HVS 5a	☐
11	**Gardener's Groove**	😐	HS 4c	☐
12	**Compost Corner**	😐	Diff	☐
13	**Percy's Prow** *	😐	S 4a	☐

N°	Name	P/B	Grade	✓
14	**Gardner's Crack** *	😐	Diff	☐
15	**Pizza Slab** *	🙁	HS 4a	☐
16	**Pizza Cake** *	😐	VS 4c	☐
17	**Gothic Armpit** *	🙁	E5 6b	☐
18	**Small Dreams** *	😐	E2 6a	☐
19	**Scorpian Slab** *	🙁	HS 4a	☐
20	**Big Screams** *	😐	E1 5c	☐
21	**Hercules Crack** *	😐	HS 4b	☐
22	**Shelf Life** *	😐	E3 5c	☐
23	**Fruitcake** *	🙁	HVS 5a	☐
24	**Squally Showers**	😐	VS 4c	☐
25	**The Edale Trip** * (Beyond Hope)	🙁	E3 6a	☐
26	**Mercury Crack** *	😐	V. Diff	☐

6-12m

Tower Face
(Pages 108 - 109)

The Strangler
(Page 110)

Hathersage Trip
(Pages 110 - 111)

Approach Info: Page 74

N°	Name	P/B	Grade	✓
27	**My Herald of ** Free Enterprise**	☹	E6 6c	☐
28	**The Hathersage Trip **	😐	E4 6a	☐
29	**Overhanging Crack ***	😐	HVS 5a	☐
30	**Mr Twitch ***	😐	E6 6b	☐
31	**Courtesy of Jonboy ***	B	F 7B+	☐

N°	Name	P/B	Grade	✓
32	**Corner Crack ***	😐	HVS 5a	☐
33	**National Breakdown ***	☹	E3 6c	☐
34	**Big Bob's Bazzer**	😐	E1 5b	☐
35	**See-Saw ***	😐	VS 4c	☐
36	**Margery Daw ***	😐	HVS 5b	☐

8 -14m

Pegasus Wall
(Page 112)

Paradise Wall
(Page 114)

Billiard Buttress
(Pages 114 - 115)

P3
(Hollin Bank)
12 min

The Pinnacle
(Page 113)

Approach Info: Page 74

8m

N°	Name	P/B	Grade	✓
1	**To Cold to be Bold** *	🙂S	E2 6b	☐
2	**Taurus Crack** *	😐	VS 4c	☐
3	**Star Trek** **	🙁	E6 6b	☐
4	**Klingon** **	😣	E6 7a	☐
5	**Valhalla** **	🙂	VS 5a	☐
6	**Pegasus Wall** *	🙂	VS 4c	☐
7	**Back to School**	😐	HVS 5b	☐
8	**Pegasus Rib** *	🙁	HVS 5a	☐
9	**Flake Gully**	😐	Diff	☐
10	**Flake Chimney**	😐	HV. Diff	☐
11	**Overhanging Wall** **	😐	HVS 5a	☐
12	**Crossover** *	😐	E2 5c	☐
13	**Passover**	😐	E1 5c	☐

10 -14m

The pinnacle lies 20m below the main edge

8 -10m

14

15

16   17

The Pinnacle

N°	Name	P/B	Grade	✓
14	**Crime** *	😐	E4 6a	☐
15	**Punishment** **	☹	E5 6b	☐
16	**Unfamiliar** ***	☠	E7 6c	☐
17	**Walking the Whippet** *	☹	E3 5c	☐

Descent

12 -14m

N°	Name	P/B	Grade	✓	N°	Name	P/B	Grade	✓
1	**Parasite** *	😐	HVS 5a	☐	14	**Pot Black** **	🙁	E2 5b	☐
2	**Paradise Arête** **	😐	VS 4c	☐	15	**Millsom's Minion** ***	😐	E1 5b	☐
3	**Paradise Wall** ***	🙂	HS 4b	☐	16	**In Off** **	🙁	E3 5c	☐
4	**Milton's Meander** **	😐	VS 4c	☐	17	**Back in the Y.M.C.A.** *	B	F 7B+	☐
5	**Comet** *	🙁	E3 5c	☐	18	**Winner Stays On** *	B	F 7B	☐
6	**Comus** **	🙁	E4 6a	☐	19	**A Problem of Coagulation** *	🙁	E3 5c	☐
7	**Paradise Crack** **	😐	HV. Diff	☐					
8	**Sand Gully** *	😐	Diff	☐	20	**Cue** **	😐	HVS 5b	☐
9	**Quartz**	🙁	HVS 4c	☐	21	**New Balls Please** *	😐	E1 5b	☐
10	**Silica** **	🙁	E3 5c	☐	22	**Help the Young** ***	B	F 7A+	☐
11	**Sand Crack** *	🙂	HS 4b	☐	23	**Left Pool Crack**	😐	Diff	☐
12	**Curved Crack** *	😐	HS 4b	☐	24	**Right Pool Crack**	😐	V. Diff	☐
13	**Billiard Buttress** ** (15 > 13)	🙁	HVS 5a	☐	25	**Between the Two** *	😐	HVS 5b	☐
					26	**Pool Wall** *	😐	VS 5a	☐

Wall Buttress
(Page 116)

Approach Info: Page 74

P3

(Hollin Bank)
12 min

Calvary
(Pages 118 - 119)

The Unconquerables
(Page 119)

N°	Name	P/B	Grade	✓
1	O.D.G's Chimney	😊	V. Diff	☐
2	Boys Will be Boys **	☹	E6 6b	☐
3	Capstone Chimney *	😐	S 4b	☐
4	Badly Bitten *	😊	E4 6a	☐
5	Moribund **	😐	E3 6a	☐
6	Wall Buttress (left) *	😐	HVS 5a	☐

N°	Name	P/B	Grade	✓
7	Walrus Butter	☹	E4 6b	☐
8	Wall Buttress (right) *	😊	HVS 5a	☐
9	Direct Loss **	☹	E4 6a	☐
10	Improbability Drive *	😊	E3 6b	☐
11	Namenlos **	😐	HVS 5a	☐
12	Memory Loss	😊	HVS 5b	☐

Right Unconquerable HVS 5a • Stanage - Plantation
Lena Drapella (Page 119)

Descent
(Downclimb!)

< 10m >

10m

8 - 18m

8 - 18m

N°	Name	P/B	Grade	✓
1	**Groovy** *	😐	E2 5c	☐
2	**August Arête** **	😐	HVS 5b	☐
3	**Teli** **	😐	E3 6a	☐
4	**Traversity** *	😐	E1 6a	☐
5	**Rib Chimney** **	😐	V. Diff	☐
6	**Night Salt** **	B	F 7A+	☐
7	**Calvary Direct** *	🙁	E5 6a	☐
8	**Calvary** ***	🙁	E4 6a	☐
9	**Defying Destiny** ***	🙁	E6 6b	☐
10	**Dark Reign** *	🙁	E5 6a	☐
11	**Chockstone Chimney** **	😐	HV. Diff	☐
12	**Plugging the Gaps** *	😐	E1 5b	☐
13	**Cleft Wall Route 1** *	😐	HS 4b	☐
14	**Early Starter** *	😐	E1 5b	☐

N°	Name	P/B	Grade	✓
15	**Cleft Wall Route 2** *	🙂	VS 5a	☐
16	**Ritornel** *	🙁	E1 5b	☐
17	**Lucky Strike**	😐	E1 5b	☐
18	**Strike it Lucky**	😐	E3 6a	☐
19	**Three Lanky Sassenachs and One Wee Jock**	😐	E1 5c	☐
20	**Little Unconquerable** *	😐	HVS 5a	☐
21	**Left Unconquerable** ***	🙂	E1 5b	☐
22	**Vanquished** *	😐	E4 6b	☐
23	**Right Unconquerable** ***	😐	HVS 5a	☐
24	**Monday Blue** *	🙁	E2 5b	☐
25	**Curving Chimney** **	😐	V. Diff	☐
26	**Curving Buttress** *	😐	E2 5b	☐
27	**Curving Buttress Direct Finish** *	🙁	E2 5b	☐
28	**Curving Buttress Direct Start**	😐	E1 6a	☐

8 - 18m

Descent (Downclimb!)

N°	Name	P/B	Grade	✓
1	**Newhaven** *	😐	Diff	☐
2	**Ramsgate**	😐	S 4b	☐
3	**Dieppe**	😐	S 4b	☐
4	**Dover's Wall Route 3** *	😐	VS 4c	☐

Descent

N°	Name	P/B	Grade	✓
5	**Falaise de Douvre**	😐	VS 4c	☐
6	**Nothing to do with Dover** *	😐	HVS 5a	☐
7	**Dover's Wall Route 2** **	😐	HVS 5a	☐
8	**Dover's Wall Route 1** *	🙂	S 4b	☐
9	**Dover's Wall Route 4** *	😐	VS 4b	☐

N°	Name	P/B	Grade	✓
10	**The Grey Cliffs of Dover**	🙁	HVS 5a	☐
11	**Wing Buttress Gully** *	😐	Diff	☐
12	**On a Wing * and a Prayer**	😐	E1 5c	☐

P3
(Hollin Bank)
12 Min.

Dover's Wall & Wing Buttress
(Pages 120 - 121)

B.A.W.'s Crawl
(Page 122)

Verandah Buttress
(Pages 122 - 123)

Approach Info: Page 74

Descent

N°	Name	P/B	Grade	✓
13	**5.9 Finish** *	🙂	E1 5b	☐
14	**Wing Buttress** *	🙂	VS 5b	☐
15	**Cleft Wing** **	🙂	VS 5b	☐
16	**Cleft Wing** * **Superdirect**	🙂	VS 4c	☐
17	**Trimming the Beard** *	🙂	E3 6a	☐
18	**Spearing the Bearded Clam**	🙁	E3 5c	☐
19	**Taking a Winger**	🙂	E1 5b	☐
20	**Wing Wall**	🙂	V. Diff	☐

The Twin Chimneys
(Pages 130 - 131)

Martello Buttress
(Pages 124 - 125)

Mississippi Buttress
(Pages 126 - 127)

Balcony Buttress
(Page 128)

P4
Hook's Car
12 Min.

Descent

8 -10m

N°	Name	P/B	Grade	✓
1	**The Punk** *	😐	VS 4c	
2	**Cemetry Waits** **	🙁	E6 6c	
3	**Shine On** ***	🙁	E7 6c	
4	**B.A.W.'s Crawl** ***	😐	HVS 5a	
5	**The Golden Path** **	B	F 7C	
6	**Punklet** *	😐	E1 6a	
7	**Public Image** (7 > 1)	😐	VS 5a	

N°	Name	P/B	Grade	✓
8	**Public Face**	😐	VS 5a	
9	**Private Chimney**	😐	Diff	
10	**Green Chimney**	😐	V. Diff	
11	**Pedlar's Rib** **	🙁	E1 5c	
12	**Non-stop Pedalling** *	😐	E2 5c	
13	**Pedlar's Arête** *	😐	HVS 5a	
14	**Keep Pedalling** *	😐	E2 5c	
15	**Pedlar's Slab** **	😐	HVS 5c	
16	**Top Block Rock**	😐	V. Diff	
17	**Corner Crack**	😐	Diff	
18	**Recess Rib** *	😐	V. Diff	
19	**Pisa Pillar**	😐	S 4a	
20	**Pisa Crack**	😐	VS 4c	
21	**Plastic Dream** *	😐	E3 6a	
22	**Headless Chicken** **	😐	E5 6b	
23	**Off with his Head** ***	😐	E4 6b	
24	**The Guillotine** **	😐	E3 5c	
25	**The Guillotine Direct** *	😐	E4 6b	
26	**The Old Dragon** *	🙁	E2 5b	
27	**Fit as a Butcher's Dog**	😐	E1 5c	
28	**Verandah Buttress** *	😐	S 5b	

6 - 8m

Descent →

8 - 12m

Nº	Name	P/B	Grade	✓
29	**Butcher Crack** **	😐	HVS 5b	☐
30	**Greengrocer Wall** *	😐	HVS 5c	☐
31	**Verandah Cracks - Left**	😐	V. Diff	☐
32	**Verandah Cracks - Right**	😐	Diff	☐

Nº	Name	P/B	Grade	✓
33	**Verandah Wall**	😐	VS 4c	☐
34	**Cocktails** *	😊	VS 4c	☐
35	**Verandah Pillar** *	😐	HS 4b	☐
36	**The Confectioner** *	😐	VS 5a	☐

Descent

6 - 14m

N°	Name	P/B	Grade	✓
1	**Intermediate Buttress** *	😐	HV. Diff	☐
2	**Jaygo's Pipe** *	😐	VS 4c	☐
3	**The Nose** *	😐	VS 4c	☐
4	**Second Wind** *	😐	E1 5c	☐
5	**Swings** **	😐	E1 5c	☐
6	**Turf Crack** *	😐	V. Diff	☐
7	**Little Tower** *	🙁	VS 4b	☐
8	**49 Bikinis** *	😐	HVS 5a	☐
9	**Beads**	😐	S 4a	☐
10	**Trinket**	😐	S 4a	☐
11	**Narrowing Chimney**	😐	Diff	☐
12	**Byne's Route** **	😐	HS 4b	☐
13	**Zel** *	😐	VS 4c	☐
14	**Choux**	😐	E2 6a	☐
15	**Choux Fleur**	😐	E1 5c	☐
16	**Another Game of** * **Bowls Sir Walter?**	😐	E1 5b	☐
17	**Martello Buttress** *** (Two Possible Starts)	🙂	VS 4c	☐

N°	Name	P/B	Grade	✓
18	**The Scoop** ***	😐	HVS 5b	☐
19	**Bloodshoot** *	🙁	E3 5c	☐
20	**The Old Scoop**	😐	VS 4c	☐
21	**Martello Cracks** **	😐	Mod	☐
22	**Phlegethoa** (22 > 24) *	😐	E1 5c	☐
23	**Fading Star** *	😐	E2 6a	☐
24	**Saliva** **	🙁	E1 5b	☐
25	**Ashes** **	🙁	E3 5c	☐
26	**Devil's Chimney** **	😐	Diff	☐
27	**Step Ladder Crack** **	🙂	VS 5a	☐
28	**Step Ladder Crack Direct** *	😐	HVS 5c	☐
29	**Dark Water** *	😐 ˢ	E3 6b	☐
30	**Hell Crack** ***	🙂	VS 4c	☐
31	**Still in Limbo**	😐	E1 5b	☐
32	**Heaven Crack** ***	🙂	V. Diff	☐
33	**Lethe**	🙁	HVS 5a	☐

10 -15m

Descent
(Downclimb!)

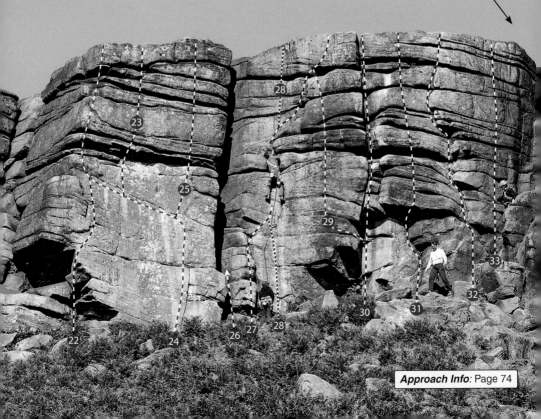

Approach Info: Page 74

N°	Name	P/B	Grade	✓
1	**The Louisiana Rib** **	🙂	VS 4c	☐
2	**Acheron** *	🙁	E1 5b	☐
3	**Finger Licking Good** *	🙁	E1 5b	☐
4	**Mississippi Chimney** **	🙂	V. Diff	☐

N°	Name	P/B	Grade	✓
5	**African Herbs**	🙁	E3 5c	☐
6	**Dark Continent** ***	🙂	E1 5c	☐
7	**Congo Corner** ***	🙂	HVS 5b	☐
8	**The Link** ***	🙂	E1 5b	☐
	(7 > 8 > 7)			

12-20m

Descent
(Downclimb!)

N°	Name	P/B	Grade	✓
9	**Mississippi *** Buttress Direct**	☺	VS 4c	☐
10	**Mississippi Variant **	☺	HVS 5a	☐
11	**Orinoco Flow ***	☺	E2 5c	☐
12	**Mississippi Variant Direct** (12 > 10) **	☺	E1 5b	☐

N°	Name	P/B	Grade	✓
13	**Stanleyville **	☹	E4 5c	☐
14	**Puzzlelock *	☹	E5 6a	☐
15	**Morrison's Redoubt **	☹	E1 5b	☐
16	**Melancholy Witness**	☹ S	E3 5c	☐
17	**Amazon Crack **	☺	S 4a	☐
18	**Fallen Pillar Chimney**	☺	V. Diff	☐

12-20m

Approach Info: Page 74

N°	Name	P/B	Grade	✓
1	**Fairy Castle Crack**	🙂	V. Diff	☐
2	**Pixie**	😐	VS 5a	☐
3	**Fairy Chimney** *	😐	Diff	☐
4	**Polyfilla**	🙂	VS 4c	☐
5	**Balcony Climb** *	😐	HS 4b	☐
6	**Balcony Cracks** *	😐	S 4a	☐
7	**Nine-Eleven**	🙂	E2 5c	☐
8	**Exit Stage Left** *	😐	HVS 5b	☐
9	**Centre Stage** **	😐	HVS 5a	☐
10	**Balcony Buttress** ***	🙂	S 4a	☐
11	**Balcony Balustrade** *	😐	VS 5a	☐
12	**The Flue** *	😐	HV. Diff	☐
13	**Scoop Crack** *	😐	HS 4c	☐
14	**Rib and Face** *	😐	VS 4c	☐
15	**Balcony Corner** *	😐	V. Diff	☐
16	**Upanover**	😐	VS 5b	☐
17	**Upanover Crack**	😐	S 4b	☐

10 -20m

Fallen Pillar Chimney
(Page 127)

The Link E1 5b • Stanage - Popular
Jack Drake (Page 126)

N°	Name	P/B	Grade	✓
1	**Agony Crack** **	🙂	HVS 5a	☐
2	**Thrombosis** *	🙂	VS 5a	☐
3	**Rigor Mortis** *	😐	VS 4c	☐
4	**Paralysis** *	🙁	VS 4b	☐
5	**Via Roof Route** *	😐	HVS 5a	☐
6	**Don't Bark, Bite** *	🙁	E3 5c	☐
7	**Crack and Cave** **	🙂	HV. Diff	☐
8	**Bill and Ted's Lobotomy**	🙁	E3 5c	☐
9	**Twin Chimney's Buttress** **	🙁	VS 4c	☐
10	**Lucy's Delight** *	🙁	VS 4b	☐
11	**Lucy's Joy** *	🙁	E1 5b	☐

N°	Name	P/B	Grade	✓
12	**Left Twin Chimney** **	😐	Diff	☐
13	**Triplet**	😐	VS 4b	☐
14	**Right Twin Chimney** *	😐	V. Diff	☐
15	**Bobsnob** *	🙁	E1 5a	☐
16	**Dave's Little Route**	😐	S 4b	☐
17	**Little John's Step** *	😐	S 4b	☐
18	**Little Slab**	😐	S 4a	☐
19	**Awl** *	😐	HV. Diff	☐
20	**Bean** *	😐	VS 4c	☐
21	**Dun** *	😐	HS 4b	☐
22	**Bee** *	😐	V. Diff	☐
23	**Four** *	😐	VS 4c	☐

 8 - 20m

Descent
(Downclimb!)

Approach Info: Page 74

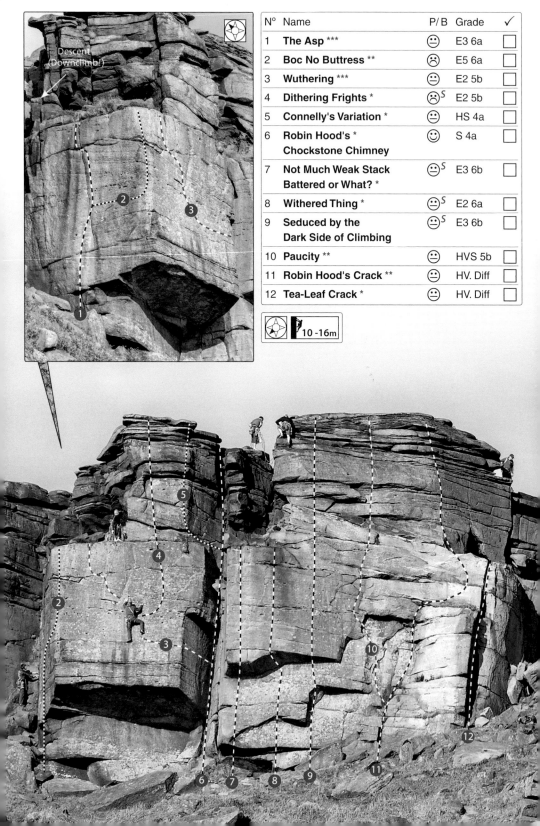

N°	Name	P/B	Grade	✓
1	**The Asp** ***	😐	E3 6a	☐
2	**Boc No Buttress** **	🙁	E5 6a	☐
3	**Wuthering** ***	😐	E2 5b	☐
4	**Dithering Frights** *	🙁 S	E2 5b	☐
5	**Connelly's Variation** *	😐	HS 4a	☐
6	**Robin Hood's** * **Chockstone Chimney**	🙂	S 4a	☐
7	**Not Much Weak Stack Battered or What?** *	😐 S	E3 6b	☐
8	**Withered Thing** *	😐 S	E2 6a	☐
9	**Seduced by the Dark Side of Climbing**	😐 S	E3 6b	☐
10	**Paucity** **	😐	HVS 5b	☐
11	**Robin Hood's Crack** **	😐	HV. Diff	☐
12	**Tea-Leaf Crack** *	😐	HV. Diff	☐

10 - 16m

N°	Name	P/B	Grade	✓
13	**Last Ice Cream** *	😐	E2 5c	☐
14	**Just One Cornetto**	😐	E2 5c	☐
15	**Cave Gully Wall** **	🙁	HVS 5a	☐
16	**Cave Innominate** ***	😐	VS 5a	☐
17	**Harding's Super Direct Finish** ***	😐	HVS 5a	☐
18	**Carpe Diem** **	😐	E6 6c	☐
19	**Cave Eliminate** **	😐	E2 6a	☐
20	**Cave Arête** **	😐	HVS 5a	☐
21	**Robin Hood's Balcony Cave Direct** *	😐	HV. Diff	☐
22	**Broken Arrow** *	😐	E1 5b	☐
23	**Constipation** **	🙁	E4 6a	☐
24	**Pacific Ocean Wall** **	🙁 S	E5 6b	☐
25	**Pacific Ocean Wall Direct** **	☠	E7 6b	☐
26	**Desperation** **	😐	E1 6a	☐
27	**Robin Hood's Staircase Direct**	🙁	HS 4b	☐

🧭 📐 8 -18m

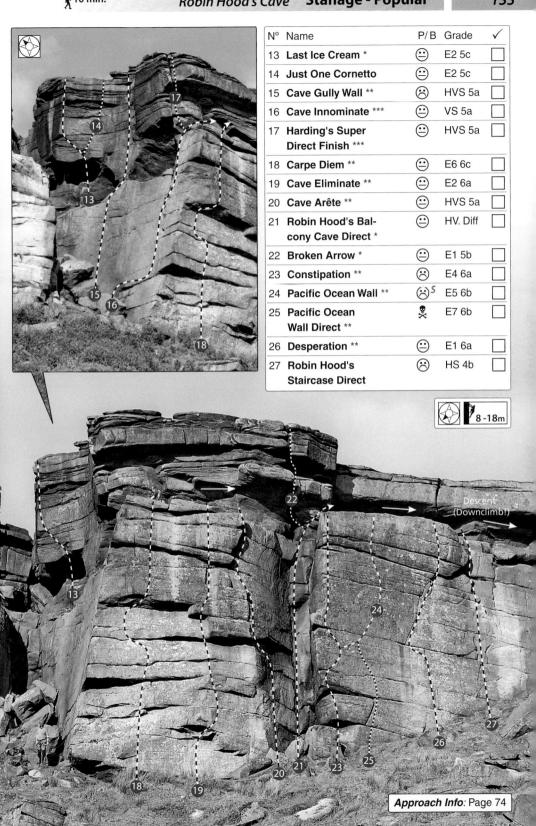

Approach Info: Page 74

Descent (Downclimb!)

12 -16m

Nº	Name	P/B	Grade	✓
1	**Twin Cracks** *	😐	HV. Diff	☐
2	**Right Twin Crack** *	🙂	VS 4c	☐
3	**Ellis's Eliminate** ***	😐	VS 4c	☐
4	**Good Friday** **	😐	HVS 5b	☐
5	**Bob's Jolly Jape** *	🙁	E4 6a	☐
6	**Inverted V** ***	😐	VS 4b	☐
7	**Retroversion** **	😐	HVS 5a	☐
8	**Robin Hood's** *** **Right-hand Buttress Direct**	😐	HS 4a	☐
9	**Thunder Road** *	🙁	E5 6a	☐
10	**Cold Turkey** **	🙁	HVS 5a	☐

Nº	Name	P/B	Grade	✓
11	**Straight Crack** **	😐	VS 4b	☐
12	**Robin Hood Zigzag** **	😐	S 4a	☐
13	**Spring into Action** *	😐	HVS 5b	☐
14	**The Actress**	🙂	E2 5c	☐
15	**Bishop's Route** ***	😐	S 4a	☐
16	**Zagrete** (15 > 16) **	😐	HS 4b	☐
17	**Zigzag Flake Crack** **	😐	VS 4b	☐
18	**Coconut Ice** *	😐	E2 5b	☐
19	**Ice Boat** *	😐	E1 5c	☐
20	**Little Flake Crack** *	😐	VS 5a	☐
21	**Flake Chimney** *	😐	HV. Diff	☐

15 -20m

8

15

13

16

15

20

11 12

9

10

14

17

18

19

21

Approach Info: Page 74

Robin Hood's Cave (Pages 132 - 133)

Inverted V
(Pages 134 - 135)

P4
(Hook's Car)
10 Min.

Nº	Name	P/B	Grade	✓
1	**Hybrid**	😞	E1 5b	☐
2	**Pedestal Chimney** *	😐	Diff	☐
3	**Wright's Route** *	😐	VS 4c	☐
4	**Wall of Sound** ***	😞	E6 6b	☐
5	**Whillans Pendulum + Black Magic** ***	😐	HVS 5b	☐
6	**Macleod's Variation** **	😐	VS 4c	☐
7	**Hargreaves' Original** ***	😐	VS 4c	☐
8	**The Flange** **	😐	HVS 5b	☐
9	**April Crack** ***	😊	HS 4b	☐
10	**Easter Rib** **	😞	E1 5b	☐
11	**Christmas Crack** ***	😊	HS 4a	☐
12	**Central Trinity Direct** **	😐	HVS 5a	☐
13	**Central Trinity** **	😊	VS 4c	☐
14	**Twintrin** *	😐	E1 5c	☐

Flake Chimney
(Page 134)

N°	Name	P/B	Grade	✓
15	**Meiosis** *	😐	HVS 5b	☐
16	**Right-hand Trinity** **	🙂	HS 4b	☐
17	**Fergus Graham's Direct Route** *	🙁	HVS 4c	☐
18	**Topaz** *	🙁	E4 6a	☐
19	**Green Crack** *	😐	VS 4c	☐
20	**Rugosity Wall** *	😐	HVS 5c	☐
21	**Rusty Wall** *	😐	HVS 6a	☐
22	**Rusty Crack** *	🙂	HVS 5c	☐
23	**Via Media** **	🙂	VS 4c	☐
24	**Via Dexter** **	🙁	E2 5c	☐
25	**Oblique Crack** *	😐	S 4a	☐
26	**Oblique Buttress** *	😐	VS 5b	☐
27	**Straight Chimney**	😐	V. Diff	☐
28	**Albert's Pillar**	😐	VS 4c	☐
29	**Albert's Amble**	😐	HV. Diff	☐

10-16m

Descent
(Downclimb!)

Approach Info: Page 74

N°	Name	P/B	Grade	✓
1	**Straight and Narrow** *	☹	HVS 5a	☐
2	**Narrow Buttress** **	☺	VS 4c	☐
3	**Hollybush Crack** ***	☺	V. Diff	☐
4	**Queersville** ***	☺	HVS 5a	☐
5	**The Nose** *	☹	E3 5c	☐
6	**Yosemite Wall** **	☹	E2 5b	☐
7	**Leaning Buttress Gully**	☺	VS 5a	☐
8	**Hangover** *	☺	VS 5a	☐
9	**Leaning Buttress Direct** **	☺	HVS 5b	☐

N°	Name	P/B	Grade	✓
10	**Leaning Buttress Crack** **	☺	V. Diff	☐
11	**Right On** *	☺	HS 4b	☐
12	**That Sad Man**	☺	E2 5c	☐
13	**Garden Wall** * (13 > 16 > 13)	☺	S 4a	☐
14	**Garden Fence**	☺	HS 4b	☐
15	**Space Junk**	☺	HVS 5a	☐
16	**Chockstone Direct** *	☺	S 4a	☐
17	**Armchair Buccaneer** *	☺	E1 5b	☐
18	**Birch Tree Wall** *	☺	HS 4b	☐
19	**Wild West Wind** *	☺	S 4a	☐

Descent

🧭 📏 12-20m

N°	Name	P/B	Grade	✓
1	**The Wedge** *	😐	VS 5a	☐
2	**Wedge Gully** *	😐	Mod	☐
3	**Wedge Rib** *	😐	VS 5a	☐
4	**Flying Buttress Gully**	😐	Diff	☐
5	**Flying Buttress** ***	😐	HV. Diff	☐

N°	Name	P/B	Grade	✓
6	**Goodbye Toulouse** **	😐	E1 5b	☐
7	**Flying Buttress Direct** ***	😐	E1 5b	☐
8	**Flying Butt** **	😐	E3 5c	☐
9	**Kirkus's Corner** **	🙁	E1 5b	☐

Descent

Nº	Name	P/B	Grade	✓
1	**Jitterbug Buttress** *	😐	S 4a	☐
2	**The Kirkus Original** *	☹	HVS 5a	☐
3	**Jitter Face** **	☹	HS 4a	☐
4	**Townsend's Variation** **	☠	HVS 4c	☐
5	**Censor** ***	☹	E3 5c	☐
6	**The Unprintable** **	😊	E1 5b	☐
7	**The Dangler** ***	😐	E2 5c	☐
8	**Tippler Direct** ***	😐	E3 6a	☐
9	**The Tippler** ***	😐	E1 5b	☐
10	**Paranoid** *	😐	E6 6b	☐

12 -18m

N°	Name	P/B	Grade	✓
11	**The 9 o'clock Watershed** *	😐	E6 6c	☐
12	**The Muted Trumper** *	😐	E6 6c	☐
13	**The Y Crack** **	😐	VS 4c	☐
14	**The Z Crack** *	😐	VS 5a	☐
15	**The Go Player**	😐 ᔆ	E4 6b	☐
16	**Castle Chimney** **	😐	Mod	☐
17	**Black Hawk Tower** *	😐	V. Diff	☐
18	**Master of Disguise** *	😐	E6 6c	☐
19	**Chameleon** ***	😐	E4 6a	☐

Approach Info: Page 74

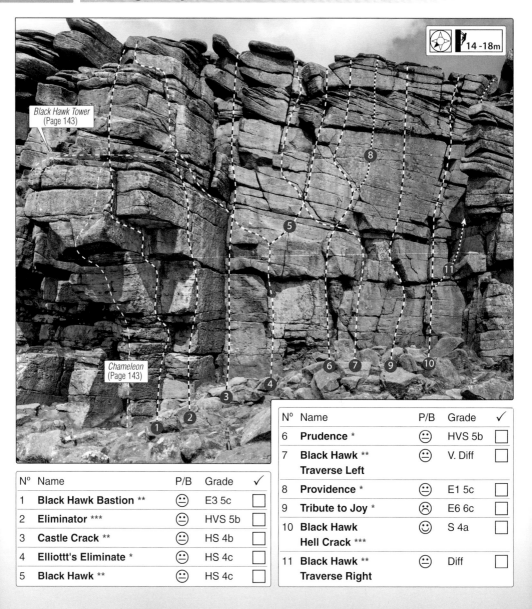

Black Hawk Tower
(Page 143)

Chameleon
(Page 143)

14 - 18m

N°	Name	P/B	Grade	✓
1	**Black Hawk Bastion** **	😐	E3 5c	☐
2	**Eliminator** ***	😐	HVS 5b	☐
3	**Castle Crack** **	😐	HS 4b	☐
4	**Elliottt's Eliminate** *	😐	HS 4c	☐
5	**Black Hawk** **	😐	HS 4c	☐

N°	Name	P/B	Grade	✓
6	**Prudence** *	😐	HVS 5b	☐
7	**Black Hawk** ** **Traverse Left**	😐	V. Diff	☐
8	**Providence** *	😐	E1 5c	☐
9	**Tribute to Joy** *	🙁	E6 6c	☐
10	**Black Hawk** **Hell Crack** ***	🙂	S 4a	☐
11	**Black Hawk** ** **Traverse Right**	😐	Diff	☐

The Tippler
(Pages 142 - 143)

Black Hawk
(Page 144)

Manchester Buttress
(Pages 146 - 147)

Heather Wall
(Pages 148 - 149)

Hargreaves' Original VS 4c • Stanage - Popular
Rachel Smith (Page136)

Rugosity Crack
(Page 150)

Mantelpiece Buttress
(Pages 150 - 151)

Suzanne
(Page 151)

P4
(Hook's Car)
8 Min.

Approach Info: Page 74

N°	Name	P/B	Grade	✓
1	**Moriarty**	😐	E3 6a	☐
2	**Gargoyle Variant** **	😐	HS 4b	☐
3	**Gargoyle Buttress** **	😐	VS 4b	☐
4	**Dry Rot** *	☹	E2 5b	☐

N°	Name	P/B	Grade	✓
5	**Physiology** *	☺	V. Diff	☐
6	**Sociology** *	😐	S 4a	☐
7	**Anatomy**	😐	V. Diff	☐

Descent
(Downclimb!)

Nº	Name	P/B	Grade	✓
8	**Tinker's Crack** *	🙂	VS 4c	☐
9	**Beggar's Crack**	🙂	VS 4c	☐
10	**Moss Side**	😐	E4 6a	☐

Nº	Name	P/B	Grade	✓
11	**Manchester Buttress** ***	🙂	HS 4b	☐
12	**Manchester United**	😐	HVS 5b	☐

Climber: James Baker

Approach Info: Page 74

Nº	Name	P/B	Grade	✓
1	**Cakestand** *	😐	S 4b	☐
2	**Cool Groove** *	😐	S 4a	☐
3	**Lancashire Wall** *	😐	HVS 5a	☐
4	**Crack and Corner** ***	😊	S 4b	☐

Nº	Name	P/B	Grade	✓
5	**War Zone** *	😐	E1 6a	☐
6	**Heather Wall** **	😊	VS 4c	☐
7	**Heather Wall Variant** *	😊	VS 5a	☐
8	**Chimp's Corner** *	😐	VS 5a	☐

8 - 14m

Nº	Name	P/B	Grade	✓
9	**Grotto Slab** *	😐	Diff	☐
10	**Grotto Wall** *	🙁	HVS 4c	☐
11	**Reagent**	🙁	E5 6a	☐
12	**Green Wall** *	😐	VS 4c	☐
13	**Capstone Chimney** *	😐	Diff	☐
14	**Little Ernie**	🙁	S 4a	☐
15	**Big Chris**	😐	HVS 5b	☐
16	**In Earnest** *	🙁	HVS 5a	☐
17	**Recess Wall** *	😐	HV. Diff	☐

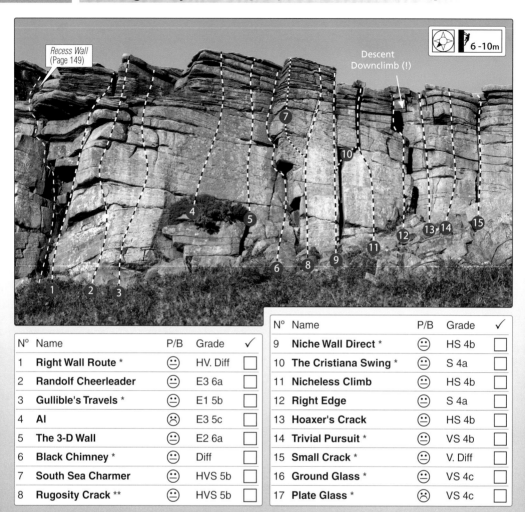

Recess Wall
(Page 149)

Descent
Downclimb (!)

🧭 📐 6 -10m

N°	Name	P/B	Grade	✓
1	**Right Wall Route** *	🙂	HV. Diff	☐
2	**Randolf Cheerleader**	🙂	E3 6a	☐
3	**Gullible's Travels** *	🙂	E1 5b	☐
4	**AI**	🙁	E3 5c	☐
5	**The 3-D Wall**	🙂	E2 6a	☐
6	**Black Chimney** *	🙂	Diff	☐
7	**South Sea Charmer**	🙂	HVS 5b	☐
8	**Rugosity Crack** **	🙂	HVS 5b	☐

N°	Name	P/B	Grade	✓
9	**Niche Wall Direct** *	🙂	HS 4b	☐
10	**The Cristiana Swing** *	🙂	S 4a	☐
11	**Nicheless Climb**	🙂	HS 4b	☐
12	**Right Edge**	🙂	S 4a	☐
13	**Hoaxer's Crack**	🙂	HS 4b	☐
14	**Trivial Pursuit** *	🙂	VS 4b	☐
15	**Small Crack** *	🙂	V. Diff	☐
16	**Ground Glass** *	🙂	VS 4c	☐
17	**Plate Glass** *	🙁	VS 4c	☐

Descent
Downclimb (!)

N°	Name	P/B	Grade	✓
18	**Carborundum**	🙂	VS 5a	☐
19	**Mantelpiece Crack** *	🙂	Diff	☐
20	**Mantelpiece Buttress** *	🙂	Diff	☐
21	**Mantelpiece Lower Hand Traverse** *	🙂	HVS 5b	☐
22	**Mental Peace**	🙂	E2 5c	☐
23	**Mantelpiece Buttress Direct** *	🙂	HVS 5b	☐
24	**Fragile Mantel** *	😐	VS 5a	☐
25	**Mantelpiece Right**	🙂	HV. Diff	☐
26	**Zip Crack** *	🙂	Mod	☐
27	**Button Wall**	🙂	HV. Diff	☐

N°	Name	P/B	Grade	✓
28	**Toggle**	🙂	HS 4b	☐
29	**Velcro Arête**	🙂	HS 4c	☐
30	**Square Chimney Arête**	🙂	S 4b	☐
31	**Square Chimney**	🙂	Diff	☐
32	**Monkey Crack** *	🙂	V. Diff	☐
33	**Square Buttress Direct** *	🙂	HVS 5b	☐
34	**Square Buttress Arête** *	😐	VS 4c	☐
35	**Square Buttress Wall**	🙂	HS 4b	☐
36	**Square Buttress Corner**	🙂	Diff	☐
37	**Gashed Knee**	🙂	VS 5a	☐
38	**Gashed Crack**	🙂	HS 5a	☐
39	**Ding Dong**	🙂	HVS 5b	☐
40	**Suzanne** *	🙂	HVS 6a	☐
41	**Finale**	🙂	HVS 5b	☐
42	**Fire Curtain**	🙂	V. Diff	☐
43	**To Be All and End All**	🙂	V. Diff	☐
44	**The End of All Things**	😐	HV. Diff	☐

6 -10m

Descent

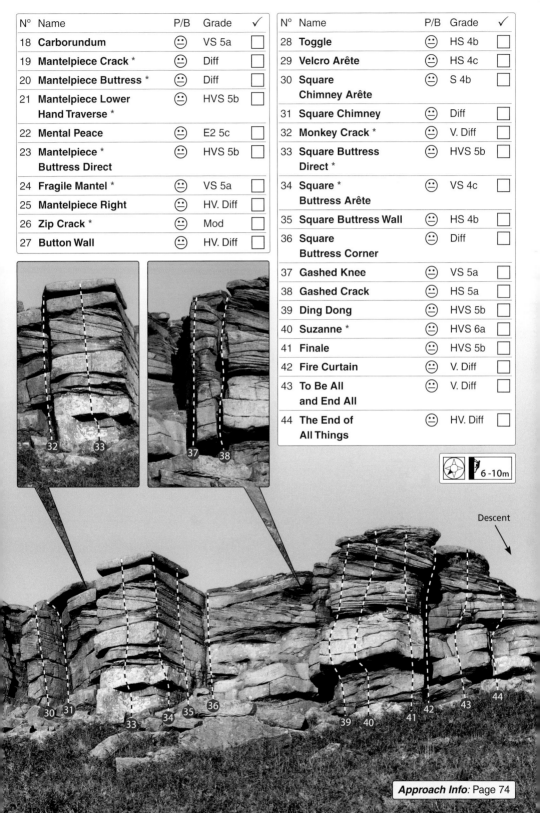

Approach Info: Page 74

N°	Name	P/B	Grade	✓
1	**Apparent North** **	🙂	HVS 5b	☐
2	**Skinless Wonder** **	🙂	E6 6c	☐
3	**Stanage** ** **Without Oxygen**	🙂	E5 6c	☐
4	**Little Women** ***	🙂	E7 7a	☐
5	**Led a Dance** (1 > 5) *	🙂	E1 5b	☐

N°	Name	P/B	Grade	✓
6	**Groove is in** **the Heart** ***	🙂	E7 7a	☐
7	**Black Car Burning** **	🙁	E7 6c	☐
8	**Magnetic North**	🙂	E3 5c	☐
9	**True North**	🙂	VS 4c	☐
10	**Mating Toads** *	B	F 6A	☐
11	**Massacre** *	🙂	E1 5b	☐

Approach Info: Page 74

N°	Name	P/B	Grade	✓
12	**Whatever Happened To Bob?** *	🙂	E3 5c	☐
13	**Sad Amongst Friends** ***	🙂	E6 7a	☐
14	**Snug as a** *** **Thug on a Jug**	🙂	E4 6b	☐
15	**Warmlove** (14 > 15) *	🙂	E6 7a	☐
16	**Happy Amongst Friends** *	🙂	E6 6c	☐
17	**Breakdance** **	🙂	E3 6a	☐
18	**Traverse of the Gritstone Gods** **	🙂	E4 6b	☐
19	**Leroy Slips a Disc** *	B	F 7B	☐
20	**Head Spin**	B	F 6B	☐

N°	Name	P/B	Grade	✓
21	**Pudding** *	🙂	E1 5c	☐
22	**Salt and Vinegar** *	🙂	S 4b	☐
23	**Chips** *	🙂	E3 5c	☐
24	**Peas**	🙁	E4 5c	☐

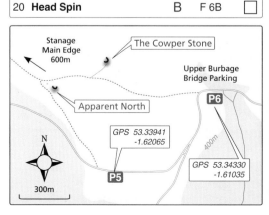

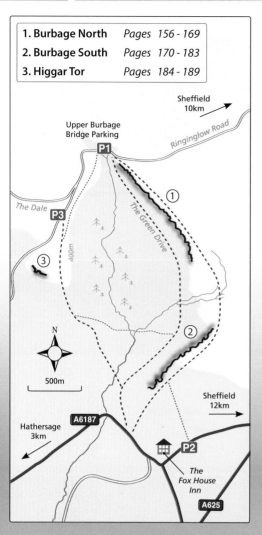

Introduction: The Burbage Valley is one of the wonders of the Peak District! Though lying only 10 kilometres from Sheffield city centre, the landscape and views are truly magnificent, and the feeling of 'wilderness' quite extraordinary for such an easily accessible location.

The two main edges, Burbage North and Burbage South, offer hundreds of fine climbs ranging from beginners' outings to some of the toughest challenges on grit. On the other side of the valley, the famous *Leaning Block* of Higgar Tor is one of most iconic crags in the area, its severely overhanging southern face hosting routes of outstanding quality.

In recent years the valley has undergone major physical changes, as the extensive conifer plantation lining the banks of Burbage Brook, which was planted in the early 1970s and left mostly unmanaged, has now been largely cleared by the Peak District National Park Authority. In its place dry heath habitat is being restored alongside areas of upland oak woodland, which together will benefit wildlife and eventually return the valley to its former glory. However, this process will not happen overnight, and visitors, at least in the short term, should expect a certain degree of disruption.

Area Map on Page 21.

Higgar Tor (Pages 184 - 189)

Long Tall Sally E1 5b
Burbage North • Alex McCann (Page 168)

Introduction: The northern edge is undoubtedly the most popular of the Burbage crags, probably due in equal measures to its ease of access and 'friendly' character. Here there are dozens of excellent lower and middle-grade climbs, making it a firm favourite with both novice leaders and competent soloists alike, and though while generally not quite as long as those on nearby Stanage, the routes here are full of interest.

Conditions and Aspect: The predominantly southwest orientation of the crag means plenty of sun (if it's shining) from midday onwards, and the edge's popularity ensures generally very clean, sound rock, with only the poorer routes staying dirty.

Approach: Park at Upper Burbage Bridge on Ringinglow Road, approximately 5km west of the outskirts of Sheffield (P1). There is ample parking both before and after the bridge, but even so, spaces can be at a premium on fine sunny weekends. From the eastern section of P1 pass through a gate and follow a wide grassy track, the 'Green Drive', heading down the valley. The first buttresses are situated a few metres above the track, little over a minute from the parking area, but the Green Drive gradually angles away from the crag (by the time it runs below the final buttresses of the edge it is some 150m distant) and various side-paths lead up through the bracken to individual areas. A path also runs along the top of the edge and for climbers going directly to the far end of the crag this is the best alternative (10-12 minutes from P1).

Area Map on Page 21.

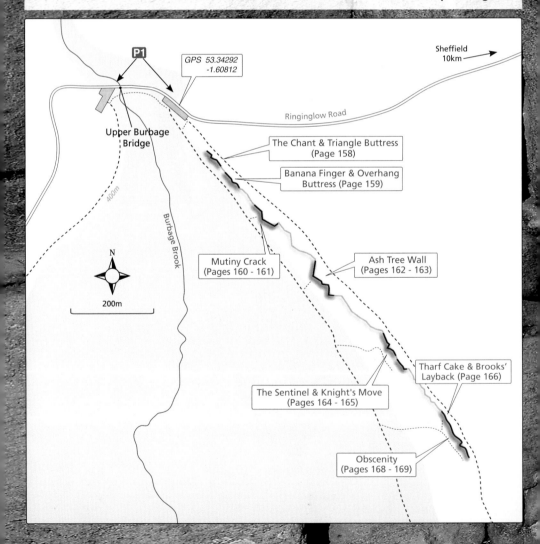

Right Fin HVS 5a
Burbage North • Nina Stirrup (Page 168)

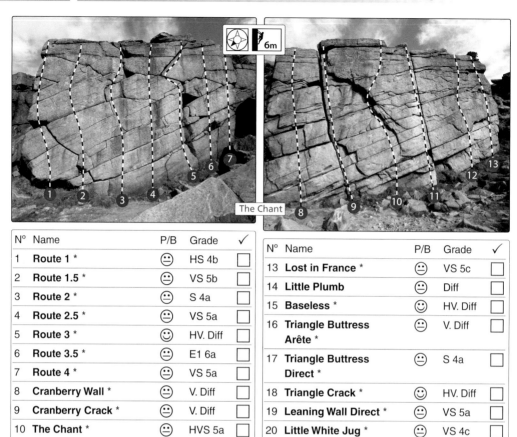

The Chant

N°	Name	P/B	Grade	✓
1	**Route 1** *	😐	HS 4b	☐
2	**Route 1.5** *	😐	VS 5b	☐
3	**Route 2** *	😐	S 4a	☐
4	**Route 2.5** *	😐	VS 5a	☐
5	**Route 3** *	😊	HV. Diff	☐
6	**Route 3.5** *	😐	E1 6a	☐
7	**Route 4** *	😐	VS 5a	☐
8	**Cranberry Wall** *	😐	V. Diff	☐
9	**Cranberry Crack** *	😐	V. Diff	☐
10	**The Chant** *	😐	HVS 5a	☐
11	**Twenty-Foot Crack** **	😊	S 4b	☐
12	**The Curse** *	😐	VS 5b	☐

N°	Name	P/B	Grade	✓
13	**Lost in France** *	😐	VS 5c	☐
14	**Little Plumb**	😐	Diff	☐
15	**Baseless** *	😊	HV. Diff	☐
16	**Triangle Buttress Arête** *	😐	V. Diff	☐
17	**Triangle Buttress Direct** *	😐	S 4a	☐
18	**Triangle Crack** *	😊	HV. Diff	☐
19	**Leaning Wall Direct** *	😐	VS 5a	☐
20	**Little White Jug** *	😐	VS 4c	☐
21	**Big Black 'Un** *	😐	HVS 5a	☐
22	**Steptoe** *	😐	Mod	☐

Triangle Buttress

Overhang Buttress 15m ⟶

Banana Finger

8m

Amazon Crack HS 4b
Burbage North • Ben Kelsey (Page 168)

N°	Name	P/B	Grade	✓
23	**Monkey Corner** *	😐	HV. Diff	☐
24	**Banana Finger Direct** *	😐	HVS 6a	☐
25	**Banana Finger** **	😐	HVS 5c	☐
26	**Monkey Wall**	🙁	Mod	☐
27	**Wednesday Climb** *	😐	HVS 5b	☐
28	**Life in a Radio-active Dustbin** **	😐	E3 6b	☐
29	**The Disposable Bubble** **	😐	E4 6b	☐
30	**Overhang Buttress Direct** *	😐	S 4a	☐

N°	Name	P/B	Grade	✓
31	**Overhang Buttress Arête** *	😐	Mod	☐
32	**Burgess Buttress**	😐	Diff	☐
33	**Burgess Street**	😐	Diff	☐

8-10m

Descent

Overhang Buttress

Approach Info: Page 156

Nº	Name	P/B	Grade	✓
1	**All Quiet on the Eastern Front** *	😐	E1 6a	☐
2	**The Busker** *	😃	VS 5a	☐
3	**Bracken Crack** *	😐	HV. Diff	☐
4	**Green Slab** *	😐	VS 5a	☐
5	**The Grogan** **	😊	HVS 5c	☐
6	**The Groat** *	😐	E1 6a	☐
7	**Wollock** *	😐	HVS 4c	☐

All Quiet...

6m

The Grogan

6 - 8m

The Chant
(Page 158)

Triangle Buttress
(Page 158)

Banana Finger
(Page 159)

Overhang Buttress
(Page 159)

P1
1 min

Approach Info: Page 156

Mutiny Crack

8 -10m

N°	Name	P/B	Grade	✓
8	**Wollock Direct** *	😐	HVS 5c	☐
9	**Pulcherrime** *	🙂	VS 4b	☐
10	**Slanting Crack**	😐	V. Diff	☐
11	**Small is Beautiful** **	😐	E2 6c	☐
12	**Slanting Gully**	😐	Diff	☐
13	**Chockstone Climb**	😐	Diff	☐

N°	Name	P/B	Grade	✓
14	**Stomach Traverse** *	😐	HVS 4c	☐
15	**Gymnipodes** **	😐	E4 6b	☐
16	**Remergence** **	😐	E4 6b	☐
17	**Blind Date** **	😐	E5 6c	☐
18	**Mutiny Crack** ***	🙂	HS 4b	☐
19	**Detour** *	😐	S 4a	☐

All Quiet...
(Page 160)

The Grogan
(Pages 160 - 161)

Mutiny Crack
(Page 161)

Ash Tree Wall
(Pages 162 - 163)
150m ➔

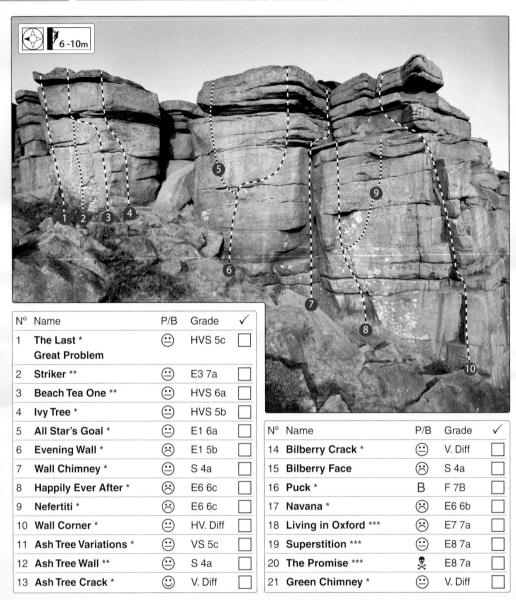

N°	Name	P/B	Grade	✓
1	**The Last * Great Problem**	😐	HVS 5c	☐
2	**Striker ****	😐	E3 7a	☐
3	**Beach Tea One ****	😐	HVS 6a	☐
4	**Ivy Tree ***	😐	HVS 5b	☐
5	**All Star's Goal ***	😐	E1 6a	☐
6	**Evening Wall ***	😞	E1 5b	☐
7	**Wall Chimney ***	😐	S 4a	☐
8	**Happily Ever After ***	😞	E6 6c	☐
9	**Nefertiti ***	😞	E6 6c	☐
10	**Wall Corner ***	😐	HV. Diff	☐
11	**Ash Tree Variations ***	😐	VS 5c	☐
12	**Ash Tree Wall ****	😐	S 4a	☐
13	**Ash Tree Crack ***	🙂	V. Diff	☐

N°	Name	P/B	Grade	✓
14	**Bilberry Crack ***	😐	V. Diff	☐
15	**Bilberry Face**	😞	S 4a	☐
16	**Puck ***	B	F 7B	☐
17	**Navana ***	😞	E6 6b	☐
18	**Living in Oxford *****	😞	E7 7a	☐
19	**Superstition *****	😐	E8 7a	☐
20	**The Promise *****	☠	E8 7a	☐
21	**Green Chimney ***	😐	V. Diff	☐

Mutiny Crack
(Page 161)
150m

1 - 9

10 -15

16 - 21

Approach Info: Page 156

N°	Name	P/B	Grade	✓
1	**Crystal Tips** *	☹	E3 6a	☐
2	**Black Slab Arête** *	☺	S 4a	☐
3	**Black Slab** *	☹	VS 4b	☐
4	**Black Slab Variation** *	☺	Diff	☐
5	**Now or Never** **	☺	E1 5b	☐
6	**Sentinel Chimney** *	☺	HV. Diff	☐
7	**The Sentinel** ***	☺	E2 5b	☐
8	**Sentinel Crack** *	☺	Diff	☐
9	**High Flyer** *	☺	E2 5b	☐

N°	Name	P/B	Grade	✓
10	**The Grazer** *	☺	VS 5a	☐
11	**Lie Back** *	☺	HS 4b	☐
12	**Ring my Bell** *	☹	E4 6a	☐
13	**Ringo** *	☺	S 4a	☐
14	**Ring Climb** *	☺	S 4a	☐
15	**Ring Chimney**	☺	Diff	☐
16	**Agnostic's Arête** *	☺	VS 5a	☐

10 -14m

N°	Name	P/B	Grade	✓
17	**The Keffer**	😦	HVS 5a	☐
18	**Still Orange** *	🙂	S 4a	☐
19	**Green Crack** *	🙂	V. Diff	☐
20	**Dover's Progress** *	😦	HVS 5a	☐
21	**Hollyash Crack** **	🙂	VS 4b	☐
22	**The Knight's Move** ***	🙂	HVS 5a	☐
23	**Peter's Progress** **	😐	VS 4c	☐

N°	Name	P/B	Grade	✓
24	**Arme Blanche** **	🙂ˢ	E5 6a	☐
25	**Great Crack** **	🙂	VS 5a	☐
26	**The Big Chimney** *	😐	S 4b	☐
27	**Enterprise** **	B	F 7C	☐
28	**Windjammer** (29 > 28) **	🙂	E1 5b	☐
29	**The Rainmaker** **	🙂	HVS 5b	☐
30	**Big Chimney Arête** *	🙂	HS 4b	☐

Tharf Cake
(Page 166) ⟶
100m

The Sentinel
(Page 164)

The Knight's Move
(Page 165)

Ash Tree Wall
(Pages 162 - 163)
250m

Approach Info: Page 156

Tharf Cake

6m

N°	Name	P/B	Grade	✓
1	**First Crack**	🙂	S 4a	☐
2	**Tharf Cake** *	☹	HVS 5a	☐
3	**Left Twin Crack** *	🙂	S 4a	☐
4	**Right Twin Crack** *	🙂	HV. Diff	☐
5	**Farcical Arête** *	☹	HS 4b	☐
6	**The Irrepresible Urge** **	☹	E1 5b	☐
7	**The Arctic Mammal** **	🙂	E3 6a	☐
8	**Left Recess Crack** *	😐	HV. Diff	☐
9	**Right Recess Crack**	🙂	HS 4a	☐
10	**Ace** *	☹	VS 4b	☐
11	**Fist Crack** *	😐	HS 4a	☐
12	**Thrall's Thrutch** *	🙂	S 4a	☐
13	**Brooks' Layback** **	🙂	HS 4b	☐
14	**Wobblestone Crack** *	😐	HV. Diff	☐
15	**Biscuits for Breakfast** *	☹	E4 6b	☐

6 - 8m

Brooks' Layback

Approach Info: Page 156

Tharf Cake
(Page 166)

Brooks' Layback
(Page 166)

The Knight's Move
(Page 165) 100m

Obscenity (Pages 168 - 169)

The Knight's Move HVS 5a
Burbage North • Guy Duke (Page 165)

N°	Name	P/B	Grade	✓
1	**Gazebo Watusi** *	☹	E6 6b	☐
2	**Obscenity** ***	☺	VS 4c	☐
3	**Amazon Crack** ***	☺	HS 4b	☐
4	**Boney Moroney** *	☺	E2 5c	☐
5	**Rockers** *	☺ S	E1 5c	☐
6	**Long Tall Sally** ***	☺	E1 5b	☐
7	**Three Blind Mice** **	☠	E7 6c	☐
8	**Greeny Crack** **	☺	VS 4b	☐
9	**Left Studio Climb**	☺	V. Diff	☐
10	**Right Studio Climb**	☺	V. Diff	☐

N°	Name	P/B	Grade	✓
11	**Rose Flake** *	☺	VS 4b	☐
12	**The Fin** **	☺	E1 5b	☐
13	**Ai No Corrida** **	☹ S	E5 6b	☐
14	**Right Fin** **	☺	HVS 5a	☐
15	**The 20 Year Itch** *	☹	E4 6b	☐
16	**The Enthusiast** *	B	F 6A+	☐
17	**Nicotine Stain** **	☺	E1 6b	☐
18	**April Fool**	☺	V. Diff	☐
19	**Approach** *	B	F 5+	☐
20	**Spider Crack** *	☺	VS 5b	☐
21	**The Be All**	☺	HV. Diff	☐
22	**The End All**	☺	HS 4b	☐

10 -12m

Approach Info: Page 156

Descent

Climber: John Burns

Introduction: An excellent, if somewhat less popular venue than it's northern neighbour, the south edge offers many fine climbs and a few stupendous ones, particularly in the higher grades. Sections of the crag were once quarried, and these add variety in the form of sharp arêtes, peg-scarred finger cracks and blank-looking face climbs.

Conditions and Aspect: The south edge has a northwest orientation, meaning that sunshine is a rare visitor here — little or none for much of the year and only in the late afternoon and evening during the summer months — which makes it a great venue for hot days. Lichen is obviously a bigger problem here than on the northern edge, but the better climbs are usually in good condition once the winter rains have subsided.

Approach: Park in grassy lay-bys on the A6187 Sheffield to Hathersage Road, approximately 150 - 200m uphill from the Fox House Inn (P2). Use a stile to cross the wall then follow a well-marked footpath across the moor (boggy after rain) passing a second stile, before joining a major path running along the top of the crag (8 min. to here). Directly below the point where the two paths join lies the *Southern Quarry:* descend an open gully to the left of the block (looking out) to reach the base of the crag. From here a path runs below the crag to the *Northern Quarry* (80m) and the *Goliath/Pebble Mill* buttresses (150m) although these can also be reached from above. The 'main' crag (*Split Nose* to *Nosferatu*) lies between 300m and 450m distance of the *Southern Quarry* and is best reached by staying on the upper path (12-15 minutes from P2).

Newcomers may find difficulty in identifying certain climbs from above and for this reason the overview pictures show GPS coordinates for the tops of key buttresses.

Area Map on Page 21.

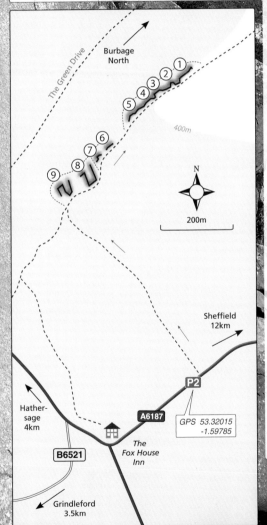

N°	Name	P/B	Grade	✓
1	**Split Nose** *	😐	VS 5a	☐
2	**The Gnat** *	😊	E1 5c	☐
3	**Midge** *	😐	E2 6a	☐
4	**Butterfingers** **	😟	E6 6c	☐

N°	Name	P/B	Grade	✓
5	**Every Man's Misery** **	😐	VS 5a	☐
6	**The Notorious BLG** *	😟	E7 6c	☐
7	**Triglyph** *	😐	VS 4c	☐

Burbage North
(Pages 156 - 169)
1km

GPS 53.32697
-1.59931

Split Nose
(Page 172)

Roof Route
(Page 172)

The Boggart & Brooks' Crack
(Pages 174 - 175)

Approach Info: Page 171

Descent

8-10m

9

8

11

10

12

13

Descent

N°	Name	P/B	Grade	✓
8	**Simba's Pride** ***	☠	E8 6b	
9	**Black Out** **	☠	E9 6c	

N°	Name	P/B	Grade	✓
10	**Roof Route** **	🙂	VS 4c	
11	**Gable Route** **	🙂	VS 4c	
12	**The Gutter**	🙂	HVS 5b	
13	**Press On**	🙂	E2 6a	

Magog (Page 176)

Nosferatu
(Pages 176 - 177)

GPS 53.32653
-1.60019

N°	Name	P/B	Grade	✓
1	**Lethargic Arête** *	☹	S 4a	☐
2	**Charlie's Crack** **	😐	HVS 5b	☐
3	**Life Assurance** **	☹	E6 6b	☐
4	**Tower Climb** *	🙂	HS 4b	☐
5	**Tower Crack** **	😐	HVS 5a	☐
6	**Balance It Is** ***	😐 S	E7 6c	☐
7	**Boggart Left-Hand** *	🙂	E4 6a	☐
8	**The Boggart** **	😐	E2 6b	☐
9	**Equilibrium** ***	☠	E10 7a	☐
10	**Tower Chimney** *	😐	Diff	☐

10 -15m

Approach Info: Page 171

N°	Name	P/B	Grade	✓
11	**The Braille Trail** ***	☹	E7 6c	☐
12	**Grandad's Slab** ***	☹	E7 6c	☐
13	**Dynamics of Change** ***	☠ S	E9 7a	☐
14	**Parthian Shot** ***	☠ S	E9 6c	☐
15	**Brooks' Crack** ***	☺	HVS 5a	☐
16	**Byne's Crack** ***	☺	VS 4b	☐
17	**The Searing** *	☺	E3 6b	☐
18	**Back Down Under** *	☺	E6 6c	☐
19	**The Knock** ***	☹	E4 6a	☐
20	**Wow!**	☹	E4 6b	☐
21	**Keep Crack** *	☺	VS 5a	☐

Nosferatu
15m

Life Assurance E6 6b
Burbage South • Nick Priestly (Page 174)

N°	Name	P/B	Grade	✓
1	**Slow Ledge**	🙂	VS 4c	☐
2	**Magog**	😐	HVS 5b	☐
3	**Gog Arête** *	B	F 4+	☐
4	**Ladder Rib** *	B	F 6A+	☐
5	**Ladder Gully**	😐	Diff	☐
6	**Recurring** ** **Nightmare**	🙁	E5 6b	☐
7	**Macleod's Crack**	😐	HV. Diff	☐
8	**Crikey** *	🙂	E5 6a	☐
9	**Dowel Crack** *	🙂	HVS 5a	☐
10	**The Iron Hand**	🙂	S 4a	☐
11	**Sorb** **	🙁	E2 5c	☐
12	**Nosferatu** ***	🙁	E6 6b	☐
13	**Reginald** *	🙂	VS 4b	☐
14	**Bad Attitude** *	B	F 6C	☐
15	**The Attitude Inspector** **	B	F 7A	☐
16	**Nathaniel** *	🙂	HVS 5b	☐
17	**The Knack** *	🙂	E1 5c	☐
18	**Nick Knack Paddywhack** *	🙂	E2 6b	☐
19	**Bright Eyes** **	B	F 7A+	☐
20	**Less Bent**	😐	S 4a	☐
21	**Zig-Zag** *	🙂	VS 4c	☐

Nosferatu - Left

5 - 12m

N°	Name	P/B	Grade	✓
22	**No Zag** *	😐	E1 5b	☐
23	**Gib's Rib** **	B	F 7A	☐
24	**Unfinished Symphony** *	😐	HVS 5b	☐
25	**Left Bannister** *	🙁	HS 4a	☐

N°	Name	P/B	Grade	✓
26	**The Staircase** *	😐	S 4a	☐
27	**Confidence of Youth**	🙁	E3 6a	☐
28	**The Drainpipe** **	😐	HS 4b	☐

6 - 10m

Nosferatu - Right

Approach Info: Page 171

N°	Name	P/B	Grade	✓
1	**Broddle**	😐	VS 4c	☐
2	**Limmock** *	😐	HVS 5b	☐
3	**Lino** *	😀	HVS 5b	☐
4	**The Birth of Liquid Desires**	😐	HVS 5a	☐
5	**Wazzock** *	😊	HS 4b	☐
6	**Pebble Mill** ***	😖	E5 6b	☐
7	**Dork Child** *	😐	E1 5c	☐

A6187 Sheffield - Hathersage Road
(Distance greatly foreshortened!)

GPS 53.32558 -1.60167

GPS 53.32461 -1.60356

P2

Pebble Mill (Page 178)

Goliath (Page 179)

The Northern Quarry (Pages 180 - 181)

The Southern Quarry (Pages 182 - 183)

Approach Info: Page 171

6 - 10m

N°	Name	P/B	Grade	✓
4	**David** ***	😊	HVS 4c	☐
5	**Messiah** ***	😣	E7 6c	☐
6	**Rollerwall** *	B	F7C	☐
7	**Saul** *	😐	VS 5b	☐

N°	Name	P/B	Grade	✓
1	**Above and ** Beyond the Kinaesthetic Barrier**	😣	E4 6b	☐
2	**Samson** **	😣 S	E7 7a	☐
3	**Goliath** ***	😐	E5 6a	☐

📷 10 -12m

N°	Name	P/B	Grade	✓
7	**Stockbroker on the Woodpile**	🙂	E5 6b	☐
8	**French Kiss** *	😦	E8 6b	☐
9	**Inspiration Dedication** *	🙂✗	E8 6b	☐
10	**Psychosomatic Pigeon** *	😦	E7 6b	☐

N°	Name	P/B	Grade	✓
4	**Fox House Flake** **	🙂	VS 4b	☐
5	**The Cock** *	🙂	VS 4c	☐
6	**Perched Block Route**	🙂	HVS 4c	☐

N°	Name	P/B	Grade	✓
1	**Zeus** **	😦	E2 5b	☐
2	**Fagus Sylvatica** **	🙂✗	E8 7a	☐
3	**Hades** **	🙂	E1 5c	☐

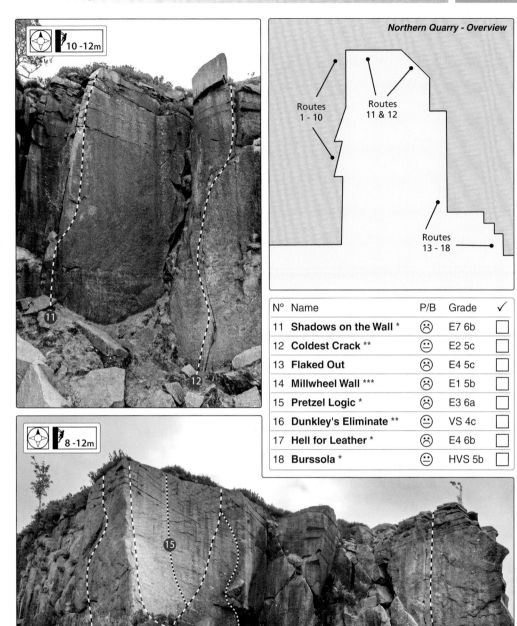

Northern Quarry - Overview

Routes
1 - 10

Routes
11 & 12

Routes
13 - 18

Nº	Name	P/B	Grade	✓
11	**Shadows on the Wall** *	☹	E7 6b	☐
12	**Coldest Crack** **	😐	E2 5c	☐
13	**Flaked Out**	☹	E4 5c	☐
14	**Millwheel Wall** ***	☹	E1 5b	☐
15	**Pretzel Logic** *	☹	E3 6a	☐
16	**Dunkley's Eliminate** **	😐	VS 4c	☐
17	**Hell for Leather** *	☹	E4 6b	☐
18	**Burssola** *	😐	HVS 5b	☐

N°	Name	P/B	Grade	✓
1	**The Verdict**	🙂	E2 6a	☐
2	**The Old Bailey** *	🙂	HVS 5b	☐
3	**The Simpering Savage** *	🙂	E5 6b	☐
4	**Poisoned Dwarf** *	😐	E1 5c	☐
5	**Trellis** *	B	F 7A	☐
6	**The Dover and** * **Ellis Chimney**	🙂	E1 5b	☐
7	**Silent Spring** *** P1 ⊗ 5c, P2 ⊗ 5c	🙁	E4 5c	☐
8	**Silent Scream** (8 > 9) ***	🙁	E7 6c	☐
9	**Masters of** ** **The Universe**	😐	E6 6b	☐

N°	Name	P/B	Grade	✓
10	**Offspring** ***	🙂	E5 6b	☐
11	**Captain Invincible** ***	😐	E8 6c	☐

8 -15m

Approach Info: Page 171

10 - 15m

Hanging Belay Anchors:
A (Silent Spring mid-belay) uses a pre-placed rope from above.
B (Masters of the Universe) uses old bolts and approach/abseil rope.
C (Offspring) uses natural gear in the break and abseil/approach rope.

Introduction: Though not extensive, Higgar Tor is one of the jewels of the Eastern Edges. Pride of place undoubtedly goes to its magnificent *Leaning Block* — a huge, gravity-defying cube of Gritstone standing sentinel over the valley like some natural Tower of Pisa. The climbs on its over-hanging side rank along with the best hard routes on grit, while the merely vertical walls to the left and right of the block provide enjoyable outings at more amenable grades.

Conditions and Aspect: Orientation — southwest. This bold, exposed crag is open to the elements and very fast drying. The ever-present wind can be hateful on cold days, but a blessing on midgey mid-summer evenings.

Approach: From the Upper Burbage Bridge parking area (see approach for *Burbage North* - Page 156) continue driving along Ringinglow Road for approximately 950m to reach a large lay-by on the right-hand side of the road (P3). Pass through the wooden gate opposite the lay-by to the start of a public footpath. Do not follow this, instead turn immediately right and take a smaller path keeping pretty much parallel to the road for approximately 200m (here there is another wooden gate giving access from the road). About 90m further on branch left and follow a smaller path which contours around the hillside to the base of the crag (5 min. from P3).
Area Map on Page 21.

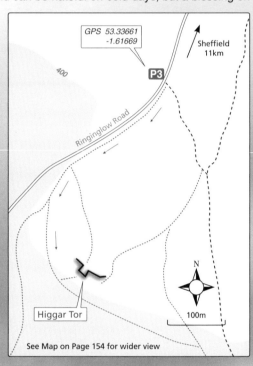

GPS 53.33661
-1.61669

Sheffield
11km

400

Ringinglow Road

P3

N

Higgar Tor

100m

See Map on Page 154 for wider view

The Riffler
(Page 185)

The Leaning Block
(Pages 186 - 187)

Fricka's Crack
(Page 188)

P3
5 min

5 min.

N°	Name	P/B	Grade	✓
1	The Warding	😐	V. Diff	☐
2	Aceldama	😵	E4 6a	☐
3	The Mighty Atom *	😵	E2 5c	☐

N°	Name	P/B	Grade	✓
4	Brillo	😐	E1 5c	☐
5	The Riffler *	😊	HVS 5a	☐
6	The Cotter *	😐	HVS 5a	☐

N°	Name	P/B	Grade	✓
7	The Rat's Tail *	😊	VS 5a	☐
8	The Reamer *	😐	VS 4c	☐
9	Leaning Block Gully	😐	V. Diff	☐

8m

Descent

12 -14m

Leaning Block Gully
(Page 185)

N°	Name	P/B	Grade	✓
1	**The Sander** *	🙂	E4 6a	☐
2	**Block and Tackle** **	🙂	E6 6b	☐
3	**Surform** **	🙂	HVS 5b	☐
4	**Bastard Cut / Prince's Dustbin** * (3 > 4 > 3 > 4)	🙂	E4 6b	☐
5	**The Rasp** ***	🙂	E2 5b	☐

N°	Name	P/B	Grade	✓
6	**Arnold Shwarzenegger * Stole My Body** (5 > 6 > 8)	🙂	E4 6b	☐
7	**The Rasp Direct** (7 > 5 > 7) ***	🙂	E4 6a	☐
8	**Flute of Hope** (8 > 5 > 8) ***	🙂	E4 6a	☐
9	**Bat Out of Hell** ***	🙂	E5 6a	☐
10	**Linkline** ***	🙂	E6 6c	☐
11	**Pulsar Direct** ***	🙂	E6 6b	☐

6 -12m

Descent
(Downclimb!)

Climber: Jon Lawton

Nº	Name	P/B	Grade	✓
12	**The File** ***	😊	VS 4c	☐
13	**The Raven** *	😐ˢ	E2 6b	☐
14	**Paddock** *	😐	HV. Diff	☐
15	**Greymalkin** *	😄	S 4a	☐
16	**Hecate**	😐	V. Diff	☐

N°	Name	P/B	Grade	✓
1	**Easy Peasy**	😐	E1 6a	☐
2	**Doddle**	😐	S 4a	☐
3	**Lemon Squeezy** *	😐	HVS 5b	☐
4	**Walkover** *	😐	S 4a	☐
5	**Piece of Cake** *	😐	HV. Diff	☐
6	**Achilles' Heel / Laze** *	😐	E2 5c	☐
7	**Spirito di Onki**	😐	E3 6a	☐
8	**Daley Bulletin**	😐	HVS 5b	☐
9	**Canyon Climb** *	😐	HV. Diff	☐

N°	Name	P/B	Grade	✓
10	**Zeus' Crack**	😐	HS 4b	☐
11	**Root Decay**	🙁	E4 6b	☐
12	**Stretcher Case** *	😐	E2 5c	☐
13	**Splint** *	😐	HVS 5a	☐
14	**Loki's Way** *	😐	HS 4b	☐
15	**Fricka's Crack** *	😐	VS 4c	☐
16	**Jade Tiger**	😐	HVS 5b	☐
17	**Freya's Climb** *	😐	V. Diff	☐

Approach Info: Page 184

Bat Out of Hell E5 6a • Higgar Tor
Andy Gardner (Page 186)

Introduction: These two former quarries, situated one either side of the famous 'Surprise View' road, show that when man meddles with nature the outcome isn't always bad — at least not for those of us inclined to vertical tendencies. Every inch of these edges was once worked, leaving a succession of smooth featureless slabs and walls alternating with square-cut grooves and arêtes. The result, from a rock climber's point of view, could hardly be better had it been purpose-built! And what the quarrymen unwittingly started, the aid climbers of the 1950's and 1960's unwittingly continued, hammering piton after piton into hairline cracks, eventually widening them sufficiently to allow the free climbers of later generations to insert fingers and toes.

While both crags are impressive, featuring powerful lines and reaching heights in excess of 25m, Millstone is especially so, hosting some of the very best hard routes to be found anywhere on grit. These generally fall into two categories: well-protected grooves and cracks, or poorly (sometimes very poorly) protected faces and arêtes. Below VS, however, the pickings become distinctly thin, and this is where Lawrencefield comes into its own, offering a selection of excellent outings in the lower grades (though it should be emphasized that the harder routes on the impressive back wall of the main bay are almost a match for Millstone's finest).

Note: Peregrines and Ravens occasionally nest at Millstone. When this is the case signposts are erected and climbers should avoid the affected areas.

Conditions and Aspect - Millstone: The general orientation is west, but as much of the edge is formed into bays — some walls face south,

others almost due north. The latter can provide welcome shade in summer, but, naturally, take longer to come into condition after poor weather. This is particularly true of the *North Bay*, which is often still damp long after the rest of the crag has dried out and rarely in good nick except in mid-summer.

Conditions and Aspect - Lawrencefield: The general orientation is southwest, though the left wall of the main bay, on which some of the most popular climbs are situated, faces almost due south. The crag is extremely sheltered and can be a great mid-winter venue, though sand washed down from the top after heavy rain may affect certain routes.

Approach - Millstone: Park in the Surprise View pay and display car park on the A6187 Sheffield to Hathersage road. From the rear of the car park (furthest from the road) pass through a wooden gate and follow a well-marked footpath across the heather moorland. After around 300m this path intersects with another, which runs along the top of the whole quarry. Cross directly over this, pass through a small wooden gate and continue downhill to reach the major path running along the base of the crag. Follow this gently uphill for approximately 30m to reach the first of the bays — Hell's Bells Bay (8 min. from the car park). The other bays are situated to the left (looking in) requiring a further 2 - 7 minutes walking. *Note:* for climbers heading directly to the *North Bay* it is quicker to stay on the top path to reach the left-hand end of the crag and then drop down.

Approach - Lawrencefield: From the entrance to the Surprise View Pay and Display car park walk 20m along the road (towards Hathersage) then cross it to reach the start of a well-marked

The North Bay
(Pages 192 - 193)

Dexterity Bay
(Page 194)

Great Slab
(Page 195)

Twikker Bay
(Pages 196 - 197)

The Corners
(Pages 198 - 199)

Millstone Edge – Overview

footpath on the other side. Follow this, keeping more or less parallel to the road, for approximately 350m, to reach a wooden stile. Pass over this and continue on a smaller path, first heading directly downhill, then leftwards, to reach the base of the main bay of the quarry (8 minutes).

Area Map on Page 21.

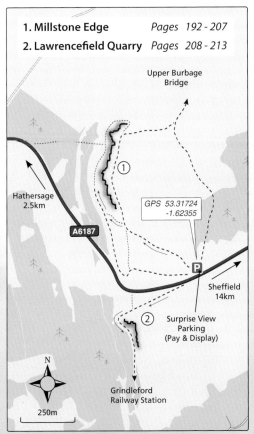

1. **Millstone Edge**   *Pages 192 - 207*
2. **Lawrencefield Quarry** *Pages 208 - 213*

Upper Burbage Bridge

①

*GPS 53.31724
-1.62355*

A6187

Hathersage
2.5km

P

Sheffield
14km

② Surprise View
Parking
(Pay & Display)

N

250m

Grindleford
Railway Station

Excalibur VS 4c • Lawrencefield
Neil Mcallister (Page 211)

P →
450m

Great North Road
(Pages 200 - 201)

The Embankment
(Pages 202 - 203)

London Wall
(Pages 204 - 205)

Keyhole Cave
(Pages 207 - 208)

Hell's Bells
Bay 70m

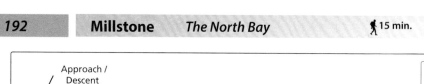

Approach / Descent

8-15m

Approach Info: Page 190

15-20m

N°	Name	P/B	Grade	✓
1	**Brindle**	😐	VS 4c	☐
2	**Scrimsel**	😐	VS 4c	☐
3	**Brimstone** **	😊	E2 5b	☐
4	**Satan's Slit** *	😐	E1 5b	☐
5	**Gates of Mordor** **	😐	E3 5c	☐
6	**Pin Prick**	😐	E2 5c	☐
7	**Hacklespur** *	😐	HVS 5b	☐
8	**Cauldron Crack** *	😐	E3 5c	☐
9	**Freight Train** *	😐	E4 6a	☐
10	**Estremo** **	😐	HVS 5a	☐
11	**Gimbals** **	😐	HVS 5b	☐
12	**Mother's Pride** ***	😐	E6 6b	☐
13	**Perplexity** ***	😐	E6 6b	☐
14	**Apoplexy** (13 > 14) **	☹	E7 6b	☐
15	**London Pride** **	😐	E5 6b	☐
	P1 6b 😊, P2 5c 😐			

N°	Name	P/B	Grade	✓
16	**Plexity** ***	😊	HVS 5a	☐
17	**Remembrance Day** **	😐	VS 4c	☐
18	**Day Dream** *	😐	VS 4c	☐
19	**Rainy Day**	😐	VS 4b	☐
20	**Southern Comfort** *	😐	E3 5c	☐
21	**Commix** **	😐	E2 5c	☐
22	**Top Loader** **	😐	E7 6c	☐
23	**Drifter** *	☹	E7 6c	☐
24	**Saville Street** ***	😐	E3 6a	☐
25	**Shape Shifter** *	☹	E6 6b	☐
26	**Soho Sally** *	☹	E1 5b	☐
27	**Obscurity** *	☹	E6 6b	☐

Descent Path ←

12 -26m

Abseil sling + maillon in place on this tree

18m

Routes 13 & 14
5m →

N°	Name	P/B	Grade	✓
1	**February Fox** *	☹	E2 5b	☐
2	**March Hare** **	☹	E2 5b	☐
3	**April Arête** **	☹	HVS 4c	☐
4	**Dextrous Hare** **	🙂	E3 5c	☐
	P1 5c 🙂, P2 5a 🙂			
5	**Dexterity** ***	🙂	E1 5b	☐
6	**Cioch Corner**	😐	S 4a	☐
7	**Mayday** *	😐	HVS 5a	☐
8	**Supra Direct** **	🙂	HVS 5b	☐
9	**The Hacker** *	😐	VS 4c	☐
10	**Close Shave** *	😐	S 4a	☐
11	**Boomerang** *	😐	S 4a	☐
12	**Brumal** *	😐	VS 4c	☐
13	**Only Just** *	☹	E2 5b	☐
14	**Eartha** **	😐	HS 4a	☐

N°	Name	P/B	Grade	✓
15	**Svelt** *	🙂	HVS 5a	☐
16	**The Psycho Path** *	🙁	E6 6b	☐
17	**The Snivelling Shit** **	🙁	E5 6a	☐
18	**Greasy Chips** *	🙁	VS 4a	☐
19	**The Great Slab** **	😐	HS 4b	☐

N°	Name	P/B	Grade	✓
20	**Sex Dwarves** *	😐	E3 6b	☐
21	**Lorica** *	😐	VS 4c	☐
22	**Bun Run**	😐	HVS 5a	☐
23	**Windrête** **	🙁	E2 5b	☐

Note: Routes 16, 17 and 20 are usually descended by down-climbing the first parts of either The Great Slab or Lorica.

🧭 📷 10 -26m

14 -26m

Approach Info: Page 190

N°	Name	P/B	Grade	✓
1	**Breeze Mugger**	☹	E5 6b	☐
2	**Meeze Brugger** *	☹	E5 6b	☐
3	**Eros** **	😐	HVS 5b	☐
4	**Frank Sinatra Bows Out**	☹	E5 6b	☐
5	**Lyon's Corner ** House Direct**	😐	HVS 5a	☐
6	**African** **	😐 S	E3 6a	☐
7	**Lyon's Corner House** ***	😊	HVS 5a	☐
8	**Erb** (7 > 8) ***	😐	E2 5c	☐
9	**Twikker** ***	😐	E3 5c	☐
10	**Lubric** *	😐	HVS 5b	☐
11	**The Bed of Procustes** **	B	F 8A+	☐

N°	Name	P/B	Grade	✓
12	**Pinstone Street** *	😐	E2 5c	☐
13	**Grist to The Mill** *	😐	E4 6a	☐
14	**Diamond Groove** *	😐	HVS 5b	☐
15	**Flapjack** *	😐	VS 4b	☐
16	**Neatfeet** *	☹	HVS 5a	☐
17	**S.S.S.** *	😐	VS 4c	☐
18	**Winter's Grip** **	☹	E6 6b	☐
19	**Keelhaul**	😐	VS 4c	☐
20	**Crusty Corner**	😐	S 4a	☐
21	**Quiddity** *	😐	HVS 5a	☐
22	**Billingsgate** **	😐	E1 5b	☐

16 -24m

Descent

12　15　16　17　18　19　20　21　22

Knightsbridge E2 5c • Millstone Edge
John Scott (Page 201)

Edge Lane E5 5c
Millstone Edge • Ben Cossey (Page 199)

15 -30m

8

15

6 9

10

15 -30m

Descent Path

Knightsbridge
(Page 201)

N°	Name	P/B	Grade	✓
1	**Stone Dri** *	😐	E2 6a	☐
2	**Crewcut** **	😐	HVS 4c	☐
3	**Under Doctor's** * **Orders**	😐	E2 6a	☐
4	**Yourolympus**	😐	HVS 4c	☐
5	**Jealous Pensioner** *	🙁	E4 5c	☐
6	**Xanadu Direct** ** P1 6a 😊, P2 5a 😊	😐	E4 6a	☐
7	**King Elmore** *	☠	E6 6a	☐
8	**The Trumpton** * **Anarchist**	😐	E6 6b	☐
9	**Adios Amigo** **	🙁	E5 6b	☐

N°	Name	P/B	Grade	✓
10	**Great West Road** *** P1 5b 😊, P2 5b ☹	🙁	E3 5b	☐
11	**Edge Lane** ***	☠	E5 5c	☐
12	**Green Death** ***	🙁	E5 6b	☐
13	**Master's Edge** ***	🙁	E7 6b	☐
14	**Pure Now** *	🙁	E9 6c	☐
15	**The Bad and** *** **The Beautiful**	☠	E7 6b	☐
16	**The Great Arête** ***	☠	E5 5c	☐

15 -30m

Approach Info: Page 190

6m

N°	Name	P/B	Grade	✓
1	**Knightsbridge** *** P1 5b ☺, P2 5c ☹	😐	E2 5c	☐
2	**Scoop Crack** * P1 4b ☺, P2 4b ☹	😐	VS 4b	☐
3	**The Scoop** * P1 Mod ☹, P2 Diff ☹	😐	Diff	☐
4	**Detour** (4 > 8 > 9 > 4) ** P1 5b ☺, P2 5c ☹	😐	E2 5c	☐
5	**The Hunter House Road Toad** *	😐	E5 6b	☐
6	**Clock People** *	😐	E6 6c	☐
7	**Watling Street** **	☠	E3 5b	☐
8	**By-Pass** (9 > 8 > 9) *	😐	HVS 5a	☐
9	**Great North Road** ***	😐	HVS 5a	☐
10	**Quality Street** * P1 6b ☹, P2 6a ☺	😐	E5 6b	☐
11	**Deaf Dog**	😐	HVS 5b	☐
12	**Master Chef** **	B	F 7B	☐
13	**Technical Baitor** *	B	F 5	☐

Embankment Route 4 E1 5b
Millstone Edge • James Turnbull (Page 203)

N°	Name	P/B	Grade	✓
1	**Technical Master** ***	B	F 6B	☐
2	**Blind Bat** **	☹ S	E4 5c	☐

N°	Name	P/B	Grade	✓
3	**Embankment Rt. 1** ** P1 4c ☺, P2 5c ☺	☺	E2 5c	☐
4	**10,000 Maniacs/ Elm Street** **	☠	E8 6c	☐
5	**Who Wants the World?**	☹	E5 6a	☐

8 - 30m

Descent Path 30m

Abseil sling + maillon
in place on this tree

Approach Info: Page 190

N°	Name	P/B	Grade	✓
6	**Embankment Rt. 2** **	😊	VS 4c	☐
	P1 4c 😊, P2 4b 😊			
7	**Scritto's Republic** **	😞	E7 6c	☐
8	**Embankment Rt. 3** ***	😊	E1 5b	☐
	P1 5b 😊, P2 5b 😊			
9	**Time for Tea** ***	😞	E3 5c	☐
10	**Tea for Two** ***	😞	E4 6a	☐
11	**Embankment Rt. 4** ***	😊	E1 5b	☐
12	**Whitehall** **	😐	HVS 5b	☐

N°	Name	P/B	Grade	✓
13	**The Jasmine Corridor** *	😞	E6 6c	☐
14	**Lotto** **	😐	E1 5c	☐
	P1 4b 😊, P2 5c 😊			
15	**Lotto Direct** *	😞	E3 5c	☐
16	**Seventies Style Wall** *	😞	E2 6a	☐

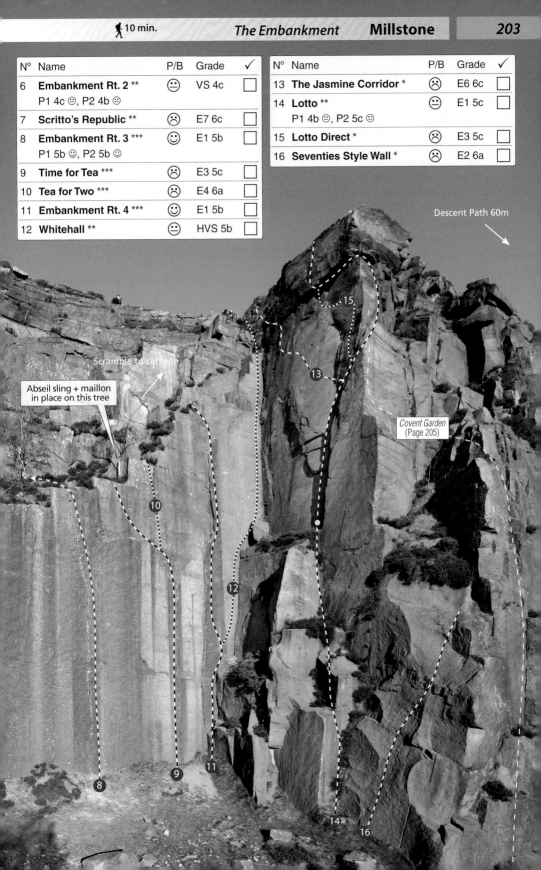

Descent Path 60m

Scramble to cliff top

Abseil sling + maillon
in place on this tree

Covent Garden
(Page 205)

London Wall E5 6a
Millstone Edge • Pete Whittaker (Page 205)

20 -26m

Descent Path 50m →

Exposed scramble
to cliff top →

Nº	Name	P/B	Grade	✓
1	**Covent Garden** **	☹	VS 4b	☐
	P1 ☺ 4b, P2 ☹ 4b			
2	**Scruples** *	☺	E5 6b	☐
3	**Bond Street** ***	☺	HVS 5a	☐
4	**Monopoly** **	☠	E7 6b	☐
5	**Great Portland Street** ***	☺	HVS 5b	☐
6	**White Wall** **	☺	E5 6b	☐
7	**The Mall** ***	☺	VS 4c	☐
8	**London Wall** ***	☺	E5 6a	☐
9	**Lambeth Chimney** *	☺	HS 4b	☐
10	**Badly Bred**	☺	E1 5c	☐

Approach Info: Page 190

Descent Path 20m

Hell's Bells Bay 70m

20 - 26m

8 -10m

Descent

Hell's Bells

21

20

19

13

17

16

15

14

Keyhole Cave, 70m

N°	Name	P/B	Grade	✓
	Approach Info: Page 190			
1	Skywalk *	😐	VS 4b	☐
2	Adam Smith's ***	😈	E6 6b	☐
	Invisible Hand (2 > 1)			
3	The Rack (3 > 5 > 1) **	😐 S	E5 6a	☐
4	Oxford Street **	😐	E3 6b	☐
5	Piccadilly Circus (5 > 1) **	😐	E2 5c	☐
6	Coventry Street **	😐	E4 6b	☐
7	Jermyn Street ***	😈	E5 6a	☐
8	Regent Street ***	😊	E2 5c	☐
9	Regent Street **	😐	E3 5c	☐
	Direct Start			
10	Wall Street Crash **	😐	E5 6b	☐
11	Shaftesbury Avenue *	😐	HVS 5b	☐
12	The Whore *	😐	HVS 5b	☐
13	Gimcrack *	😊	VS 4c	☐
14	Chiming Cracks *	😊	HS 4b	☐
15	Hell's Bells **	😊	HS 4b	☐
16	Juniper	😈	E1 5b	☐
17	Midrift	😐	V. Diff	☐
18	Dirty Harry **	😐	E3 5c	☐
19	Giant's Steps	😐	V. Diff	☐
20	Street Legal *	😐	E2 5c	☐
21	Blood and Guts *	😈	E5 6b	☐
	on Botty Street			

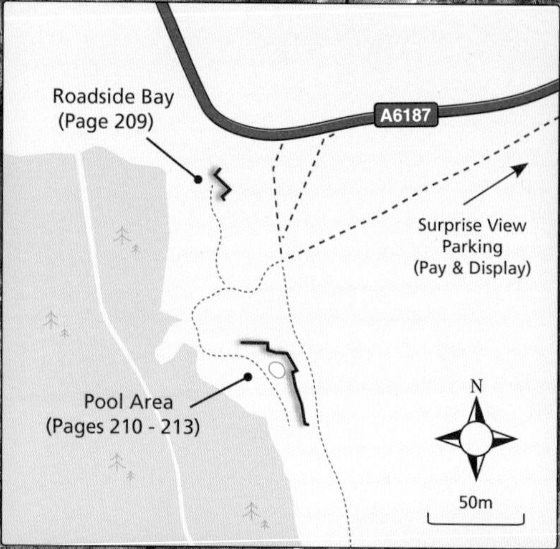

Roadside Bay
(Page 209)

A6187

Surprise View
Parking
(Pay & Display)

Pool Area
(Pages 210 - 213)

N

50m

Approach Info: Pages 190 - 191

Suspense E2 5c
Lawrencefield • Shaun Humphreys (Page 210)

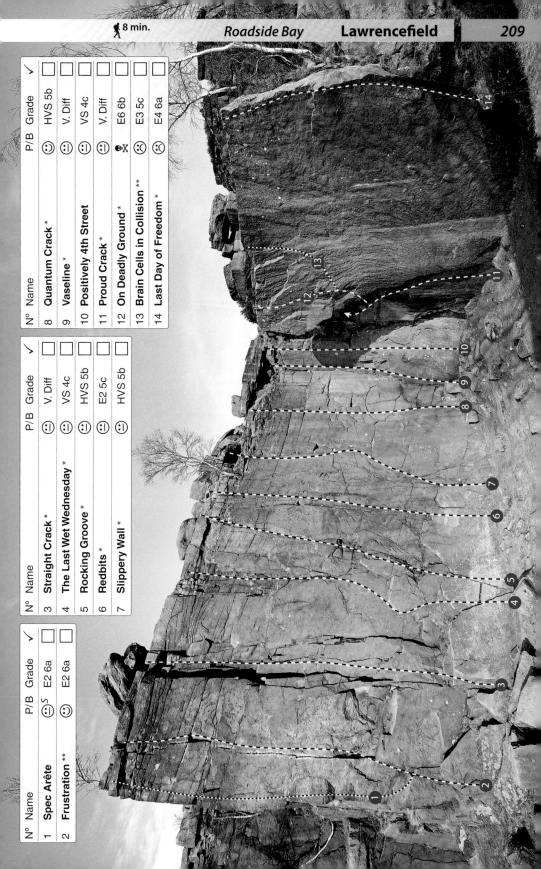

N°	Name	P/B	Grade	✓
1	**Spec Arête**	☺S	E2 6a	
2	**Frustration** **	☺	E2 6a	

N°	Name	P/B	Grade	✓
3	**Straight Crack** *	☺	V. Diff	
4	**The Last Wet Wednesday** *	☺	VS 4c	
5	**Rocking Groove** *	☺	HVS 5b	
6	**Redbits** *	☺	E2 5c	
7	**Slippery Wall** *	☺	HVS 5b	

N°	Name	P/B	Grade	✓
8	**Quantum Crack** *	☺	HVS 5b	
9	**Vaseline** *	☺	V. Diff	
10	**Positively 4th Street**	☺	VS 4c	
11	**Proud Crack** *	☺	V. Diff	
12	**On Deadly Ground** *	☠X	E6 6b	
13	**Brain Cells in Collision** **	☹	E3 5c	
14	**Last Day of Freedom** *	☹	E4 6a	

Iron Stake Belays
above Crag

12-22m

P 8 min.

Nº	Name	P/B	Grade	✓
1	**Summer Climb** *	🙂	HS 4b	☐
2	**Three Tree Climb** ***	🙂	HS 4b	☐
3	**Great Peter** **	🙂	E1 5b	☐
4	**Pulpit Groove** **	🙂	V. Diff	☐
5	**Great Harry** ***	🙂	VS 4c	☐

Nº	Name	P/B	Grade	✓
6	**Suspense** ***	🙂	E2 5c	☐
7	**To Good to be True** (6 > 7)	🙁	E4 5c	☐
8	**Scoop Connection** (6 > 8) *	🙁	E2 5b	☐
9	**Brainstorm** *	🙁	E4 6a	☐
10	**Pool Wall** ***	🙂	E5 6b	☐

Iron Stake Belays
above Crag

18-20m

Approach

Approach Info: Pages 190 - 191

Nº	Name	P/B	Grade	✓
11	**High Plains Drifter** **	😐	E4 6a	☐
12	**Boulevard** **	🙂	E3 6a	☐
13	**Von Ryan's Express** *	🙁 S	E6 6b	☐
14	**Billy Whiz** ***	😐	E2 5c	☐

Nº	Name	P/B	Grade	✓
15	**High Street** **	😐	E4 6a	☐
16	**Holy Grail**	🙁	E4 5c	☐
17	**Excalibur** **	🙂	VS 4c	☐
18	**J.J.2**	🙂	E1 5b	☐

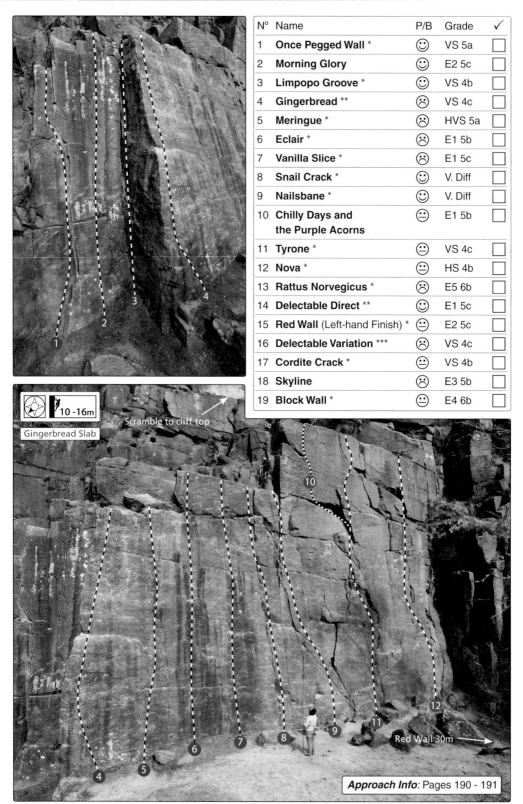

N°	Name	P/B	Grade	✓
1	**Once Pegged Wall** *	🙂	VS 5a	☐
2	**Morning Glory**	🙂	E2 5c	☐
3	**Limpopo Groove** *	🙂	VS 4b	☐
4	**Gingerbread** **	🙁	VS 4c	☐
5	**Meringue** *	🙁	HVS 5a	☐
6	**Eclair** *	🙁	E1 5b	☐
7	**Vanilla Slice** *	🙁	E1 5c	☐
8	**Snail Crack** *	🙂	V. Diff	☐
9	**Nailsbane** *	🙂	V. Diff	☐
10	**Chilly Days and the Purple Acorns**	😐	E1 5b	☐
11	**Tyrone** *	😐	VS 4c	☐
12	**Nova** *	😐	HS 4b	☐
13	**Rattus Norvegicus** *	🙁	E5 6b	☐
14	**Delectable Direct** **	🙂	E1 5c	☐
15	**Red Wall** (Left-hand Finish) *	😐	E2 5c	☐
16	**Delectable Variation** ***	🙁	VS 4c	☐
17	**Cordite Crack** *	😐	VS 4b	☐
18	**Skyline**	🙁	E3 5b	☐
19	**Block Wall** *	😐	E4 6b	☐

10 -16m

Gingerbread Slab

Scramble to cliff top

Red Wall 30m

Approach Info: Pages 190 - 191

Great Harry VS 4c • Lawrencefield
Dawn Brinkman (Page 210)

12 -16m

Descent Path 15m →

16

13   14   15   17   18   19

Red Wall

Introduction: Though not as impressive or extensive as the nearby quarries of Millstone and Lawrencefield, Yarncliffe nevertheless offers some very worthwhile mid-level climbing (HS – VS) as well as handful of excellent routes further up the scale. Well protected crack lines alternate with bold, delicate faces, the latter sometimes being rather eliminate in nature. The situation is agreeably pleasant and those adverse to walking will relish an approach time measured in seconds rather than minutes. Yarncliffe's ease of access, however, has led to above average levels of popularity with large groups of inexperienced climbers, particularly those under the control of Outdoor Education Centres. These groups, in the past, have often top-roped and abseiled in inappropriate footwear, which has unfortunately resulted in considerable wear and tear, especially on the easier climbs. Instructors are kindly asked to make sure their pupils are suitably attired and NOT to set up abseils down the lines of the more popular routes. The selection featured here rep-

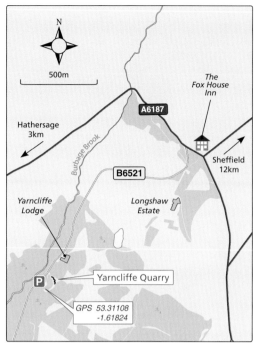

Latecomer HS 4b • Yarncliffe Quarry
Jez Martin (Page 215)

resents about 60% of the total number of routes in the quarry (although many of those omitted exist in a semi-permanent state of scruffiness). For the full rundown consult the BMC *Froggatt to Black Rocks* guidebook (2010).

Note: walking descents are found at the extreme left and right-hand sides of the quarry.

Conditions and Aspect: The orientation ranges from southwest to northwest. Due to its secluded position and plentiful tree cover, Yarncliffe is one of the most sheltered climbing locations in the Peak, which makes it a useful fallback destination on days when it is simply too blustery to climb elsewhere. That said, the right-hand side of the crag remains shaded until late afternoon and is often damp in winter. In general, though, the rock is reasonably fast-drying, though many routes can be sandy after rain as the cliff-top is badly eroded in places.

Approach: The quarry lies just to the east of the B6521 between Fox House and Grindleford, approximately 1.6km from the junction with the A6187 Sheffield to Hathersage road. There is parking for a couple of vehicles in a lay-by on the left-hand side of the road (heading downhill). Do not block access to the gate! If the lay-by is full park on a grassy verge about 50m down the road, on the right. From the gate in the lay-by follow a footpath into the quarry (1 minute).

Area Map on Page 21.

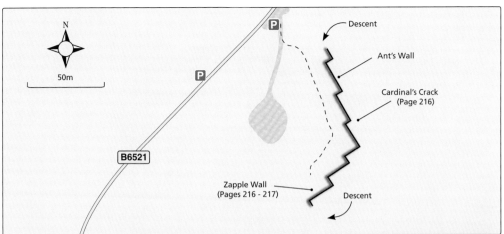

N°	Name	P/B	Grade	✓
1	**Ant's Arête ***	🙁	VS 4a	☐
2	**Aphid's Wall ***	🙁	E1 5b	☐
3	**Latecomer Direct ***	😐	HVS 5a	☐
4	**Latecomer ***	🙂	HS 4b	☐
5	**Soldier Ant ***	🙁	E3 5c	☐
6	**Ant's Crack ***	🙂	S 4a	☐

N°	Name	P/B	Grade	✓
7	**Ant's Wall ****	🙂	HS 4a	☐
8	**Formica Slab**	🙁	HVS 4c	☐
9	**Angular Climb**	😐	HV. Diff	☐
10	**Hidden Crack ***	😐	VS 5a	☐
11	**Wake Me if I Die**	😐	E1 5b	☐
12	**Cardinal's Arête ***	😐	VS 4c	☐

Cardinal's Crack

16 -18m

Cardinal's Arête
(Page 215)

Crème de la Crème
20m ——▶

N°	Name	P/B	Grade	✓
1	**Outdoor Centre Route**	🙂	HV. Diff	☐
2	**Cardinal's Slab** *	🙂	VS 5a	☐
3	**Hoey's Innominate**	😀	HVS 5a	☐
4	**Cardinal's Crack** *	🙂	VS 4b	☐
5	**Chalked Up** *	🙁	E1 5a	☐
6	**Griffin's Wall**	😀	HS 4a	☐
7	**Sulu** *	😀	VS 5a	☐
8	**Rhythm of Cruelty** *	🙁	E4 5c	☐
9	**Capital Cracks** *	😊	VS 5a	☐
10	**Pedestal Arête** *	😀	HS 4b	☐
11	**Crème de la Crème** ***	🙁	E6 6b	☐
12	**THEM!** **	B	F 7c+	☐
13	**Fall Pipe** **	😀	VS 4c	☐
14	**Zapple Left-Hand** ***	😊	HVS 5a	☐
15	**Zapple** ***	😊	HVS 5b	☐
16	**Trised Crack**	😀	VS 4c	☐

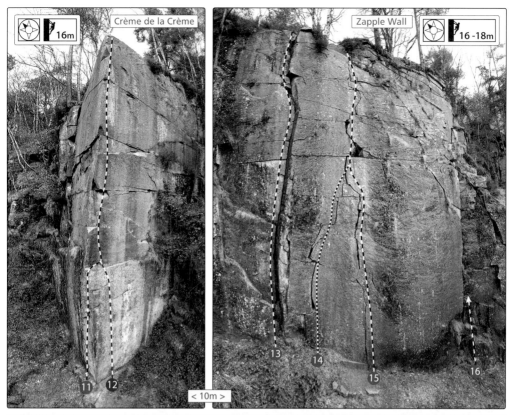

Crème de la Crème — 16m

Zapple Wall — 16-18m

< 10m >

Cardinal's Crack VS 4b • Yarncliffe Quarry
Jez Martin (Page 216)

Introduction: The Froggatt-Curbar escarpment is the second grandest of all the Eastern Edges, eclipsed only by Stanage, and offers excellent climbing throughout the grades. Though not continuous, the escarpment stretches for some 2km and reaches heights of almost 20m. Of the two edges (they are often described separately) Froggatt is by far the more popular, the appeal no doubt stemming from its friendly and unthreatening nature, together with a large number of very fine lower and middle grade routes (which is not to discount the quality of the many extremes here). Froggatt's crowning glory is undoubtedly its pinnacle, one of the most impressive 'mini-summits' in the Peak.

Nearby Curbar has an entirely different feel to it: less welcoming, more austere, and with few of the gentle Diff and V. Diff climbs of its near neighbour. What Curbar does have, however, are some of the best high-grade Gritstone climbs in the region, in particular its many superb, classic cracklines. The left-hand side of the crag is comprised of isolated buttresses, while further right it becomes more continuous, culminating in the magnificent *Eliminates Wall*. Various sections of the escarpment were once quarried, leaving smooth walls with sharp, flat holds as opposed to the rounded breaks and cracks of natural gritstone. Certain routes feature an interesting and unusual mixture of both styles. *Note:* our selection, although encompassing most of the major buttresses, is by no means exhaustive. Those wishing do delve deeper into the many nooks and crannies of this wonderful escarpment should consult the BMC *Froggatt to Black Rocks* guidebook (2010).

Conditions and Aspect: Other than the occasional sidewall, the whole escarpment has an orientation of west/southwest and basks in any available sunshine from early afternoon onwards. Much of the crag has an open aspect (even more so after some recent, sanctioned tree-felling) making it extremely fast-drying after rain showers, though some of Cubar's deeper cracks may need a while longer to come fully back into condition. Finally, lying somewhat lower than nearby Stanage and Burbage, both crags (but more especially Froggatt) offer considerably more shelter on wilder days.

Approaches - Froggatt: There are two options: 1) Park in lay-bys on the A625 Sheffield to Calver road, approximately 500m south of the Grouse Inn (P1). Space is rather limited here — if there is no room an alternative is to use the nearby Haywood National Trust pay and display car park, the entrance to which lies some 250m below the Grouse Inn. From the widest point of the lay-by pass through a gap in the hedgerow and follow a path rightwards, at first running parallel with the road and then veering away from it, soon joining up with a wider track (which leads from the main road). Follow this in a southwesterly direction. For the Brookside Crags: approximately 800m from the road a large wooden gate is reached — the 'Kissing Gate'. Just before this a brook crosses the main track. Follow a vague path on the right-hand (north) side of the brook downhill for 50m to reach *Brookside Buttress* (12 minutes from P1). *Vomer* is situated some 30m to the right (north). For *Screaming Dream:* from the 'Kissing Gate' continue along the upper path for some 80m then branch right on a smaller trail and follow this gently downhill for approximately 90m to reach the impressive leaning block.

For the main edge, after passing through the 'Kissing Gate' continue along the upper path for a further 500m (1.3km from the road) until the first major buttress — *Strapiombo* — is seen down to the right (18 min. from P1). The next major approach/descent to the base of the crag is via the gully behind *Froggatt Pinnacle* (though this involves down-climbing) about 170m from *Strapiombo*, and the final, easy descent is situated a further 100m along the path, at the extreme right-hand end of the crag (looking in). 2) Park in a small lay-by approximately 200m south of the Chequers Inn on the A625 (P2). Follow a small path diagonally up through the woods, heading in a northeasterly direction (aiming up and right of the Chequers). This soon joins a more prominent footpath, which leaves the road just a few metres downhill from the pub itself. Continue upwards, passing a wooden gate, the path getting steeper the further one progresses, to reach the base of central section of the crag (allow roughly 15 minutes from P2).

Approaches - Curbar: Two options are available: 1) Park in the Curbar Gap pay and display, which is situated on *Clodhall Lane* approximately 1.7km from its junction with the A621 Sheffield to Baslow road (P4). From here follow a wide path/track in a northwesterly direction, which runs along the top of the whole Curbar/Froggatt escarpment. The impressive *Eliminates Wall* is situated just below the path, some 500m from P4 (8 min). A small path runs along the foot of the crag as far as *Kayak Slab,* but

Continued on page 220 ▷

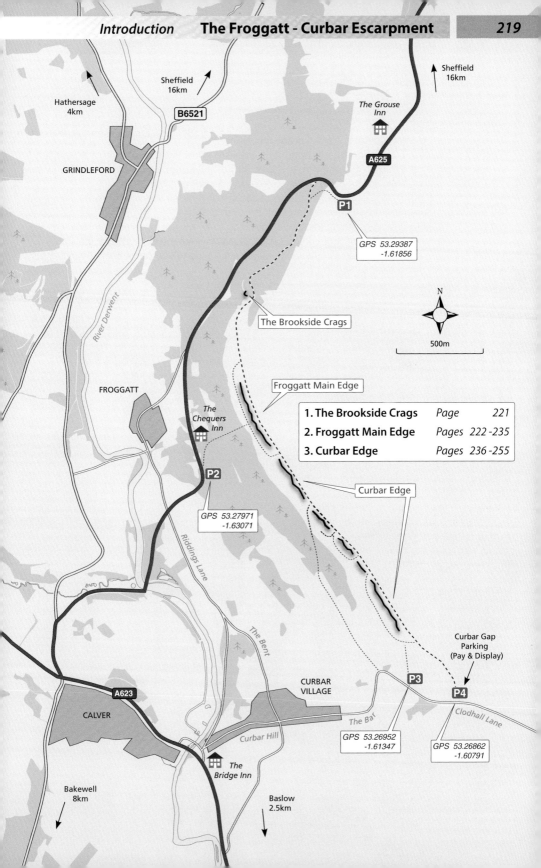

Hathersage
4km

Sheffield
16km

B6521

Sheffield
16km

The Grouse
Inn

GRINDLEFORD

A625

P1

GPS 53.29387
-1.61856

The Brookside Crags

N

500m

Froggatt Main Edge

FROGGATT

The
Chequers
Inn

1. **The Brookside Crags** *Page* 221
2. **Froggatt Main Edge** *Pages* 222 -235
3. **Curbar Edge** *Pages* 236 -255

P2

GPS 53.27971
-1.63071

Curbar Edge

River Derwent

Riddings Lane

Curbar Gap
Parking
(Pay & Display)

The Bent

CURBAR
VILLAGE

P3

P4

Clodhall Lane

A623

CALVER

The Bar

Curbar Hill

GPS 53.26952
-1.61347

GPS 53.26862
-1.60791

The
Bridge Inn

Bakewell
8km

Baslow
2.5km

◁ *Continued from page 218*

becomes rather vague and tortuous beyond that, meaning that the more distant buttresses are best approached by returning to the cliff top and following the upper path. The furthest area described — *Beech Buttress* — is situated approximately 1.8km (25 min) from P4, and is actually slightly quicker to get to from either of the Froggatt parking areas (P1 & P2).

2) About 400m metres downhill from Curbar Gap (heading towards Curbar Village) there are a series of lay-bys (P3). From the left-hand side (looking in) of the lowest lay-by, a path leads steeply uphill. After about 150m the angle eases and a horizontal trail is reached. Follow this leftwards for some 200m to the base of the *Eliminates Wall* (8 min from P3).

Note 1: the walkers path along the top of the escarpment runs all the way from P1 (Froggatt) to P4 (Curbar) meaning those wishing to climb on both crags during the same day can do so without the need to change parking locations providing they are not adverse to a little walking.

Note 2: newcomers may find difficulty in identifying certain sections of Curbar from above and for this reason we have included GPS coordinates for the tops of key buttresses, which appear on the overview pictures and certain topos. **Area Map on Page 21.**

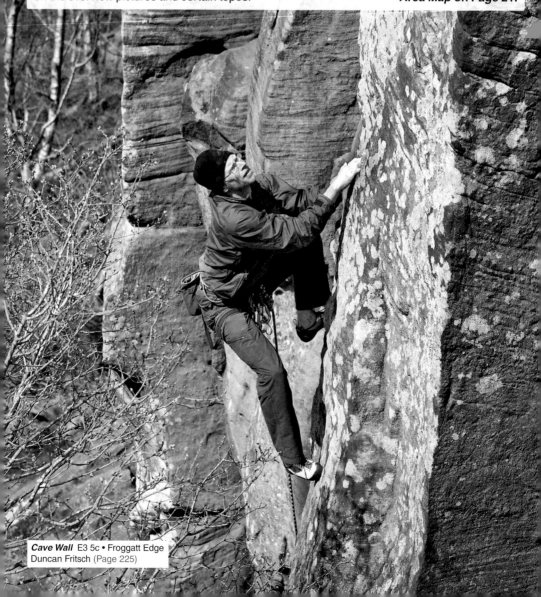

Cave Wall E3 5c • Froggatt Edge
Duncan Fritsch (Page 225)

Vomer

Brookside Buttress - Left

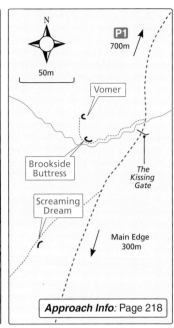

P1 700m

50m

Vomer

Brookside Buttress

Screaming Dream

The Kissing Gate

Main Edge 300m

Approach Info: Page 218

N°	Name	P/B	Grade	✓
1	**Vomer** *	🙂	E2 6a	☐
2	**Vomer Harris**	😐	HS 5a	☐
3	**Neb Crack** *	😊	VS 4c	☐

N°	Name	P/B	Grade	✓
4	**Dick Van Dyke** * **Goes Ballistic**	🙁	E7 6b	☐
5	**Indoor Fisherman** ***	😐	E4 6a	☐
6	**Crooked Start** *	😐	HS 4b	☐
7	**Ghost of the Brook** *	😐	E4 6a	☐
8	**Crooked Start Direct** *	😐	VS 4c	☐
9	**Tinsel's Tangle** *	😐	S 4a	☐
10	**The Screaming Dream** **	🙁	E7 7a	☐
11	**Renegade Master** **	🙁	E7 6c	☐

GPS 53.28899 -1.62703

Brookside Buttress - Right

Screaming Dream

Descent

8 - 10m

Approach Info: Page 218

6 - 9m

N°	Name	P/B	Grade	✓
1	**Strapiombante** **	😊	E1 5b	☐
2	**Strapadichtomy** ***	😐	E5 6b	☐
3	**Cock Robin** *	😐	E7 7a	☐
4	**Strappotente** *	😊	E7 7a	☐
5	**Strapiombo** **	😐	E1 5b	☐
6	**English Overhang** *	😐	VS 4c	☐
7	**Scarper's Triangle**	🙁	E1 5b	☐
8	**Oss Knob** *	🙁	E4 6a	☐
9	**Left Flake Crack**	😊	S 4a	☐
10	**Le Diabolique Chien Noir**	😊	E1 5b	☐
11	**Right Flake Crack**	😐	HS 4b	☐
12	**Parallel Piped** *	😊	E3 5c	☐
13	**Benign Lives** **	🙁	E7 6c	☐
14	**Mild** *	🙁	E4 6b	☐

Sunset Crack HS 4b
Froggatt Edge • Ellie Price (Page 224)

N°	Name	P/B	Grade	✓
7	**Turret Crack**	😊	HS 4b	☐
8	**Slab and Crack** *	😐	Diff	☐
9	**Ramp-Art** *	😐	E5 6b	☐
10	**Soul Doubt** ***	😣	E8 6c	☐
11	**Beau Geste** ***	😐	E7 6c	☐

N°	Name	P/B	Grade	✓
1	**Science Friction** *	😣	E6 6a	☐
2	**Fatal Attraction** *	😐 S	E5 6a	☐
3	**North Climb** *	😐	S 4a	☐
4	**Sundowner** *	☠X	E2 5a	☐
5	**Sunset Slab** ***	☠X	HVS 4b	☐
6	**Sunset Crack** **	😊	HS 4b	☐

10 - 14m

Approach Info: Page 218

Cave Wall
10-12m

10-12m

Brightside

10-12m

Terrace Crack

N°	Name	P/B	Grade	✓
12	**Epiphany** **	🙁	E6 6b	☐
13	**Holly Groove** *	🙂	VS 4c	☐
14	**Hawk's Nest Crack** ***	🙂	VS 4c	☐
15	**Horizontal Pleasures**	😐	E5 6b	☐
16	**Cave Crack** * **Indirect** (14 > 16 > 18)	😐	HVS 5a	☐
17	**Rambeau** ***	B	F 7B	☐
18	**Cave Crack** **	😐	E2 5c	☐
19	**Cave Wall** ***	🙁	E3 5c	☐
20	**Beau Brummell** *	🙁	E4 6a	☐
21	**Swimmer's Chimney** *	😐	S 4a	☐
22	**Brightside** **	😐	E2 5c	☐
23	**Better Dead than Smeg** *	🙁	E6 6c	☐
24	**Greedy Pig** *	😐	E5 6b	☐
25	**Avalanche** *	😐	E2 6a	☐
26	**Mean Streak** **	🙁	E6 6b	☐
27	**The Gully Joke** *	🙁 S	E3 5c	☐
28	**Terrace Crack** **	🙂	HS 4b	☐

N°	Name	P/B	Grade	✓
1	**Heather Wall** ***	☺	HV. Diff	☐
2	**C.M.C. Slab** *	☺ ^{S}	HVS 5b	☐
3	**Ratbag** *	☹	E2 5b	☐
4	**Grip** *	☹	E2 5b	☐

N°	Name	P/B	Grade	✓
5	**Tody's Wall** ***	☺	HVS 5a	☐
6	**Motorcade** **	☹	E1 5a	☐
7	**Silver Crack** *	☹	HS 4b	☐
8	**Silver Lining** *	☹ ^{S}	E5 5c	☐
9	**Origin of Species** *	☹	E5 6a	☐
10	**Bollard Crack** *	☺	VS 4c	☐

← **P1**
18 Min

Strapiombo
(Page 222)

Sunset Slab
(Page 224)

Cave Wall
(Page 225)

Approach Info: Page 218

Nº	Name	P/B	Grade	✓
11	**Two-Sided Triangle** *	😐	E1 5b	☐
12	**Three Pebble Slab** ***	🙁	E1 5a	☐

Nº	Name	P/B	Grade	✓
13	**Four Pebble Slab** *	🙁	E3 5c	☐
14	**Grey Slab** **	😐	S 4b	☐

Terrace Crack
(Page 225)

Froggatt Pinnacle
(Pages 228 - 229)

Brightside
(Page 225)

Tody's Wall
(Page 226)

Three Pebble Slab
(Page 227)

Abseil Descent
from Ringbolt

8 - 15m

N°	Name	P/B	Grade	✓
1	**Valkyrie** ***	🙂	HVS 5a	☐
	P1 5a 😊, P2 5a 😊			
2	**Narcissus II** *	🙂	E5 6b	☐
3	**Neon Dust** **	🙁	E6 7a	☐
4	**Narcissus** ***	🙁	E6 6b	☐
5	**Oedipus Direct** *	🙁	E4 6a	☐
6	**Oedipus Ring** **	🙁	E4 6b	☐
	Your Mother!			
7	**The Mint 400** **	🙁	E6 6b	☐
8	**Birthday** *	🙂	E3 6a	☐
9	**Pinnacle Arête** *	🙂	E2 5b	☐
10	**Truly Pathetic**	🙂	E1 5c	☐
11	**Diamond Crack** **	🙂	HS 4b	☐

Routes 3, 4, 5, 6 and 7 are usually
descended by reversing the first
pitch of Valkyrie!

8 -15m

Approach / Descent
(Downclimb!)

Climbers: Dominic Lee & Dave Hesleden

N°	Name	P/B	Grade	✓
1	**Left Broken**	😐	VS 5a	☐
2	**Broken Crack** **	😐	VS 5a	☐
3	**Sickle Buttress** *	😐	S 4a	☐
4	**Sickle Buttress** * **Direct**	😐	VS 4c	☐
5	**Performing Flea** *	😐	HVS 5a	☐
6	**Tree Survivor** *	😐	E3 6a	☐
7	**Long John's** * **Left Hand**	🙁	E6 6c	☐
8	**Long John's Slab** **	🙁	E3 5c	☐
9	**Downhill Racer** ***	🙁	E4 6a	☐
10	**Slab Recess Direct** *	🙂	HS 4c	☐
11	**Joe's Slab** *	B	F 5+	☐
12	**Slab Recess** **	😐	Diff	☐
13	**Gamma**	😐	V. Diff	☐
14	**Allen's Slab** **	🙁	S 4a	☐
15	**Polyp Piece**	🙁	E7 6c	☐
16	**Swing**	🙁	HVS 5a	☐
17	**Trapeze Direct** *	🙂	VS 4c	☐
18	**Trapeze** **	😐	V. Diff	☐
19	**Alpha**	😐	HVS 5b	☐
20	**Nursury Slab** *	😐	Mod	☐

10 -12m

Sickle Buttress

8 -10m

Froggatt Pinnacle
(Pages 228 - 229)

Slab Recess

← P1
20 Min

Sickle Buttress
(Page 230)

Great Slab
(Pages 232 - 233)

Green Gut & Chequers Buttress
(Pages 234 - 235)

Slab Recess
(Pages 230 - 231)

Approach Info: Page 218

N°	Name	P/B	Grade	✓
5	Art Brut **	●⤬	E7 6b	☐
6	Hairless Heart ***	●⤬	E5 5c	☐
7	Artless (7 > 4) **	☺	E5 6b	☐
8	Hairy Heart (4 > 8) *	●⤬	E6 6a	☐
9	Toy Boy **	☺	E7 7a	☐
10	Synopsis **	☺	E2 5c	☐
11	Beta *	☺	V. Diff.	☐
12	Spine Chiller *	☺	E4 5c	☐

N°	Name	P/B	Grade	✓
1	Heartless Hare **	●⤬	E5 5c	☐
2	Jugged Hare **	●⤬	E6 6a	☐
3	Lonely Heart **	●⤬	E9 6c	☐
4	Great Slab ***	●⤬	E3 5b	☐

10 - 12m

Great Slab E3 5b • Froggatt Edge
Matt Groom (Page 232)

Green Gut - Left

10 -12m

Green Gut - Right

10 -12m

N°	Name	P/B	Grade	✓
1	**Flake Gully** *	😐	V. Diff	☐
2	**Straight and Narrow** **	🙁	E3 5c	☐
3	**Brown's Eliminate** ***	🙁	E2 5b	☐
4	**Armageddon** **	🙁	E3 5c	☐
5	**Green Gut** ***	🙂	HS 4a	☐
6	**Pedestal Crack** **	😐	HVS 5a	☐
7	**Slide Show** *	🙁	E6 6c	☐
8	**Slingshot / ** Blind Vision**	🙁	E9 7a	☐
9	**Chequers Groove** **	B	F 7C+	☐
10	**Paranoid Android** *	🙁	E3 5c	☐
11	**The Big Crack** ***	😐	E2 5b	☐
12	**Hard Cheddar / ** Circus**	🙁	E7 6b	☐
13	**Stiff Cheese** *	😐	E2 5c	☐
14	**Beech Nut** *	😐	E1 5c	☐

N°	Name	P/B	Grade	✓
15	**Chequers Crack** **	🙂	HVS 5b	☐
16	**Spock's Missing** **	😐	E5 6b	☐
17	**Business Lunch** *	B	F 7C	☐
18	**Sole Power** **	B	F 7C	☐
19	**Chequers Climb** ** (24 > 19 > 15)	😐	VS 4c	☐
20	**Our Soles** **	B	F 7C	☐
21	**Chequers Buttress** ***	😐	HVS 5a	☐
22	**Bacteria Cafeteria** *	😐	E1 5b	☐
23	**Wok Power** *	😐	E3 6a	☐
24	**Solomon's Crack** *	😐	V. Diff	☐
25	**Janker's Crack** *	😐	HS 4b	☐
26	**Janker's Groove** *	😐	VS 4c	☐
27	**Janker's Groove** * Direct Start	😐	E1 6a	☐
28	**Janker's End** *	🙁	VS 4c	☐

10 -12m

Chequers Buttress

Approach Info: Page 218

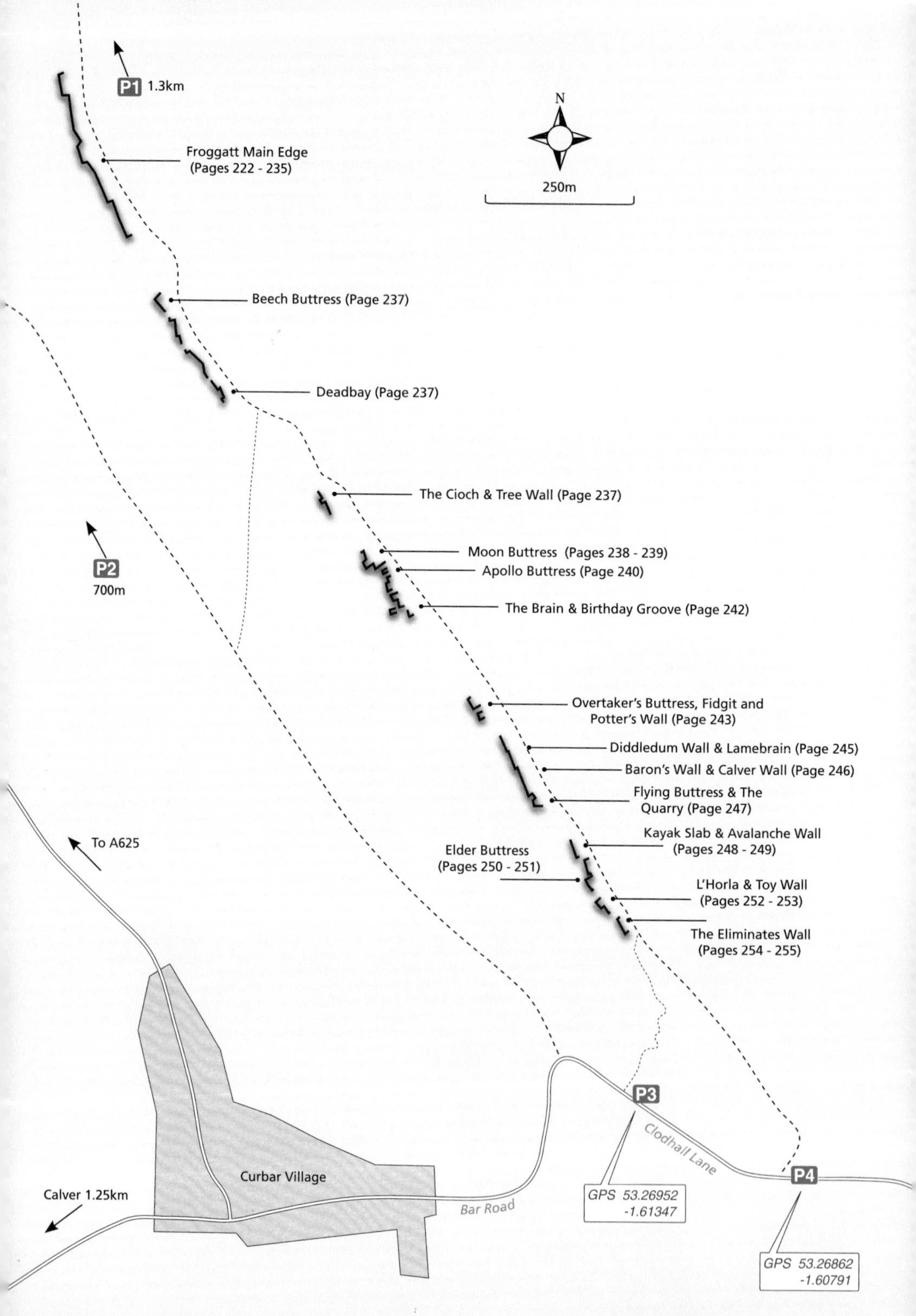

P1 1.3km

Froggatt Main Edge
(Pages 222 - 235)

N

250m

Beech Buttress (Page 237)

Deadbay (Page 237)

The Cioch & Tree Wall (Page 237)

Moon Buttress (Pages 238 - 239)
Apollo Buttress (Page 240)

The Brain & Birthday Groove (Page 242)

P2
700m

Overtaker's Buttress, Fidgit and
Potter's Wall (Page 243)

Diddledum Wall & Lamebrain (Page 245)

Baron's Wall & Calver Wall (Page 246)

Flying Buttress & The
Quarry (Page 247)

Kayak Slab & Avalanche Wall
(Pages 248 - 249)

To A625

Elder Buttress
(Pages 250 - 251)

L'Horla & Toy Wall
(Pages 252 - 253)

The Eliminates Wall
(Pages 254 - 255)

Calver 1.25km

Curbar Village

P3

Clodhall Lane

Bar Road

GPS 53.26952
-1.61347

P4

GPS 53.26862
-1.60791

Approach Info: Page 218 - 220

Beech Buttress

10 -12m

Froggatt Edge 100m ←

GPS 53.27995 -1.62432

The Cioch 250m →

< 200m >

Deadbay

N°	Name	P/B	Grade	✓
1	**Beech Buttress** *	🙁	VS 4b	☐
2	**Beech Buttress Direct** *	🙁	E1 5a	☐
3	**Don't Slip Now** **	☠	E5 6a	☐
4	**Beech Gully** *	🙂	Diff	☐
5	**Amethyst** *	🙂	VS 4c	☐
6	**Deadbay Groove** *	🙂	E2 5c	☐

N°	Name	P/B	Grade	✓
7	**Deadbay Groove Direct** *	🙂	E3 6a	☐
8	**Deadbay Crack** **	🙂	E1 5b	☐
9	**Cioch Left-Hand** *	🙂	HVS 5b	☐
10	**Flea Circus** *	🙂	E2 5c	☐
11	**Cioch Crack** **	🙂	HVS 5a	☐
12	**Cioch Wall** **	🙂	S 4a	☐
13	**The Bear Hunter** **	🙂	E1 5b	☐
14	**Big Friday** **	B	F 7C	☐
15	**Lithuania** *	🙂	E2 5c	☐
16	**Tree Wall** **	😃	HVS 5a	☐
17	**Heather Wall** *	🙂	VS 5a	☐

GPS 53.27798 -1.62171

The Cioch

< 10m >

8 -10m

Tree Wall

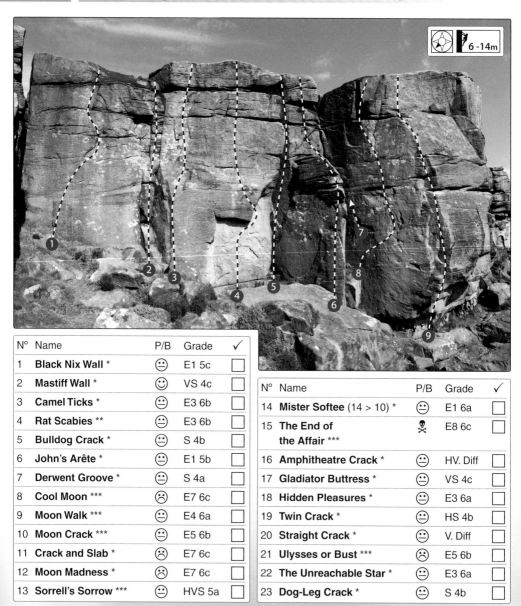

N°	Name	P/B	Grade	✓
1	**Black Nix Wall** *	😐	E1 5c	☐
2	**Mastiff Wall** *	🙂	VS 4c	☐
3	**Camel Ticks** *	😐	E3 6b	☐
4	**Rat Scabies** **	😐	E3 6b	☐
5	**Bulldog Crack** *	😐	S 4b	☐
6	**John's Arête** *	😐	E1 5b	☐
7	**Derwent Groove** *	😐	S 4a	☐
8	**Cool Moon** ***	🙁	E7 6c	☐
9	**Moon Walk** ***	😐	E4 6a	☐
10	**Moon Crack** ***	😐	E5 6b	☐
11	**Crack and Slab** *	🙁	E7 6c	☐
12	**Moon Madness** *	🙁	E7 6c	☐
13	**Sorrell's Sorrow** ***	😐	HVS 5a	☐

N°	Name	P/B	Grade	✓
14	**Mister Softee** (14 > 10) *	😐	E1 6a	☐
15	**The End of the Affair** ***	☠	E8 6c	☐
16	**Amphitheatre Crack** *	😐	HV. Diff	☐
17	**Gladiator Buttress** *	😐	VS 4c	☐
18	**Hidden Pleasures** *	😐	E3 6a	☐
19	**Twin Crack** *	😐	HS 4b	☐
20	**Straight Crack** *	😐	V. Diff	☐
21	**Ulysses or Bust** ***	🙁	E5 6b	☐
22	**The Unreachable Star** *	😐	E3 6a	☐
23	**Dog-Leg Crack** *	😐	S 4b	☐

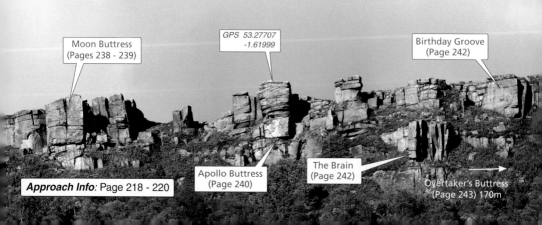

Moon Buttress (Pages 238 - 239)

GPS 53.27707 -1.61999

Birthday Groove (Page 242)

Apollo Buttress (Page 240)

The Brain (Page 242)

Overtaker's Buttress (Page 243) 170m

Approach Info: Page 218 - 220

N°	Name	P/B	Grade	✓
1	**Landlord's Out**	😣	E3 6a	☐
2	**Buckle's Sister** *	🙂	HV. Diff	☐
3	**Buckle's Brother**	🙂	HVS 4c	☐
4	**Buckle's Crack** *	😣	HVS 4c	☐
5	**Soyuz** **	🙂	E2 5c	☐
6	**Soyuz Direct** **	🙂	E2 5c	☐
7	**Dark Entries** **	🙂	E4 6a	☐
8	**Forbidden Planet** ** (Two possible finishes)	🙂	E5 6b	☐
9	**Apollo** **	🙂	E2 5c	☐
10	**The League** * of Gentlemen	🙁	E6 6b	☐
11	**The Beer Hunter** **	🙂	E3 6a	☐
12	**Zoot Route** *	🙂 ˢ	E2 6b	☐
13	**Two Pitch Route** ** (Second Pitch Only!)	🙂	VS 5a	☐

Approach Info: Page 218 - 220

Maupassant HVS 5a • Curbar Edge
Andy Deacon (Page 252)

8 - 18m

Descent

Apollo Buttress
(Page 240)
30m

6 - 8m

Birthday Groove

Nº	Name	P/B	Grade	✓
1	**The Brain** *** Pitch 1 4c ☹, Pitch 2 4c ☺	😐	VS 4c	☐
2	**Mensa** **	🙁	E6 6b	☐
3	**Early Morning Day**	😐	E1 6b	☐
4	**Oblongata**	🙁	HS 4b	☐
5	**Amphitheatre Chimney**	🙁	HS 4b	☐
6	**Postman's Slap** *	🙁	E5 6a	☐
7	**Birthday Crack** *	🙂	VS 5a	☐
8	**Bringing Back The Ratio**	😐	E1 5c	☐

Nº	Name	P/B	Grade	✓
9	**Walls Have Ears**	😐	E2 6c	☐
10	**King of the Swingers** **	😐	E5 6c	☐
11	**King Louis** *	🙁	E6 6c	☐
12	**Diet of Worms** **	🙁	E4 6a	☐
13	**Slackers** **	🙁	E6 6b	☐
14	**Birthday Groove** *	😐	E1 5c	☐

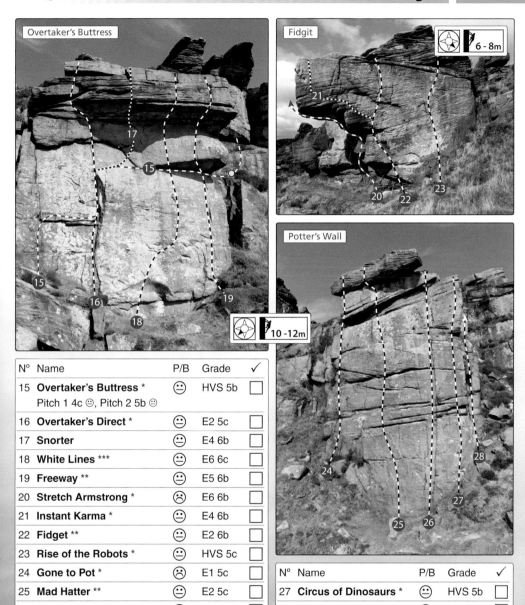

Overtaker's Buttress

Fidgit

6 - 8m

Potter's Wall

10 -12m

Nº	Name	P/B	Grade	✓
15	**Overtaker's Buttress ***	🙂	HVS 5b	☐
	Pitch 1 4c 🙂, Pitch 2 5b 🙂			
16	**Overtaker's Direct ***	🙂	E2 5c	☐
17	**Snorter**	😐	E4 6b	☐
18	**White Lines *****	🙂	E6 6c	☐
19	**Freeway ****	🙂	E5 6b	☐
20	**Stretch Armstrong ***	🙁	E6 6b	☐
21	**Instant Karma ***	🙂	E4 6b	☐
22	**Fidget ****	🙂	E2 6b	☐
23	**Rise of the Robots ***	🙂	HVS 5c	☐
24	**Gone to Pot ***	🙁	E1 5c	☐
25	**Mad Hatter ****	🙂	E2 5c	☐
26	**Potter's Wall ****	🙂	HS 4b	☐

Nº	Name	P/B	Grade	✓
27	**Circus of Dinosaurs ***	🙂	HVS 5b	☐
28	**Grooved Arête ***	🙂	VS 4c	☐

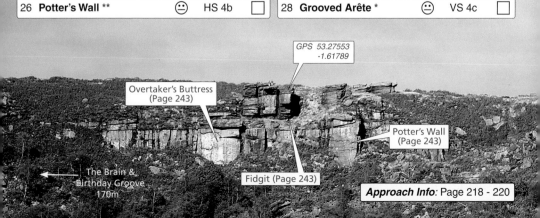

GPS 53.27553
      -1.61789

Overtaker's Buttress
(Page 243)

Potter's Wall
(Page 243)

The Brain &
Birthday Groove
170m

Fidgit (Page 243)

Approach Info: Page 218 - 220

Usurper E4 6a
Curbar Edge • Dominic Lee (Page 252)

Diddledum Wall

6 - 8m

Laimbrain
20m →

Lamebrain

8m

N°	Name	P/B	Grade	✓
1	**Sheep Pit Crack - Left**	B	F 5+	☐
2	**Sheep Pit Crack - Right**	B	F 5	☐
3	**Mark of Respect** *	😐	E4 6b	☐
4	**Diddledum Wall** *	😐	HVS 5a	☐
5	**Diddledum Wall Direct** *	😐	E1 5b	☐
6	**Honest John** *	😐	HVS 5a	☐
7	**The Scoop** *	🙁	E2 5b	☐
8	**Scoop Crack** *	😐	HVS 5a	☐
9	**Alan's Crack**	😐	V. Diff	☐
10	**Lamebrain** **	😐	E1 5b	☐
11	**Suspect Intellect** *	😐	HVS 5a	☐

Diddledum Wall
(Page 245)

Lamebrain
(Page 245)

GPS 53.27459
-1.61678

The Quarry (Page 247)

Baron's Wall &
Calver Wall (Page 246)

Flying Buttress
(Page 247)

Kayak Slab &
Avalanche Wall
(Pages 248 - 249) 140m

Approach Info: Page 218 - 220

N°	Name	P/B	Grade	✓
1	I Bet He Drinks *	😎	E6 6c	
	Carling Black Label			
2	Cartons and Curpets	🙂	E4 6b	
3	Smoke ont' Watter **	🙂	E1 6a	
4	Baron's Wall Direct *	B	F 6A	
5	Baron's Wall **	🙂	HVS 5b	

N°	Name	P/B	Grade	✓
6	Blockhead	🙂	VS 5a	
7	Sweet Gene Vincent *	🙂	HVS 5b	
8	Saddy **	🙂	E2 5c	
9	Wall Climb **	😐	VS 5a	
10	Top Secret *	🙂	E1 5c	
11	Calver Chimney	🙂	Diff	

N°	Name	P/B	Grade	✓
12	Colossus	😎	E2 5b	
13	Vaguely Great *	🙂	E1 5c	
14	Calver Wall *	🙂	VS 5a	
15	Brindle Crack *	😐	HS 4b	
16	Polar Crack *	🙂	VS 4b	
17	Arctic Nose *	🙂	HS 4a	

6 – 10m

Nº	Name	P/B	Grade	✓
1	**The Corner** *	😊	HVS 5b	☐
2	**Flying Buttress** *	🙂	S 4a	☐
3	**Flying Buttress** * **Right-Hand**	🙂	S 4a	☐
4	**U.F.O**	😊	HS 4a	☐
5	**By George** *	😐	E3 6b	☐
6	**Culture Shock** *	😊	E1 5c	☐
7	**Confidence Trick** *	😊 ˢ	E2 5c	☐
8	**Litreage**	😐	HVS 5c	☐
9	**Ling Wall**	😊	VS 5c	☐
10	**Ling Crack** *	😊	HS 4b	☐
11	**Zebedee**	😐	E2 5b	☐
12	**Incestuous** *	😊	E2 6a	☐
13	**Cardinal's Back- bone Route II** *	☹️	E3 5c	☐
14	**Superhands** **	☹️	E7 6b	☐
15	**Edgetarian** (16 > 15) **	☠️	E4 5b	☐
16	**Vain** **	☹️	E3 5b	☐

🧭 📍 8 -10m

Flying Buttress

The Quarry

Approach Info: Page 218 - 220

Kayak Slab

6 - 8m

N°	Name	P/B	Grade	✓
1	**Rapid**	🙂	E1 5c	☐
2	**Kayak** **	🙁	E1 5b	☐
3	**Kayak Direct** *	🙁	E2 5c	☐
4	**Finger Distance** **	🙁	E3 6b	☐
5	**El Vino Collapso** *	🙁	E5 6a	☐
6	**Canoe** *	🙁	E2 5c	☐
7	**Stopper** *	🙁	E4 6a	☐
8	**White Water** **	🙁	E6 6c	☐
9	**Done Years Ago** *	🙂	E3 6b	☐
10	**Neat** *	B	F 5+	☐
11	**Curbar Corner** *	B	F 5	☐
12	**Little Stiffer** *	B	F 5+	☐

The Quarry (Page 247) 140m
Descent

Kayak Slab (Page 248)

Avalanche Wall (Page 249)

Elder Buttress (Pages 250 - 251)

Approach Info: Page 218 - 220

Avalanche Wall

9 -15m

N°	Name	P/B	Grade	✓
13	**Million Dollar Bash** *	🙁	E6 6b	☐
14	**Portrait of** * **a Legend**	🙂	E4 6b	☐
15	**Avalanche Wall** **	😃	HVS 5a	☐

N°	Name	P/B	Grade	✓
16	**One Step Beyond** ***	🙁	E6 6b	☐
17	**Doctor Dolittle** ***	☠	E10 7a	☐
18	**Slab and Crack** ***	🙁	E8 6c	☐
19	**Owl's Arête** *	🙂	VS 4b	☐

Descent (Downclimb!)

P4 →
8 min

Descent

L'Horla & Toy Wall
(Pages 252 - 253)

The Eliminates Wall
(Pages 254 - 255)

P3
8 min

P.M.C. 1 HS 4a • Curbar Edge
Mark Yoxon & Tom Hodgkinson
(Page 251)

Avalanche Wall
(Page 249)
10m

12 -18m

14 -18m

N°	Name	P/B	Grade	✓
1	**Predator** *	😊	E2 5c	☐
2	**Argosy** *	😐	VS 4c	☐
3	**P.M.C. 1** ***	😊	HS 4a	☐
4	**The Fall** **	🙁	E6 6b	☐
5	**Profit of Doom** ***	😐	E5 6b	☐
6	**Rigid Digit** (5 > 6 > 7) ***	😐 S	E5 6b	☐
7	**Janus** ***	😐	E7 6b	☐

N°	Name	P/B	Grade	✓
8	**Elder Crack** ***	😐	E2 5b	☐
9	**The Elder Statesman** *	😐 S	E7 7b	☐
10	**Born Slippy** **	☠	E8 6c	☐
11	**Knockin' on** *** **Heaven's Door**	☠	E9 6c	☐
12	**Keeper's Crack** *	😐	VS 4b	☐
13	**Bill and Ben** *	😐	E4 6b	☐

9 -20m

Nº	Name	P/B	Grade	✓
1	**Slab Route**	😐	S 4a	☐
2	**Pretty Friend**	🙁	VS 4b	☐
3	**Bel Ami** ***	😐	VS 4b	☐
4	**Green Crack** ***	😐	HVS 5b	☐
5	**Nesh** (4 > 5) *	😐	E1 5b	☐
6	**Minor 3** *	🙁	E6 6b	☐
7	**Usurper** ***	😐	E4 6a	☐

Elder Buttress
(Pages 250 - 251)
30m

Climber: Dave Hesleden

Nº	Name	P/B	Grade	✓
8	**Moonshine** ***	😐	E5 6b	☐
9	**Eclipse** *	😐	E6 6b	☐
10	**Sean's Arête** ***	B	F 7B	☐
11	**Maupassant** ***	😐	HVS 5a	☐
12	**L'Horla** ***	😐	E1 5b	☐
13	**Insanity** ***	😄	E2 5c	☐
14	**Committed** **	🙁	E6 6b	☐
15	**Tin Drum** *	🙁	E5 6b	☐
16	**Be Bop Deluxe** *	🙁	E5 6b	☐
17	**The Toy** **	😐	E1 5c	☐

Nº	Name	P/B	Grade	✓
18	**Bok**	🙁	E5 6b	☐
19	**Plaything** *	🙁	E2 5c	☐
20	**Pretty Face** *	🙁	E1 5b	☐
21	**October Crack** *	😊	HS 4b	☐
22	**Shallow Chimney** *	😐	V. Diff	☐
23	**Grey Face** *	😊	VS 5a	☐
24	**Thirst for Glory** *	🙁	E1 5b	☐
25	**Pale Complexion** *	😐	VS 4c	☐

8 - 12m

9

8

7

10

11

12

13

Descent (Downclimb!)

14

Routes 15 - 25
5m

16

15   17   18   19   20   21   22   23   24   25

Climber: Dave Hesleden

L'Horla & Toy Wall
(Pages 252 - 253)
← 20m

Approach Info: Page 218 - 220

Nº	Name	P/B	Grade	✓
1	**Left Eliminate** **	😐	E1 5c	☐
2	**The Zone** **	☠	E9 6c	☐
3	**The Peapod** ***	😊	HVS 5b	☐
4	**Peas of Mind** *	☠	E6 6a	☐

Nº	Name	P/B	Grade	✓
5	**The Shape of** ** **Things to Come**	☹	E6 6b	☐
6	**Right Eliminate** ***	😐	E3 5c	☐
7	**Drummond Base** *	☹	E8 6c	☐

10 -18m

Descent

Nº	Name	P/B	Grade	✓
8	**Linden** ***	☹	E6 6b	☐
9	**The Grey Area** **	☹	E8 7a	☐
10	**Hurricaine** **	☹	E4 6a	☐

Nº	Name	P/B	Grade	✓
11	**Happy Hart** *	☹	E8 7a	☐
12	**Scroach** **	😐	E2 5c	☐
13	**Hercules** *	☹	E1 5a	☐
14	**Alpha** *	😐	S 4b	☐

Introduction: Although not quite making it into the premier league of Peak Gritstone edges, Gardom's nevertheless offers some fine situations and superb climbing, particularly in the VS – E3 range. This is a long, disjointed escarpment, its tree-shrouded buttresses separated by areas of rough ground and dense woodland. The trees, beautiful to behold in their autumnal foliage, are a mixed blessing, providing shade on hot days and seclusion from the sounds of traffic on the nearby Baslow to Sheffield road, but also holding in moisture after rain, meaning the rock can be green, even in summer. Gardom's is an excellent venue for those climbers seeking a little privacy in which to practise their sport: not only is the crag invariably less busy than nearby edges such as Froggatt and Curbar, but its scattered buttresses mean that even on the rare days when there are more than a handful of teams present it is not uncommon to feel as though you have the crag completely to yourself.

The excellent Moorside Rocks, lying some 500m south of the main edge, is a worthwhile crag in its own right, offering several desperately technical highball problems as well as a few bits and pieces for mere mortals. *Note:* although featuring most of the cleaner buttresses and better routes, our selection is by no means exhaustive. Those seeking details of all Gardom's climbs and boulder problems should consult the BMC *Froggatt to Black Rocks* definitive guidebook (2010).

Conditions and Aspect: The predominant orientation is west, though some buttresses have several aspects, meaning that from midday onwards shade or sun can be generally found to suit the prevailing conditions. Though the aforementioned trees signify longer drying times after periods of rain, this is potentially a four-season crag: sunny winter afternoons here can be delightful. Conversely, still summer evenings will almost certainly have you grasping for the midge repellent. Continued on Page 259 ▷

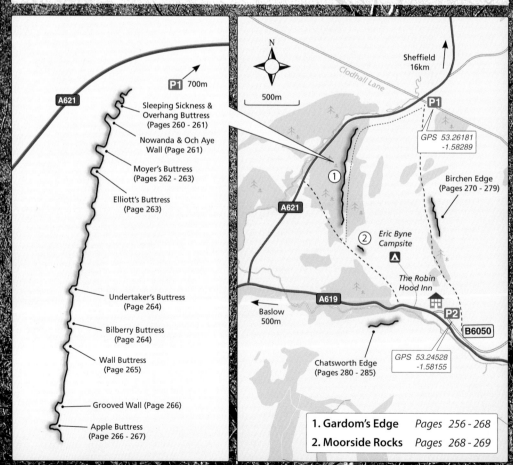

Sleeping Sickness & Overhang Buttress (Pages 260 - 261)

Nowanda & Och Aye Wall (Page 261)

Moyer's Buttress (Pages 262 - 263)

Elliott's Buttress (Page 263)

Undertaker's Buttress (Page 264)

Bilberry Buttress (Page 264)

Wall Buttress (Page 265)

Grooved Wall (Page 266)

Apple Buttress (Page 266 - 267)

A621

P1 700m

N

Clodhall Lane

Sheffield 16km

500m

P1

GPS 53.26181 -1.58289

Birchen Edge (Pages 270 - 279)

A621

Eric Byne Campsite

The Robin Hood Inn

Baslow 500m

A619

P2

B6050

GPS 53.24528 -1.58155

Chatsworth Edge (Pages 280 - 285)

1. **Gardom's Edge**   *Pages 256 - 268*
2. **Moorside Rocks**   *Pages 268 - 269*

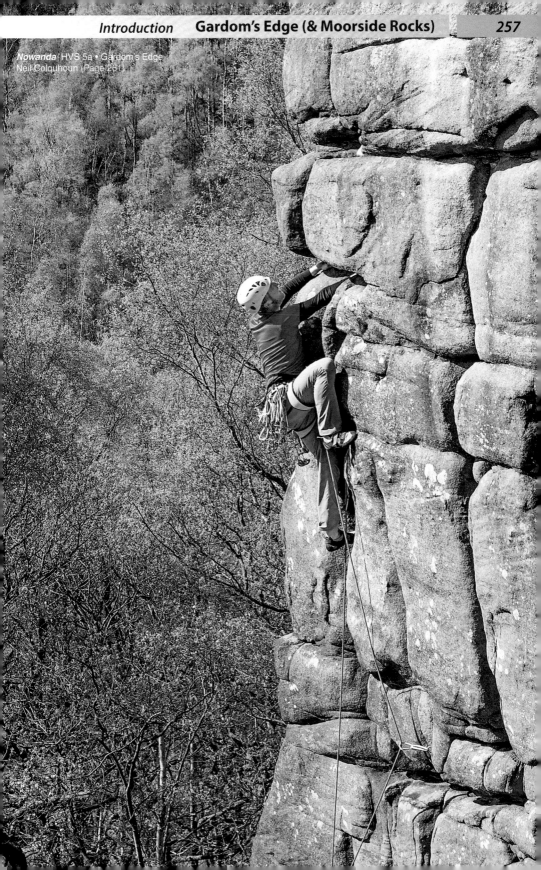

Nowanda · HVS 5a · Gardom's Edge
Neil Colquhoun (Page 261)

Eye of Faith (Original Start) E1 5c
Gardom's Edge • Graeme Hammond. (Page 263)

◁ *Continued from Page 256*

Moorside Rocks: a south-westerly orientation and tree-free setting means it is far faster to dry than the main crag, though obviously less sheltered on windy days.

Approach - Main Crag: Park in a lay-by on the Cutthorpe/Chesterfield road (Clodhall Lane) approximately 100m from its junction with the A621 Sheffield road. Unfortunately, this is a notorious car break-in spot, so leave absolutely nothing of value in your vehicle. Walk back towards the junction but just before reaching it pass through a wooden gate on the left-hand side of the road, from where a flagstone-paved path begins. After 10m the paving stops and the path splits: take the right-hand, less obvious alternative and follow this across grassy moorland (often boggy) for approximately 500m to reach a second wooden gate. Go through this and continue along the now vague path, which leads through a copse of Birch trees. The point where the path emerges from the trees, about 150m from the second wooden gate, marks the top of the first area described — *Sleeping Sickness* (10 minutes from P1). The other buttresses are situated at various intervals along the escarpment, with the furthest — *Apple Buttress* – being some 1.25km from the road (15-20 minutes). *Note:* navigation along the base of the crag is hampered by numerous boulders and trees, so climbers moving from one group of buttresses to another are strongly advised to walk along the top of the edge. The overview pictures show GPS coordinates for the tops of key buttresses, as well as their approximate distances from each other.

Approach - Moorside Rocks and Pillar Cracks: Park in the National Trust pay and display car park next to the Robin Hood Inn on the B6050, just after the junction with the A619 Baslow to Chesterfield road (P2). Walk back down the footpath on the right-hand side of the main road (heading towards Baslow) for approximately 250m (this is the same initial approach as for Chatsworth Edge) to a stone stile in the wall on the right. Cross this and follow the public footpath up the hillside for some 600m: *Moorside Rocks* lies just to the right of the path (10 minutes from P2). For the *Pillar Cracks* buttress continue along the main path for a few metres until reaching the wooden gateway (with ancient stone posts just to the left) then turn immediately right and follow a narrow grassy trail running parallel to the stone wall, leading to a second set of old stone gateposts. The *Pillar Cracks* buttress is situated about 130m after these, down to the left of the path (12 min. from P2).

Area Map on Page 21.

Sleeping Sickness
(Pages 260 - 261)

GPS 53.25996
-1.59316

GPS 53.25887
-1.59374

Och Aye Wall
(Page 261)

50m

Overhang Buttress
(Pages 260 - 261)

Nowanda
(Page 261)

Moyer's Buttress
(Pages 262 - 263)

Elliott's Buttress
(Page 263)

P1
10 min

12 -14m

Overhang
Buttress
10m →

Sleeping Sickness

12 -14m

Overhang Buttress - Left

Overhang Buttress - Centre

12 -14m

Overhang Buttress - Right

12 -14m

Nowanda
20m →

Approach Info: Page 259

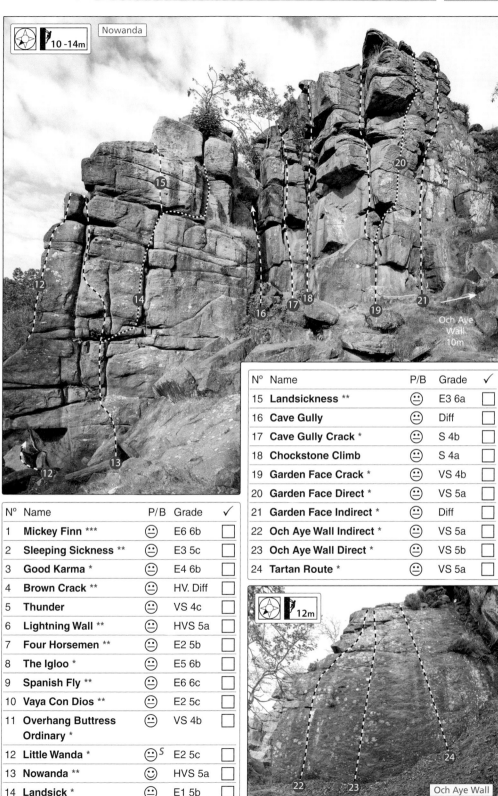

Nowanda

10 -14m

N°	Name	P/B	Grade	✓
15	**Landsickness** **	😐	E3 6a	☐
16	**Cave Gully**	😐	Diff	☐
17	**Cave Gully Crack** *	😐	S 4b	☐
18	**Chockstone Climb**	😐	S 4a	☐
19	**Garden Face Crack** *	😐	VS 4b	☐
20	**Garden Face Direct** *	😐	VS 5a	☐
21	**Garden Face Indirect** *	😐	Diff	☐
22	**Och Aye Wall Indirect** *	😐	VS 5a	☐
23	**Och Aye Wall Direct** *	😐	VS 5b	☐
24	**Tartan Route** *	😐	VS 5a	☐

N°	Name	P/B	Grade	✓
1	**Mickey Finn** ***	😐	E6 6b	☐
2	**Sleeping Sickness** **	😐	E3 5c	☐
3	**Good Karma** *	😐	E4 6b	☐
4	**Brown Crack** **	😐	HV. Diff	☐
5	**Thunder**	😐	VS 4c	☐
6	**Lightning Wall** **	😐	HVS 5a	☐
7	**Four Horsemen** **	😐	E2 5b	☐
8	**The Igloo** *	😐	E5 6b	☐
9	**Spanish Fly** **	😐	E6 6c	☐
10	**Vaya Con Dios** **	😐	E2 5c	☐
11	**Overhang Buttress Ordinary** *	😐	VS 4b	☐
12	**Little Wanda** *	😐 ˢ	E2 5c	☐
13	**Nowanda** **	😊	HVS 5a	☐
14	**Landsick** *	😐	E1 5b	☐

12m

Och Aye Wall

15 - 20m

Moyer's Buttress - Left

Routes 7 - 10 ←

N°	Name	P/B	Grade	✓
1	**The Gritstone Treaty** **	B	F 7B	☐
2	**Mo's Problem** *	B	F 7A+	☐
3	**Cave Arête** *	🙂	HVS 5a	☐
4	**Stormbringer** **	🙂ˢ	E3 6a	☐
5	**Monotheism** *	🙁	E7 6b	☐
6	**Moyer's Buttress** ***	🙂	E1 5b	☐

Approach Info: Page 259

Moyer's Buttress - Right

Elliott's
Buttress
30m →

Elliott's Buttress - Left

Elliott's Buttress - Right

N°	Name	P/B	Grade	✓
7	**Biven's Crack** **	😊	HVS 5b	☐
8	**Perfect Day** ***	😐	E5 6b	☐
9	**Perfect Day** *** Direct Start	B	F 7B	☐
10	**The Enigma Variation** *	😐	E3 5c	☐
11	**Elliott's Buttress** * Indirect	😐	VS 4b	☐
12	**Seventy One** * White Mice	😐	E2 6a	☐
13	**The Eye of Faith** ***	😐	HVS 5b	☐
14	**The Eye of Faith** ** (Original Start)	😐	E1 5c	☐
15	**Rhythmic Itch** **	😐	E1 5b	☐
16	**Elliott's Buttress Direct** **	😐	VS 4b	☐

Undertaker's Buttress

12-20m

Bilberry Buttress

14-16m

Nº	Name	P/B	Grade	✓
1	**Undertaker's Buttress** **	😐	VS 4c	☐
2	**Blaze**	😐	VS 4c	☐
3	**Hearse Arête** *	🙁	E1 5b	☐
4	**Bilberry Buttress** *	😐	VS 5a	☐
5	**Crottle** *	😐	E1 5b	☐

Nº	Name	P/B	Grade	✓
6	**Stepped Crack** *	😊	Diff	☐
7	**Gardom's** ** **Unconquerable**	😊	VS 4c	☐
8	**Whillans'** * **Blind Variant** (7 > 8)	😊	E1 5b	☐

Approach Info: Page 259

GPS 53.25698 -1.59443

GPS 53.25606 -1.59467

70m

Undertaker's Buttress (Page 264)

Bilberry Buttress (Page 264)

Wall Buttress (Page 265)

Wall Buttress - Left

N°	Name	P/B	Grade	✓
9	**Central Crack** *	😐	HVS 5b	☐
10	**Wall Finish** *	😐	VS 4c	☐
11	**Agadoo**	😐	E3 6b	☐
12	**Albert Spansworthy** *	😐	E5 6b	☐
13	**Nah'han** ***	🙁	E7 6b	☐
14	**Make it Snappy** ***	😐	E6 6b	☐
15	**Ecky Thump** *	🙁	E7 6c	☐
16	**Crocodile** ***	🙁	E3 5c	☐
17	**Old Croc** **	🙁	E4 6a	☐
18	**Right-Hand Crack** *	🙂	VS 4c	☐

Wall Buttress - Right

Apple Arête VS 4b
Gardom's Edge • Jez Martin (Page 266)

Grooved Wall

10 -16m

Nº	Name	P/B	Grade	✓
1	**Waterloo Sunset** ***	☹	E3 5c	☐
2	**Finale Groove** *	😐	VS 5a	☐
3	**Babylon's Groove** *	😐	VS 4c	☐
4	**Central Groove**	😐	VS 4c	☐
5	**Tree Groove Direct** *	😐	VS 4c	☐
6	**Right-Hand Groove**	😐	VS 5a	☐
7	**Layback Crack** *	☺	VS 4c	☐

Nº	Name	P/B	Grade	✓
8	**Flake Crack** *	😐	HS 4b	☐
9	**Twighlight's Last Gleaming**	☹	E2 5b	☐
10	**N.M.C. Crack** ***	😐	HV. Diff	☐
11	**Apple Arête Direct** *	☹	E4 5c	☐
12	**Apple Arête** ***	😐	VS 4b	☐
13	**Apple Crack** *	😐	V. Diff	☐
14	**Apple Cor**	😐	E2 6a	☐
15	**Cider Apple** *	☹	S 4a	☐

P1
20 min

Birchen Edge
(Pages 270 - 279)

GPS 53.25481
-1.59505

Apple Buttress
(Pages 266 - 267)

120m

Wall Buttress
(Page 265)

Grooved Wall
(Page 266)

Approach Info: Page 259

Apple Buttress - Left

10 -14m

14 -16m

Apple Buttress - Right

8m

Cydrax

Cydrax 5m

Nº	Name	P/B	Grade	✓
16	**Giant's Staircase** *	😐	S 4a	☐
17	**Bitter** *	😐	VS 5a	☐
18	**Master of Thought** *	😐	E2 6a	☐
19	**Velvet Cracks** *	🙂	HS 4b	☐
20	**Apple Jack Crack** *	🙂	V. Diff	☐
21	**Cydrax** *	😐	HVS 5b	☐
22	**Cider** *	🙁	HVS 5a	☐

Pillar Cracks

Main Crag 300m

GPS 53.25233 -1.59504

Pillar Cracks

Stone Walls

Moorside Rocks

N

100m

P2 10 min

N°	Name	P/B	Grade	✓
1	**Charlotte Rampling** **	😦	E6 6b	☐
2	**Hired Goons** ***	😦	E8 6c	☐
3	**Left-Hand Pillar Crack** **	😐	E1 5b	☐
4	**Right-Hand Pillar Crack** *	😐	HVS 5a	☐
5	**Elliott's Crack** *	😐	S 4a	☐
6	**Choked Chimney**	😐	V. Diff	☐
7	**Charlotte Dumpling** *	😐	E3 5c	☐
8	**Will's Dyno** ***	B	F 8A	☐

N°	Name	P/B	Grade	✓
9	**Superbloc** ***	😦	E8 7a	☐
10	**Straight Chimney**	😐	HV. Diff	☐
11	**Homeless** *	😦	E8 6c	☐
12	**Brazil** *	😐	E6 6b	☐
13	**Moorside Crack**	😐	VS 5a	☐
14	**Press Gang**	😐	E3 5c	☐
15	**Moorside Rib** *	😐	VS 5a	☐
16	**The Jackalope** **	😐	E3 6b	☐
17	**Small Worlds** *	😐	E3 6a	☐

Moorside Rocks - Left

6 - 8m

Approach Info: Page 259

Moorside Rocks - Right

16

17

Route 15
10m

Left-Hand Pillar Crack E1 5b
Gardom's Edge • Neil Colquhoun (Page 268)

Introduction: A great little crag in a delightful setting, Birchen Edge is a firm favourite among low-to-middle grade climbers seeking high numbers of quality routes in a non-intimidating environment. That said the rounded and polished starts of many routes ensure that, occasionally, only the determined amongst these will actually succeed in getting off the ground!

A certain degree of technical competence is also required, as cliff-top belays are not always quite as abundant here as on some other 'beginners' crags' in the area, often needing considerable care and attention to properly rig. The selection featured here covers the majority of worthwhile routes on the edge, though one or two minor buttresses have been omitted. Full details of these can be found in the BMC *Froggatt to Black Rocks* guidebook (2010).

Note: For some years Birchen has been very popular with organised groups and this has inevitably led to a certain degree of wear and tear on many of the easier climbs. Group leaders should do their utmost to ensure that appropriate (or at the very least clean!) footwear is always used by all members of the group.

Conditions and Aspect: The orientation is west/southwest, which means sun from early afternoon onwards and shelter from northerly winds, although the latter aspect, while welcome enough in winter, invariably leads to problems with midges on still summer evenings. The rock is extremely clean and rapid to dry out after rain.

Approach: Park in the National Trust pay and display car park next to the Robin Hood Inn on the B6050, just after the junction with the A619 Baslow to Chesterfield road (P). On foot, follow the B6050, heading away from the pub, for roughly 100m, to the start of a major footpath, on the left. Follow this, without deviation, for approximately 900m to reach the base of the central section of the crag (10 minutes from P). *Note: Kismet Buttress* (page 279) lies some 150m to the right/south of the main crag and can be approached either by walking back along the top of the escarpment or, for those heading there directly, by taking the trail which forks right from the main path (steeply uphill at first) approximately 100m from the road.

Area Map on Page 21.

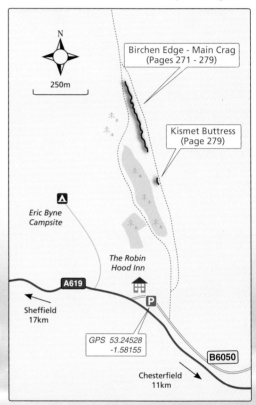

Birchen Edge - Main Crag
(Pages 271 - 279)

Kismet Buttress
(Page 279)

Eric Byne
Campsite

The Robin
Hood Inn

A619

Sheffield
17km

GPS 53.24528
-1.58155

B6050

Chesterfield
11km

Sail Buttress
(Page 273)

The Crow's Nest
(Page 271)

Nelson's Slab
(Page 272)

Orpheus Wall
(Page 273)

N°	Name	P/B	Grade	✓
1	**Land Ho!** *	☹	S 4b	☐
2	**The Crow's Nest** **	☹	VS 4c	☐
3	**Scrim Net** *	B	F 6A	☐
4	**Lookout Arête** *	😐	S 4a	☐
5	**The Funnel** *	😐	Diff	☐
6	**Kiss Me Hardy** *	😐	HV. Diff	☐
7	**Victory Crack** *	😊	HS 4b	☐
8	**Victory Gully**	😐	S 4a	☐

N°	Name	P/B	Grade	✓
9	**Emma's Slab** *	😐	VS 4b	☐
10	**Technical Genius** *	B	F 7A	☐
11	**Emma's Dilemma** **	😐	S 4b	☐
12	**Emma's Temptation** *	😐	HV. Diff	☐
13	**Emma's Delight** *	😐	HS 4b	☐
14	**Deluded**	😐	HS 4b	☐
15	**Emma's Delusion** *	😐	S 4a	☐
16	**The Prow** *	😐	VS 4c	☐

Trafalgar Wall (Pages 274 - 275)

Copenhagen Wall (Page 276)

Tar's Wall (Page 278)

The Promenade (Pages 274 - 275)

Stoker's Wall (Page 276)

Barbette (Page 278)

P 10 min

Wooden Leg Wall (Page 279) 20m

10-12m

Approach Info: Page 270

10-12m

Nº	Name	P/B	Grade	✓
1	**Captain's Prerogative** *	😐	HS 4b	☐
2	**Captain's Bunk** *	😐	HS 4b	☐
3	**Telescope Tunnel** **	😐	Diff	☐
4	**Porthole Buttress** *	😐	S 4a	☐
5	**Porthole Direct** **	😐	VS 4c	☐
6	**Captain Birdseye** *	😐	VS 4c	☐
7	**Blind Eye** *	😐	S 4b	☐
8	**Dead Eye** *	😐	HVS 6a	☐
9	**Nelson's Slab** *	😐	HS 5a	☐
10	**Half Nelson** *	😐	VS 5a	☐
11	**Left Ladder Chimney**	😐	V. Diff	☐
12	**Right Ladder Chimney**	😐	V. Diff	☐
13	**The Plain Sailing Midshipman** ***	😐	E2 6a	☐
				☐
14	**Cold Compass** *	😐	E2 6b	☐
15	**The Kracken** ***	😐	E6 6c	☐

🚶 10 min.

10-12m

Do NOT use the Monument as a belay anchor!

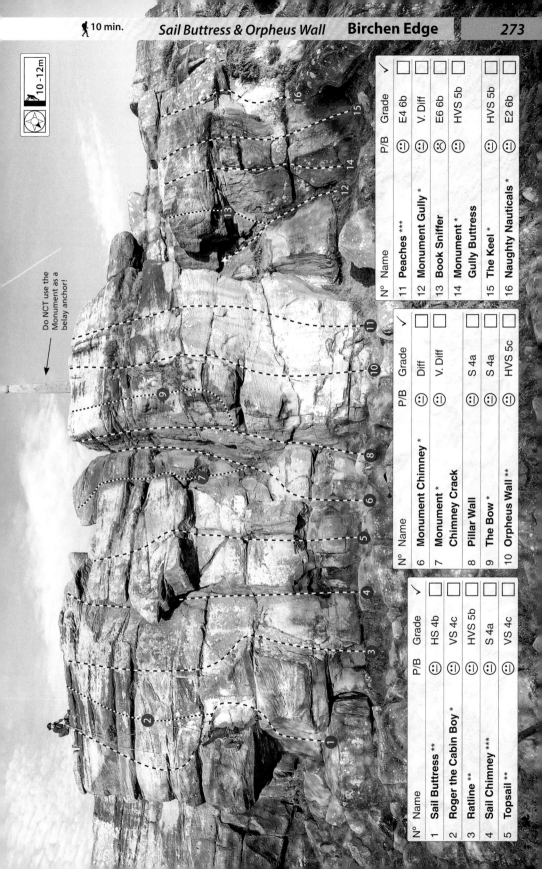

N°	Name	P/B	Grade	✓
1	**Sail Buttress** **	😊	HS 4b	
2	**Roger the Cabin Boy** *	😊	VS 4c	
3	**Ratline** **	😊	HVS 5b	
4	**Sail Chimney** ***	😊	S 4a	
5	**Topsail** **	😊	VS 4c	

N°	Name	P/B	Grade	✓
6	**Monument Chimney** *	😊	Diff	
7	**Monument** * **Chimney Crack**	😊	V. Diff	
8	**Pillar Wall**	😊	S 4a	
9	**The Bow** *	😊	S 4a	
10	**Orpheus Wall** **	😊	HVS 5c	

N°	Name	P/B	Grade	✓
11	**Peaches** ***	😊	E4 6b	
12	**Monument Gully** *	😊	V. Diff	
13	**Book Sniffer**	😖	E6 6b	
14	**Monument** * **Gully Buttress**	😊	HVS 5b	
15	**The Keel** *	😊	HVS 5b	
16	**Naughty Nauticals** *	😊	E2 6b	

N°	Name	P/B	Grade	✓
1	**The Promenade** **	🙂	Diff	☐
2	**Promenade Direct** *	😐	HV. Diff	☐
3	**The Chain** *	🙂	S 4a	☐
4	**Gritstone Megamix** **	B	F 7A	☐
5	**HMS Daring** ***	B	F 7B+	☐
6	**Anchor Traverse** *	🙂	HS 4b	☐
7	**Floating Anarchy** *	🙂	HVS 5a	☐
8	**Hollybush Gully** *	😐	V. Diff	☐
9	**Powder** *** **Monkey Parade**	🙂	S 4b	☐
10	**Oarsman** **	B	F 6B+	☐
11	**'Oar 'Ouse** *	B	F 7A	☐

N°	Name	P/B	Grade	✓
12	**Hornblower** **	B	F 6C	☐
13	**Obstructive Pensioner** **	B	F 7A+	☐
14	**Jumping for Trousers** *	B	F 7C+	☐
15	**Hangover**	☹	E1 5b	☐
16	**Polaris Exit** *	🙂	Diff	☐
17	**Admiral's Progress** *	🙂	Diff	☐
18	**Bulbous Bow**	🙂	E1 5c	☐
19	**Camperdown Crawl** **	🙂	VS 4c	☐
20	**Barnacle Bulge** *	🙂	HS 4c	☐
21	**Trafalgar Crack** **	😐	V. Diff	☐
22	**Trafalgar Wall** **	🙂	S 4b	☐

10-12m

Approach Info: Page 270

Stoker's Wall

5 - 8m

N°	Name	P/B	Grade	✓
1	**Bell Bottom Arête**	😐	S 4b	☐
2	**Sailor's Crack** *	😐	HS 4c	☐
3	**Sailor's Problem**	😐	V. Diff	☐
4	**Whatnot**	😐	S 4b	☐
5	**Reef Knot** *	😐	S 4b	☐
6	**Sheetbend**	😐	S 4b	☐
7	**Nautical Crack** *	😐	V. Diff	☐
8	**Heave Ho**	😐	S 4a	☐
9	**Yo-Ho Crack** *	😊	V. Diff	☐
10	**Rum Wall**	😐	V. Diff	☐
11	**Stoker's Break**	😐	V. Diff	☐
12	**Stoker's Hole** *	😐	HS 4a	☐
13	**Stoked**	😐	HV. Diff	☐
14	**Stoker's Wall** *	😐	Diff	☐
15	**Copenhagen Corner**	😐	HV. Diff	☐

N°	Name	P/B	Grade	✓
16	**Scandiarête** *	B	F 5+	☐
17	**Dane's Delight** *	B	F 5	☐
18	**Dane's Disgust** *	B	F 5	☐
19	**Carlsberg Export**	B	F 6B	☐
20	**Copenhagen Wall** *	😐	VS 5a	☐
21	**Wonderful Copenhagen** *	😐	VS 5a	☐
22	**Mast Gully Ridge** *	😐	V. Diff	☐
23	**Mast Gully Wall** *	😐	V. Diff	☐
24	**Mast Gully Crack** *	😊	HS 4b	☐
25	**Mast Gully Buttress** **	🙁	VS 5a	☐
26	**Fo'c'sle Wall** *	😐	VS 4c	☐
27	**Fo'c'sle Crack** *	😐	S 4b	☐
28	**Fo'c'sle Chimney** *	😐	V. Diff	☐
29	**Fo'c'sle Arête** *	😐	VS 5b	☐

5 - 8m

Copenhagen Wall

Climber: Norman Howard

Broadside (Page 278)

Powder Monkey Parade S 4b
Birchen Edge • Helen Jackson (Page 274)

Tar's Wall

5 -10m

N°	Name	P/B	Grade	✓
1	**Broadside** *	😐	E2 6a	☐
2	**The Buccaneer**	B	F 7A	☐
3	**Cave Gully** *	😐	HV. Diff	☐
4	**Tar's Arête** *	😐	V. Diff	☐
5	**Ta Ta For Now**	😐	HS 5a	☐
6	**Tar's Crack** *	😐	V. Diff	☐
7	**Tar's Wall** *	😐	HV. Diff	☐
8	**Tar's Corner**	😐	Mod	☐
9	**Tar's Gully**	😐	Mod	☐
10	**Pig Head** *	😐	S 4b	☐
11	**Pigtail** *	😐	S 4a	☐
12	**Wavedance**	😐	HS 5a	☐

N°	Name	P/B	Grade	✓
13	**Prow Wall**	😐	Mod	☐
14	**Prow Gully**	😐	Mod	☐
15	**Barbette Crack** *	😐	HS 4b	☐
16	**Barbette Wall**	😐	S 4a	☐
17	**Barbette Buttress** *	😐	S 4b	☐
18	**Cannonball Crack** *	🙁	HV. Diff	☐
19	**Cannonball Wall** *	😐	V. Diff	☐
20	**Gunner's Gangway**	😐	Diff	☐
21	**Lieutenant's Ladder**	😐	Diff	☐
22	**Midge's Manoeuvre** *	😐	E3 6a	☐
23	**Middy's Manoeuvre** *	😐	HS 4c	☐
24	**Midway** *	😐	E1 6b	☐

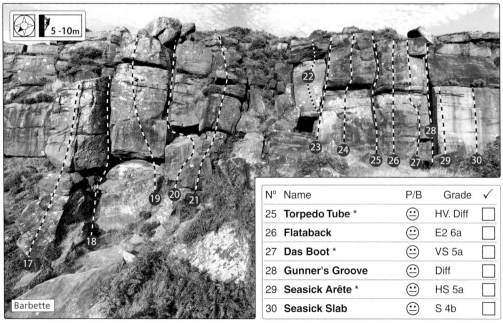

5 -10m

Barbette

N°	Name	P/B	Grade	✓
25	**Torpedo Tube** *	😐	HV. Diff	☐
26	**Flataback**	😐	E2 6a	☐
27	**Das Boot** *	😐	VS 5a	☐
28	**Gunner's Groove**	😐	Diff	☐
29	**Seasick Arête** *	😐	HS 5a	☐
30	**Seasick Slab**	😐	S 4b	☐

Wooden Leg Wall

8m

Barbette
15m

31   32   33

N°	Name	P/B	Grade	✓
31	**Old Codger** *	🙂	VS 4c	
32	**Wooden Leg Wall** *	😐	HVS 5c	
33	**Owd Gadgee**	🙂	E2 6a	
34	**Powder Keg**	🙂	HV. Diff	
35	**Fuse** *	😐	VS 4c	
36	**Gun-Cotton Groove** *	🙂	V. Diff	
37	**Cook's Rib** *	🙂	E1 5c	
38	**Horatio's Direct** *	😐	VS 4c	
39	**Horatio's Horror** **	🙂	HS 4a	
40	**Nelson's Nemesis** ***	😐	VS 4b	
41	**Tom's Arête**	🙁	E5 6b	
42	**Victory Vice** *	🙂	V. Diff	
43	**Device**	🙁	HVS 4c	
44	**Gunpowder Gully Arête**	🙁	HV. Diff	
45	**Gunpowder Gully**	😐	Diff	

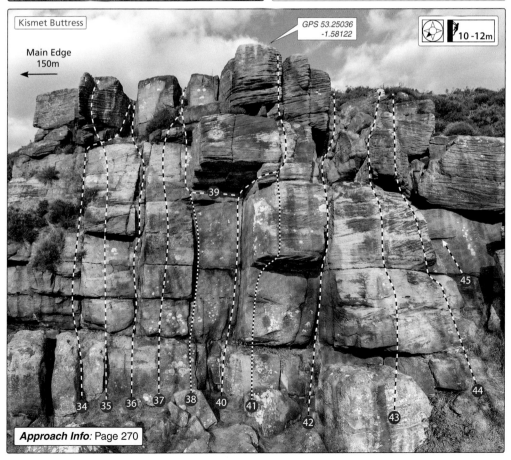

Kismet Buttress

GPS 53.25036
-1.58122

Main Edge
150m

10 -12m

39

45

44

34   35   36   37   38   40   41   42   43

Approach Info: Page 270

Introduction*:* Oh dear, poor Chatsworth. What has it done to deserve such neglect? Hosting a pair of magnificent E3 crack climbs and several other minor classics in the Severe – E2 range, it still can't seem to attract more than a handful of visitors each year. Sure, in damp mid-winter it's a luminescent green nightmare, while in high summer its low-lying, sheltered position makes it susceptible to midges on still evenings, but between these two extremes there are usually plenty of days in the year when Chatsworth is a wonderful place to climb. Give it a go, you might be surprised...

Conditions and Aspect*:* Mostly north or north-west facing, the crag only receives sunshine during late-afternoons and evenings from spring to early autumn, and this needs to be taken into account when estimating how fast it will dry out after periods of rain. At an altitude of around 200m Chatsworth is one of the lowest-lying edges in the region and is thus very well sheltered from strong winds.

Approach*:* Park in the National Trust pay and display car park next to the Robin Hood Inn on the B6050, just after the junction with the A619 Baslow to Chesterfield road (P). Follow a footpath on the right-hand side of the main road (heading towards Baslow) for approximately 200m. On the south side of the road a wooden gate gives access to a footpath that leads downhill to the stream. Cross this via a wooden bridge and continue rightwards along the path. After 80m the path reaches a grassy track: turn right onto this and continue for another 70m to a locked wooden gate with a stile. The first buttresses overlook the track approximately 70m from the gate (8 min from P). For *Emerald Buttress:* continue along the main track for about 60m then head up through ferns/bracken. Continuing rightwards along the base of the now broken crag, *Vibrio Buttress* lies some 50m distant, with *Emperor Buttress* a further 60m beyond that.

Area Map on Page 21.

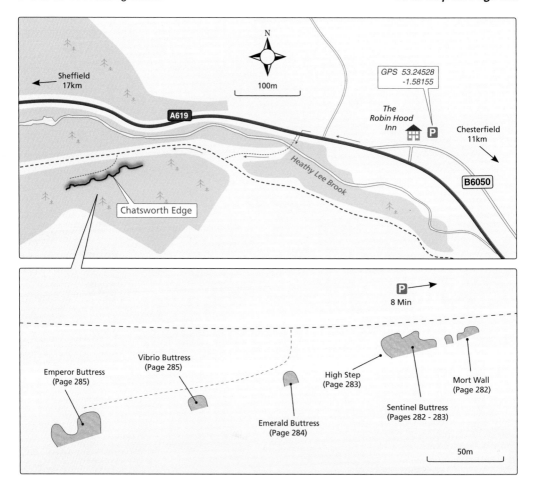

Sentinel Crack E3 5c • Chatsworth Edge
James Turnbull (Page 282)

Mort Wall

8-10m

Sentinel Buttress 10m

10-12m

Climber: James Rogers

Sentinel Buttress - Left

N°	Name	P/B	Grade	✓
1	**Sidewinder** *	😊	HVS 5b	☐
2	**Mort Wall** *	😊	HVS 5a	☐
3	**Slip Arête** *	😟	E2 5b	☐

N°	Name	P/B	Grade	✓
4	**Strangler's Groove** *	😐	S 4a	☐
5	**Strangler's Crack** *	😐	HV. Diff	☐
6	**Throttled Groove** *	😐	S 4a	☐
7	**Dumper** *	😐	E1 5b	☐
8	**Jumpers** *	😐	E3 6a	☐
9	**Leaper** *	😐	VS 5b	☐
10	**Choked Crack** *	😐	Diff	☐
11	**Puppet Crack** **	😐	HVS 5b	☐
12	**Sentinel Crack** ***	😐	E3 5c	☐
13	**Sentinel Buttress** *	😟	E3 5c	☐
14	**Welcome to** * the Body Park	😐	E5 6b	☐
15	**Sentinel Groove** *	😐	E6 6c	☐
16	**No One Here** * Gets out Alive	😐	E6 6c	☐
17	**More Tea Vicar?** * (18 > 17)	😐	E4 6b	☐
18	**Lichen** *** (Pitch 3 only)	😐	E2 5b	☐
19	**Cave Climb** *	😐	Diff	☐
20	**Wrinkled Nose**	😐	VS 4b	☐
21	**Shy Boy** *	😐	E4 6b	☐
22	**Cave Crack** **	😐	S 4b	☐
23	**Pretty Vacant** *	😟	E1 5a	☐
24	**Monk's Park** *	😐	E1 5c	☐
25	**Do You Wanna?**	😐	HVS 5a	☐
26	**Tree Crack**	😐	HV. Diff	☐

Sentinel Buttress - Right

Emerald Buttress
60m

High Step

Nº	Name	P/B	Grade	✓
27	**Cadenza**	☹	E3 5c	
28	**High Step** *	☹	E1 5a	
29	**Price**	😐	HVS 5a	

10-14m

Descent

Climber: James Turnbull

Vibrio Buttress
50m →

Nº	Name	P/B	Grade	✓
1	**The Clasp** *	🙁	E3 5b	☐
2	**Left Twin Crack** **	😐	S 4a	☐

Nº	Name	P/B	Grade	✓
3	**Emerald Crack** ***	🙂	E3 6a	☐
4	**Diamond Life** *	🙁	E5 6b	☐
5	**Pearls** **	😐	E2 5c	☐

Vibrio Buttress | 8 - 12m

Emperor Buttress - Left | 10 - 12m

Approach Info: Page 280

Emperor Buttress
60m

Emperor Buttress - Right | 12m

N°	Name	P/B	Grade	✓
6	**Step Buttress**	🙂	HV. Diff	☐
7	**Good Vibrations** *	🙂	E2 5c	☐
8	**Vibrio** **	🙂	E1 5b	☐
9	**Vibrio Direct** **	😐	E2 6a	☐
10	**Twisted Reach** *	🙂	E4 6b	☐
11	**Step Buttress Crack**	🙂	V. Diff	☐
12	**Emperor Flake Climb** **	🙂	V. Diff	☐
13	**Emperor Crack** *	🙂	VS 4b	☐
14	**The Tyrant**	🙂	E2 5c	☐
15	**Desperot** **	B	F 7A+	☐
16	**Despot** *	🙂	E1 5c	☐
17	**Empress Crack** *	🙂	S 4a	☐
18	**Prince's Crack** *	🙂	HS 4b	☐
19	**Up The Establishment** *	🙂	E1 5b	☐
20	**Anarchist's Arête** *	🙂	VS 4c	☐
21	**Emperor's Struggle** *	🙂	S 4a	☐

Introduction: Cratcliffe Tor is one of the true jewels of the Peak, offering beauty of form, excellent rock, a wonderfully scenic location and above all, simply stunning routes. Unfortunately for some, the latter attraction is only really available at HVS and above, but for those meeting this requirement joyous experiences await. The only criticism that can justifiably be levelled at the cliff is that there simply isn't enough of it... Oh that there were more like this!

Conditions and Aspect: With its southerly orientation Cratcliffe attracts plenty of sunshine, and its hilltop position means few problems with seepage. It is also very sheltered, making it a perfect destination for those wild days in spring and autumn, when the higher crags are being battered by strong winds (though perhaps a poor one on balmy summer evenings, when the midges will be at their irritating worst).

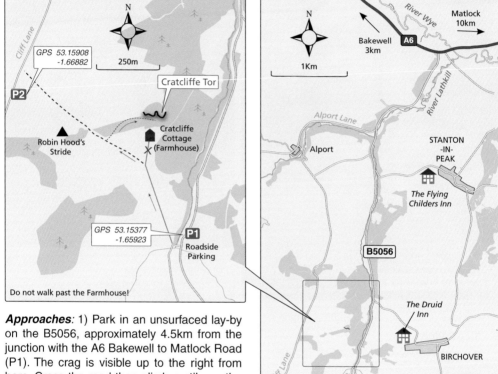

Approaches: 1) Park in an unsurfaced lay-by on the B5056, approximately 4.5km from the junction with the A6 Bakewell to Matlock Road (P1). The crag is visible up to the right from here. Cross the road then climb a stile on the right, which marks the start of a track leading up to farm buildings. Follow this for approximately 350m then veer leftwards on a grassy footpath (the 'Limestone Way') heading towards the prominent pinnacles of Robin Hood's Stride. At the top of the field there is a stile on the right (just to the right of a wooden seat): cross this and continue up and rightwards through the woods, before dropping down to the base of the left-hand side of the crag (10 minutes). *Note:* under NO circumstances attempt to approach the crag more directly i.e. by passing closer to the farm buildings.

2) It is also possible to approach the Tor from the minor Alport to Elton road (Cliff Lane) running west of the crag. Park in grassy lay-bys just south of the entrance to Harthill Moor Farm

(P2). Be sure to leave sufficient room for passing farm vehicles! Opposite the farm entrance is a public footpath signposted 'Robin Hood's Stride / The Limestone Way'. Follow this across fields for some 350m to reach a wooden gate on a wide track below Robin Hood's Stride. Follow the track downhill for some 50m then pass through a stile on the left to enter another field. Follow a well-marked grassy footpath aiming for yet another stile in the bottom right-hand corner of the field then drop down and right, skirting past boulders (hundreds of excellent problems here), to reach the left-hand side of the crag (10 min. from P2).

Area Map on Page 21.

Routes N° 5 & 6

N°	Name	P/B	Grade	✓
1	**Nemesis Exit** *	😊	HVS 5b	☐
2	**Hermitage Groove**	😐	VS 5a	☐
3	**Hermitage Crack** *	😐	VS 5a	☐
4	**Sleight of Hand** *	😐	E4 6a	☐
5	**Reticent Mass Murderer** ***	😊	E4 6b	☐
6	**Genocide** ***	😞	E6 6c	☐

8 -10m

Descent

Elliott's Unconquerable
(Page 288)

Descent
(Downclimb!)

Suicide Wall
(Page 292)

Descent

Hermitage Cave
(Page 287)

P1
10 min

Beanstalk
(Page 288)

Owl Gully
(Pages 290 - 291)

N°	Name	P/B	Grade	✓
1	**Tom Thumb** **	🙂	E2 5c	☐
2	**Enigma Variations** **	🙂	E5 6a	☐
3	**The Giant's Staircase** *	🙂	HVS 5a	☐
4	**Noperu** *	🙂	E4 6a	☐
5	**Beanstalk** **	🙂	E2 5c	☐
6	**Bramble Groove**	😐	VS 4c	☐

N°	Name	P/B	Grade	✓
7	**Oblique Chimney** *	🙂	V. Diff	☐
8	**Darren Hawkins'** * **Invisible Neck**	☹️	E4 5c	☐
9	**Elliott's** ** **Unconquerable**	🙂	HVS 5a	☐
10	**Elliott's Right-Hand** *	🙂	E1 5c	☐

Boot Hill E3 5c
Cratcliffe Tor • Eszter Horvath (Page 291)

12 -15m

Approach Info: Page 286

N°	Name	P/B	Grade	✓
1	**Weston's Chimney**	😐	V. Diff	☐
2	**Hey Turkey Neck**	😊	E2 5c	☐
3	**Boot Hill *****	😐	E3 5c	☐
4	**300lbs of Musclin' Man ****	B	F 7C+	☐
5	**The Groove ****	🙁	E9 7b	☐
6	**Nutcracker *****	😐	E3 5c	☐

N°	Name	P/B	Grade	✓
7	**Fern Hill ***** **Indirect** (6 > 7 > 8)	😐	E3 5c	☐
8	**Fern Hill *****	😊	E2 5c	☐
9	**Owl Gully ***	😊	V. Diff	☐
10	**Tiger Traverse ***	😊	E2 5b	☐
11	**Nettle Wine ****	😊	E4 6b	☐
12	**Sedimental Journey ***	😊	E4 6a	☐
13	**Five Finger ***** **Excercise**	😊	E2 5c	☐
14	**Liquid Assets ***	🙁	E5 6b	☐
15	**Bower Route 1 ***	😐	HS 4b	☐
16	**Direct Start**	😊	VS 4c	☐

Descent (Downclimb!)

Abseil Descent from Tree for Routes 15 & 16

8 - 18m

10 -25m

Descent ←

Climber: Dominic Lee

Approach Info: Page 286

N°	Name	P/B	Grade	✓
1	**Requiem** *** P1 5a, P2 6a	😐	E3 6a	☐
2	**The Long Distance** ** **Runnel** (1 > 2)	😐	E5 6c	☐
3	**Suicide Wall** ***	😊	HVS 5b	☐
4	**The Children's** * **House** (3 > 4)	😐	E5 6c	☐
5	**Stihl Life** (5 > 6) **	☹	E5 6a	☐
6	**Savage Messiah** ** (7 > 6 > 7)	😐	E2 5c	☐
7	**Sepulchrave** *	😐	HVS 5a	☐
8	**Stretch Limo** *	😐	E5 6b	☐
9	**North Climb** *	😐	S 4a	☐

Five Finger Exercise E2 5c
Cratcliffe Tor • Andy Gardner (Page 291)

Introduction: This fine, historic crag, nestled amongst the limestone dales of the southern Peak, offers some excellent jamming cracks and friction slabs, as well as the occasional fierce arête. The Gritstone here is unusually rounded and somewhat finer-grained than that found elsewhere in the Peak, requiring both good conditions and sound technique. Although rather neglected (unjustifiably) by climbers in recent years, Black Rocks is very popular with sightseers and day-trippers, as well as local youths looking for a chill place to consume alcohol. This has unfortunately resulted in above average levels of litter below the crag. Climbers are urged to take a plastic bag with them and remove a little every time — let's set an example...

Conditions and Aspect: Much of the crag faces north, with some bays seeing little or no sun, while other areas face west or northwest. The sunless bays need perfect conditions and even then can still be a little green, while the west-facing walls generally dry out quickly and are very clean. Although relatively low-lying (250m) Black Rocks' hilltop position gives it considerable exposure to strong winds.

Approach: From the centre of Cromford drive south on the B5036 for approximately 1km. Near the top of the hill turn left (signpost for Black Rocks) then left again into a large pay and display car park (currently £4 per day). Opposite the second of the two car park entrances, next to the cemetery, there is actually limited free parking (5 - 6 vehicles). At the upper end of the main parking area (about 150m beyond the cafe and toilets) there is a large wooden signpost at the intersection of several trails. Follow the 'Cromford Moor' trail uphill for approximately 200m to reach the base of *Birch Tree Wall* (3 min.). A smaller path runs leftwards below the crag to reach the other buttresses (3 - 5 min. from P).

Area Map on Page 21.

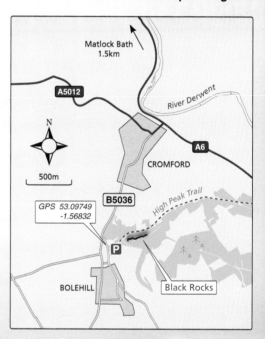

Queen's Parlour
(Page 295)

The Promontory
(Pages 296 - 297)

Sand Buttress
(Page 298)

Finale Wall
(Pages 300 - 301)

Birch Tree Wall
(Pages 302 - 303)

Fat Man's Chimney
(Page 300)

3 Min.

N°	Name	P/B	Grade	✓
1	**Mental Pygmy** *	😐	E3 6a	☐
2	**Queen's Parlour Slab** **	🙁	VS 4b	☐
3	**Queen's Parlour Gully** **	😐	V. Diff	☐
4	**Queen's Parlour** * **Chimney**	😐	HS 4b	☐
5	**DynoMight** *	🙁	E7 6b	☐

🧭 📐 8 - 20m

Descent
(Downclimb!)

Routes 6 - 8
5m

N°	Name	P/B	Grade	✓
6	**Birch Tree Climb**	😊	S 4a	☐
7	**Green Crack** *	😐	HVS 5a	☐
8	**Black Crack** **	😃	VS 4c	☐

N°	Name	P/B	Grade	✓
1	**Central Buttress** ***	😐	HV. Diff	☐
2	**Central Buttress * Direct**	🙁	E1 5a	☐
3	**Central Buttress Chimney ***	😐	VS 4c	☐
4	**Soft Rush** **	🙁	E6 6a	☐
5	**Blind Man's Crack** *	😐	HV. Diff	☐
6	**Blind Man's Buttress** *	😐	HV. Diff	☐

8 - 24m

Descent
(Downclimb!)

Queen's Parlour
(Page 295)

12 – 15

7 – 10

Approach Info: Page 294

N°	Name	P/B	Grade	✓
7	**Rope Trick** *	😐	E2 5c	☐
8	**Vikings in a Sea of Sweat**	😐	E2 5c	☐
9	**Longships** *	😐	E2 5c	☐
10	**Firebird** **	😐	E2 5c	☐
11	**Meshuga** ***	☠	E9 6c	☐
12	**A Day at the Prom** [1]	😐	E4 6b	☐
13	**Kit Kat** *	😐	E3 6a	☐
14	**Twisted Smile** *	😐	HVS 5b	☐
15	**Promontory Traverse** P1 5b, P2 5b ***	😐	E2 5b	☐

[1] Pre-placed / pre-clipped runners required to start.

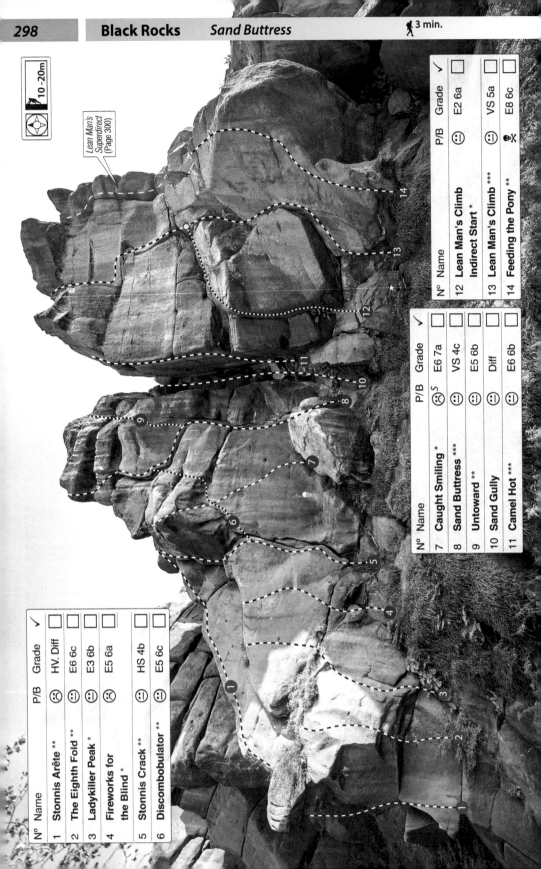

10-20m

Lean Man's Superdirect (Page 300)

Nº	Name	P/B	Grade	✓
1	**Stonnis Arête** **	😣	HV. Diff	☐
2	**The Eighth Fold** **	🙂	E6 6c	☐
3	**Ladykiller Peak** *	😐	E3 6b	☐
4	**Fireworks for the Blind** *	😣	E5 6a	☐
5	**Stonnis Crack** **	😐	HS 4b	☐
6	**Discombobulator** **	😐	E5 6c	☐

Nº	Name	P/B	Grade	✓
7	**Caught Smiling** *	😊ˢ	E6 7a	☐
8	**Sand Buttress** ***	🙂	VS 4c	☐
9	**Untoward** **	🙂	E5 6b	☐
10	**Sand Gully**	🙂	Diff	☐
11	**Camel Hot** ***	🙂	E6 6b	☐

Nº	Name	P/B	Grade	✓
12	**Lean Man's Climb Indirect Start** *	🙂	E2 6a	☐
13	**Lean Man's Climb** ***	🙂	VS 5a	☐
14	**Feeding the Pony** **	☹✗	E8 6c	☐

Sand Buttress VS 4c • Black Rocks
Graeme Hammond (Page 298)

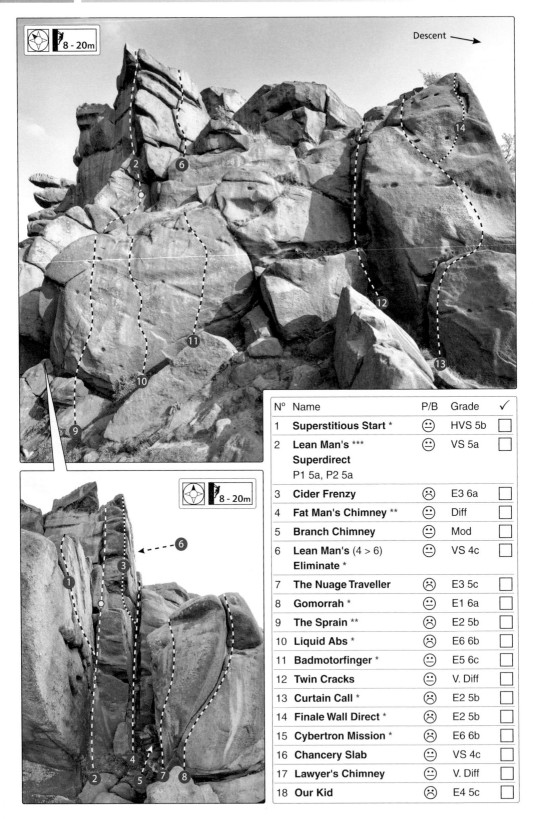

Nº	Name	P/B	Grade	✓
1	**Superstitious Start** *	😐	HVS 5b	☐
2	**Lean Man's** *** **Superdirect** P1 5a, P2 5a	😐	VS 5a	☐
3	**Cider Frenzy**	🙁	E3 6a	☐
4	**Fat Man's Chimney** **	😐	Diff	☐
5	**Branch Chimney**	😐	Mod	☐
6	**Lean Man's** (4 > 6) **Eliminate** *	😐	VS 4c	☐
7	**The Nuage Traveller**	🙁	E3 5c	☐
8	**Gomorrah** *	😐	E1 6a	☐
9	**The Sprain** **	🙁	E2 5b	☐
10	**Liquid Abs** *	🙁	E6 6b	☐
11	**Badmotorfinger** *	😐	E5 6c	☐
12	**Twin Cracks**	😐	V. Diff	☐
13	**Curtain Call** *	🙁	E2 5b	☐
14	**Finale Wall Direct** *	🙁	E2 5b	☐
15	**Cybertron Mission** *	🙁	E6 6b	☐
16	**Chancery Slab**	😐	VS 4c	☐
17	**Lawyer's Chimney**	😐	V. Diff	☐
18	**Our Kid**	🙁	E4 5c	☐

Nº	Name	P/B	Grade	✓
19	**Slanted and** * **Enchanted**	☹ᔆ	E6 6b	☐
20	**Jammed Stone Chimney**	☺	VS 5a	☐

Birch Tree Wall Direct, VS 5a
Black Rocks • Graeme Hammond (Page 302)

N°	Name	P/B	Grade	✓
1	**Taxi to the Crag** **	B	F 7B	☐
2	**Harder Faster** **	☠	E9 6c	☐
3	**Gaia** ***	☠	E8 6c	☐
4	**Curving Arête** ***	☹	E5 6b	☐
5	**Bring Back the Birch**	☹	E5 6a	☐
6	**Birch Tree Wall Variations** ***	☺	VS 5a	☐
7	**Birch Tree Wall** *** **Direct**	☺	VS 5a	☐
8	**Birch Tree Wall** * **Eliminate** (7 > 8)	☺	E4 6a	☐
9	**Demon Rib** ***	☹	E3 5c	☐
10	**Lone Tree Groove** **	☺	VS 5a	☐
11	**Lone Tree Gully** **	☺	S 4a	☐
12	**Pseudonym** **	☹	E5 6b	☐

N°	Name	P/B	Grade	✓
13	**Fun Traverse** ** (17 > 14)	☺	E4 6b	☐
14	**The Devil is in the** ** **Detail** (12 > 13 > 14)	☺	E7 7a	☐
15	**Black Book John** ** (16 > 15 > 13)	☹	E7 6c	☐
16	**Non Stick Vicar** **	☺	E5 6c	☐
17	**South Gully Rib** *	☺	HS 4b	☐
18	**South Gully** *	☺	HV. Diff	☐
19	**South Corner** *	☹	HVS 4c	☐
20	**Bad Hair Day** **	☹	E4 6b	☐
21	**The Runnel** **	☹	E3 6b	☐
22	**End Slab**	☹	Diff	☐

8 - 16m

Chancery Slab
(Page 300)

6 - 8m

The Block - Front

The Block - Back

N°	Name	P/B	Grade	✓
23	**Shredded Feet** *	😐	E3 6b	☐
24	**Small Things** *	🙁	E6 6c	☐
25	**Golden Days** ***	😐	E3 6b	☐

N°	Name	P/B	Grade	✓
26	**Velvet Silence** ***	🙁	E6 6c	☐
27	**Jumpin' on a Beetle** ***	🙁	E6 6c	☐
28	**The Angel's Share** ***	🙁	E8 7a	☐
29	**Tree Crack** *	😐	VS 5b	☐

The Block

Descent

Approach Info: Page 294

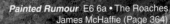

Area 2
Staffordshire Grit

Introduction: Though the county of Derbyshire may well host the majority of Peak Gritstone crags, just over its southwest border, in a tiny part of northern Staffordshire, lie some of the very best!

In a area of barely 4km² and separated by drives of less than 10 minutes, lie not one, not two, but three major Gritstone venues — The Roaches, Hen Cloud and Ramshaw Rocks — as well as several other satellite crags of similar worth, if not extent.

What makes Staffordshire Grit so good? Quality and variety. The quality stems from the invariably excellent rock and superb settings, while variety comes in the form of routes featuring everything from delicate slabs to beefy cracks, as well as some excellent examples of that rarest of Gritstone beasts, the multi-pitch climb.

Only the major crags are covered here. Details of further Staffordshire delights can be found in the definitive BMC *The Roaches* guidebook (2009).

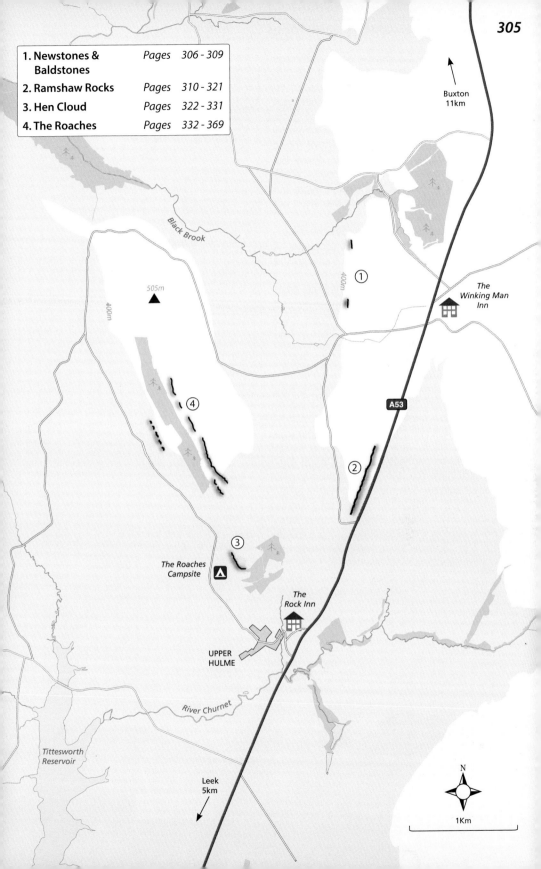

Buxton 11km

Black Brook

505m

400m

400m

①

The Winking Man Inn

A53

④

②

③

The Roaches Campsite

The Rock Inn

UPPER HULME

River Churnet

Tittesworth Reservoir

Leek 5km

N

1Km

Introduction: This handsome pair of outcrops lies on the continuation of the ridge forming Ramshaw Rocks, but here it becomes a little more broken and discontinuous. Although highly regarded as bouldering venues, both Newstones and Baldstones also offer a handful of very fine routes for the enjoyment of roped parties. Indeed, the latter is home to one of the most famous roof-cracks on Gritstone — *Ray's Roof* (E7 6c) — though 'enjoyment' might not be quite the appropriate word for this short but fearsome monstrosity!

The selection featured here includes the majority of routes and highball boulder problems. A full resume of both crags can be found in the BMC *The Roaches* guidebook (2009).

Conditions and Aspect: A predominantly eastern orientation provides morning sunshine and evening shade, though some buttresses have sidewalls with different aspects. Both crags feature minimal drainage and their exposed, windswept positions signify very rapid drying times after periods of rain.

Approach: Approximately 100m south of the Winking Man Inn, turn off the A53 Buxton to Leek road onto a narrow road signposted Gradbach/Allgreave. Follow this for some 750m to a three-way junction, immediately beyond which is a small lay-by opposite a house (Crown Cottage). Park here (P). On foot, follow a public footpath leading to the right of the Cottage for approximately 150m to reach the first buttress of Newstones (2 minutes). For Baldstones, from the right-hand end of Newstones pass through a gate and continue along the public footpath for a further 500m to reach the crag (10 minutes from P).

Area Map on Page 305.

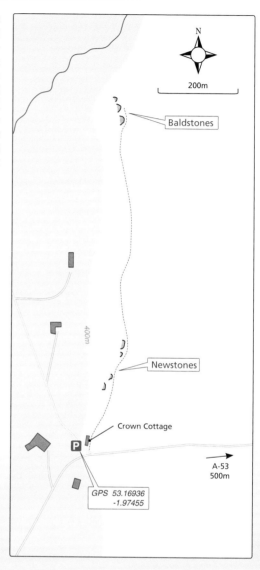

Newstones — Overview

Charlie's Overhang - Left

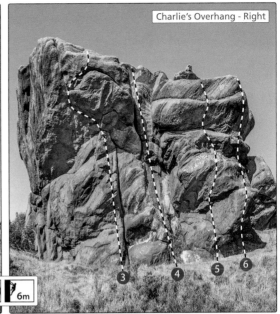

Charlie's Overhang - Right

6m

Nº	Name	P/B	Grade	✓
1	**S&M** **	B	F 7A+	☐
2	**Leather Joy Boys** **	B	F 7A+	☐
3	**Charlie's Overhang** **	☹	E2 5c	☐
4	**Newstones Chimney**	😐	Diff	☐
5	**Moonshine** *	😐	E1 5b	☐
6	**Praying Mantle** *	😐	HVS 5b	☐
7	**Ripple** ***	B	F 6B	☐

Nº	Name	P/B	Grade	✓
8	**Martin's Traverse** *	B	F 5	☐
9	**Crack and Arête** *	B	F 6A+	☐
10	**Short Chimney**	😐	Diff	☐
11	**Hazel Barrow Crack** *	😐	HS 4b	☐
12	**Hazel Barn** *	😐	V. Diff	☐
13	**Hazel Groove** *	B	F 6B	☐
14	**Nutmeg**	😐	VS 4c	☐

Hazel Barn Buttress - Left

5 - 8m

Hazel Barn Buttress - Right

N°	Name	P/B	Grade	✓
1	**Scratch Crack** *	B	F 5	☐
2	**Itchy Groove** *	B	F 6B+	☐
3	**Puffed Up** **	😐	E3 6b	☐

Rhynose Buttress   5 - 8m

N°	Name	P/B	Grade	✓
4	**Ponsified**	😐	E4 6a	☐
5	**Rhynose** *	😐	VS 4c	☐
6	**Hippo**	😐	V. Diff	☐
7	**Rosehip**	😐	S 4a	☐
8	**Trepidation** *	😦	E3 5c	☐

N°	Name	P/B	Grade	✓
9	**The Snake**	😐	HS 4b	☐
10	**The Fox** *	😐	E2 5c	☐
11	**The Vixen** *	😐	HVS 5a	☐
12	**The Sly Mantleshelf** *	😐	HVS 5a	☐
13	**Valley of Ultravixens** *	😦	E3 5c	☐
14	**Sly Super Direct** *	B	F 5+	☐
15	**Sly Direct**	B	F 4	☐

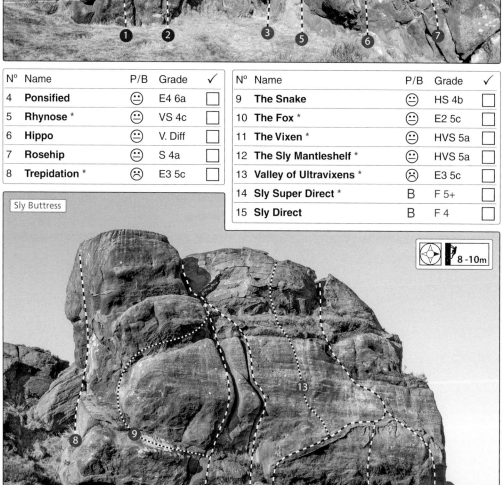

Sly Buttress   8 - 10m

N°	Name	P/B	Grade	✓
16	**Perambulator Parade** **	😐	V. Diff	☐
17	**Pants on Fire** *	😐	HVS 5a	☐
18	**Incognito** *	🙂	HVS 4c	☐
19	**Baldstones Face** **	😐	VS 4b	☐
20	**Original Route** ***	🙁	E2 5c	☐
21	**Baldstones Arête** ***	🙁	HVS 4c	☐

N°	Name	P/B	Grade	✓
22	**Gold Rush** *	🙁	E4 5c	☐
23	**Goldstitch Crack** *	🙁	HVS 4c	☐
24	**Riding the Gravy Train**	🙂	E6 6c	☐
25	**All-Stars' Wall** *	😐	HVS 5b	☐
26	**Ray's Roof** ***	😐	E7 6c	☐

6 -12m

Routes 25 & 26

Newstones 500m

Routes 22 - 24

Pile Driver HVS 5a • Ramshaw Rocks
Dan Barbour (Page 320)

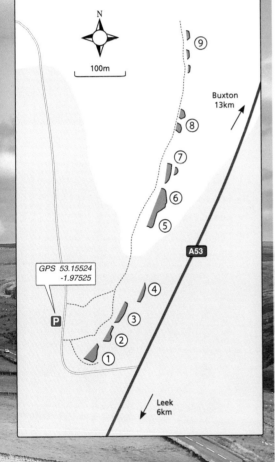

Introduction: Curious geology combined with aeons of erosion has created one of the most bizarre of Peak District crags — a series of spectacular jutting fins and prows of rock bearing little resemblance to the 'normal' Gritstone outcrop. The result is a climbers' playground, although 'play' is perhaps too mild a word to use for the degree of commitment and determination necessary to succeed on many of the routes on this uncompromising crag. Here lie the most brutal of cracks alongside the thinnest of slabs and most balancy of arêtes, and though not as high as Staffordshire's 'big two', The Roaches and Hen Cloud, Ramshaw's climbs will almost certainly exact their pound of flesh and leave a lasting impression (literally for those with poor jamming technique!) whatever the grade.

Conditions and Aspect: Ramshaw's predominantly eastern orientation means only early risers will catch the sun, though it does provide welcome shade on warm summer afternoons. Its ridge-top position leaves the crag thoroughly exposed to easterly winds, which in winter will render all but the toughest climbers speechless.

Approach: Turn of the A53 Buxton to Leek road approximately 2km south of the Winking Man Inn (named after one of Ramshaw's many unusual rock formations — a face-like buttress with an 'eye' which briefly 'winks' as one drives past it heading north) and follow a narrow road for some 250m to reach a lay-by on the left (P). On the opposite side of the road, a few metres back towards the junction, a well-marked path leads up the hillside and along the top of the entire crag. The first buttress *(Loaf and Cheese)* lies less than 50m from the road and is reached by branching right off the main path just a few metres after leaving the parking area (2 min.) while the furthest *(Old Fogey)* is situated some 600m uphill (15 min). *Note 1:* from the crag-top path it is not always easy for first-time visitors to identify their chosen destination. Consult the map opposite and/or refer to the GPS coordinates shown on the overview pictures and topos marking the top of key buttresses. *Note 2:* climbing is NOT allowed on the Winking Man formation!

Area Map on Page 305.

N°	Name	P/B	Grade	✓
1	**Assembled** * **Techniques**	😐	E4 6a	☐
2	**Loaf and Cheese** *	😐	HVS 5a	☐
3	**Dream Fighter**	😐	E3 6a	☐
4	**Green Crack** *	😐	HVS 5b	☐
5	**National Acrobat** ***	😐	E6 6c	☐
6	**Traveller in Time** ***	😐	E4 6a	☐
7	**Body Popp** **	😐	E4 6b	☐

N°	Name	P/B	Grade	✓
8	**Wall and Groove** *	😐	HV. Diff	☐
9	**The Arête** *	😐	S 4a	☐
10	**Louie Groove** **	😐	E1 5b	☐
11	**Leeds Slab** *	😐	HS 4b	☐
12	**Leeds Crack** *	😐	Diff	☐
13	**Honest Jonny** *	😐	Diff	☐

The Undertaker

The Great Zawn

Masochism

< 20m >

< 10m >

6 - 10m

N°	Name	P/B	Grade	✓
17	**Wellingtons** *	😐	V. Diff	☐
18	**Masochism** **	😐	E1 5c	☐
19	**T'rival Traverse** *	😐 S	E2 6a	☐
20	**Rock Trivia** *	😐 S	E2 6c	☐
21	**Trivial Traverse**	😐	HVS 5a	☐
22	**Sneeze** *	😐	E1 5b	☐
23	**The Crank** **	😊	VS 5a	☐
24	**Ultimate Sculpture** **	🙁	E8 7a	☐

N°	Name	P/B	Grade	✓
14	**The Undertaker** *	😐	E3 6a	☐
15	**The Great Zawn** **	😐	HVS 5a	☐
16	**Broken Groove** *	😐	Diff	☐

GPS 53.15472
-1.97466

The Great Zawn
(Page 313)

GPS 53.15529
-1.97365

Loaf and Cheese
(Page 312)

The Undertaker
(Page 313)

The Crank & Masochism
(Page 313)

Nº	Name	P/B	Grade	✓
1	Chockstone Chimney	😊	V. Diff	☐
2	Waiting for the Lions *	😊	E3 5c	☐
3	Gumshoe ***	😊	E2 5c	☐
4	Wine Gums *	😊	E4 6a	☐
5	Tally Not *	😊	HVS 5c	☐

🧗 8-10m

Nº	Name	P/B	Grade	✓
6	Battle of the Bulge *	😊	VS 4b	☐
7	The Cannon *	😖	HVS 4c	☐
8	Torture *	😖	E4 5c	☐
9	Whilly's Whopper *	😊	VS 4c	☐
10	Phallic Crack ***	😊	S 4a	☐
11	Alcatraz **	😊	E1 5b	☐

Nº	Name	P/B	Grade	✓
12	Juan Cur *	😊	E4 6a	☐
13	The Untouchable **	😊	E1 5b	☐
14	Corner Crack	😊	S 4a	☐
15	The Rippler *	😊	VS 5a	☐

GPS 53.15554 -1.97335

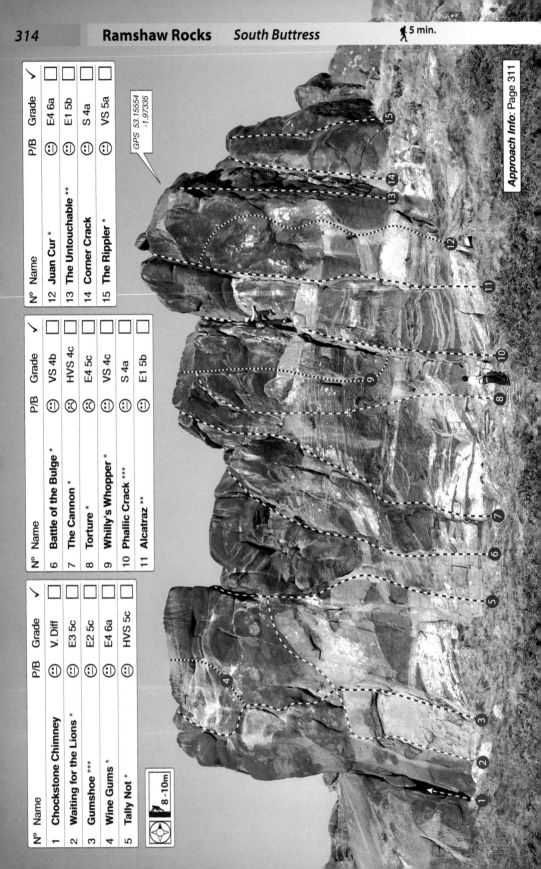

Approach Info: Page 311

N°	Name	P/B	Grade	✓
16	**Crab Walk Direct** *	☺	VS 5b	☐
17	**Sketching Wildly** *	☺	E6 6c	☐
18	**Crab Walk** *	☺	S 4a	☐

N°	Name	P/B	Grade	✓
19	**Brown's Crack** **	☺	E2 5c	☐
20	**Prostration** **	☺	HVS 5a	☐
21	**Colly Wobble** **	☺	E4 6b	☐
22	**Don's Crack** **	☺	HVS 5b	☐
23	**Tierdrop** ***	☺	E5 6b	☐
24	**Tier's End**	☺	VS 5b	☐

8 – 12m

Iron Stake Belay
above Crag

6 -10m　　Elastic Limit

8 -14m　　Boomerang Buttress

N°	Name	P/B	Grade	✓
1	**Pat's Parched**	☹	E1 5b	☐
2	**Camelian Crack** *	☺	V. Diff	☐
3	**Dangerous Crocodile Snogging** ***	☹	E7 6b	☐
4	**Clippity Clop,** *** **Clippity Clop...**	☹	E7 6c	☐
5	**Elastic Limit** *	☺	E2 6a	☐
6	**Arête and Crack** *	☺	V. Diff	☐
7	**Handrail** **	☺	E2 5c	☐
8	**Handrail Direct** *	☹	E4 6a	☐
9	**Assegai** *	☺	VS 5a	☐

N°	Name	P/B	Grade	✓
10	**Bowrosin** *	☺	VS 4c	☐
11	**English Towns** *	☹	E3 5c	☐
12	**Spanish Fly**	☺	E2 5c	☐
13	**Boomerang** ***	☺	V. Diff	☐
14	**Wick Slip** *	☹ ⁵	E5 6b	☐
15	**Monty** *	☺	E4 6b	☐
16	**Watercourse**	☺	HS 4a	☐
17	**Dan's Dare**	☺	VS 4c	☐
18	**Gully Wall**	☺	HVS 5a	☐
19	**Little Nasty** *	☺	E1 5b	☐

GPS 53.15714 -1.97289

Ramshaw Crack (Pages 316 - 317)

Flaky Buttress (Pages 318 - 319)

Elastic Limit (Page 316)

Boomerang Buttress (Pages 316 - 317)

Approach Info: Page 311

Nº	Name	P/B	Grade	✓
20	**Electric Savage** *	🙁	E4 6a	☐
21	**Ramshaw Crack** ***	😐	E4 6a	☐
22	**Never, Never Land** ***	🙁	E7 6b	☐
23	**Green Corner**	😃	S 4a	☐

N°	Name	P/B	Grade	✓
1	**Roller Coaster ***	☹	E6 6c	☐
2	**Boom Bip ** **	☹	E7 6c	☐
3	**Imposition ** **	🙂	E2 5c	☐
4	**Iron Horse Crack**	🙂	Diff	☐
5	**Scooped Surprise**	🙂	E3 6a	☐
6	**Tricouni Crack ***	☺	HS 4b	☐
7	**Rubber Crack ***	🙂	VS 4c	☐
8	**Darkness**	🙂	S 4a	☐
9	**Flaky Wall Direct ** **	🙂	VS 4b	☐
10	**Flaky Wall Indirect ***	🙂	VS 4c	☐
11	**Flaky Wall *** **Super Direct**	🙂	E1 5b	☐
12	**Cracked Gully**	🙂	Diff	☐
13	**Arête Wall**	🙂	Diff	☐

GPS 53.15811 -1.97172

GPS 53.15764 -1.97208

Imposition (Page 318)

Flaky Buttress Pages 318 - 319)

Ramshaw Crack (Pages 316 - 317)

Approach Info: Page 311

N°	Name	P/B	Grade	✓
14	**Crystal Tipps** **	😄	E1 5c	☐
15	**The Ultra Direct** *	😄	E2 6b	☐
16	**Magic Roundabout Super Direct** *	😐	E1 5c	☐
17	**Magic Roundabout Direct** *	😐	HVS 4c	☐
18	**Magic Roundabout** **	😐	S 4a	☐
19	**Perched Flake** *	😐	Diff	☐

8-12m

N°	Name	P/B	Grade	✓
21	**Port Crack** *	😐	S 4a	☐
22	**Time Out** **	😐	E2 5c	☐
23	**Starboard Crack** *	😐	E1 5b	☐

N°	Name	P/B	Grade	✓
1	**Big Richard**	😐	HS 4b	☐
2	**The Proboscid**	🙁	E1 5a	☐
3	**The Crippler Direct** **	😐	E1 5b	☐
4	**The Crippler** ***	😊	HVS 5a	☐
5	**Escape**	😐	HVS 5b	☐
6	**Mantrap**	😐	HV. Diff	☐
7	**Great Scene Baby** *	😊	S 4a	☐
8	**Groovy Baby**	😐	HS 4b	☐
9	**Pile Driver** *	😐	VS 4c	☐
10	**Press Direct** *	B	F 6B	☐
11	**The Press** **	😐	E1 5b	☐
12	**Reg** *	🙁	E7 7a	☐
13	**Night of Lust** *	😊	E4 6b	☐
14	**Curfew** *	😐	HVS 5b	☐
15	**Foord's Folly** ***	😐	E2 6a	☐
16	**The Swinger** *	😊	VS 4c	☐

The Press
20m →

8 -12m

The Crippler

The Press

GPS 53.15894
-1.97156

10 -14m

Old Fogey
150m →

Approach Info: Page 311

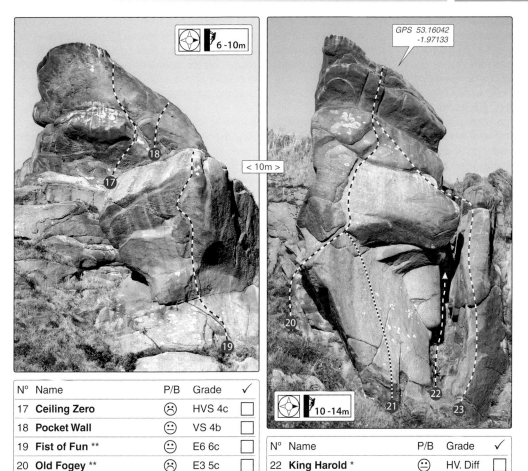

< 10m >

N°	Name	P/B	Grade	✓
17	**Ceiling Zero**	😟	HVS 4c	☐
18	**Pocket Wall**	😐	VS 4b	☐
19	**Fist of Fun** **	😊	E6 6c	☐
20	**Old Fogey** **	😟	E3 5c	☐
21	**Old Fogey Direct** **	😐	E5 6b	☐

N°	Name	P/B	Grade	✓
22	**King Harold** *	😐	HV. Diff	☐
23	**Little Giraffe Man** *	😐	HS 4a	☐

Magic Roundabout S 4a • Ramshaw Rocks
Claudia Amatruda (Page 319)

Introduction: Hen Cloud is one of the most impressive Gritstone crags in the entire Peak District, its magnificent fortress-like buttresses, perched atop a steep hillside, utterly dominating the surrounding landscape.

Here lie not only some of the longest routes in this guidebook (including a number of genuine multi-pitch adventures) but also some of the very best, and for those who appreciate a little peace and quiet, while not exactly abandoned, Hen Cloud sees far fewer visitors than the nearby Roaches. This is slightly puzzling as classics exist throughout the grades here, on rock as good as anything in the area.

Conditions and Aspect: Facing generally west/southwest (though certain facets have a due-south aspect) this is a crag for afternoon and evening sunshine, but its high, exposed position means prospective visitors need to pay particular attention to wind direction and strength. In anything but very dry conditions certain sections of the crag often appear to be very green, suggesting copious quantities of lichen, but other than *Black Wall* (Page 325) which suffers considerably from drainage, the lichen often looks far worse than it actually is.

Note: During spring Peregrine Falcons often use the crag as a nesting site, resulting in temporary access restrictions for part, or the whole of, the cliff. When this occurs signboards are placed on the approach paths and the information also appears on the BMC website (www.thebmc.co.uk/nesting-birds-advice-for-climbers). Please adhere rigidly to these restrictions if and when in place

Approach: Turn off the A53 Leek to Buxton road into Upper Hulme, approximately 5km north of Leek. Follow the narrow road through the village and continue driving to reach the second of two lay-bys, approximately 250m beyond the Roaches Tea Rooms (P). Parking anywhere but in the designated areas runs the risk of a fine (though this doesn't seem to deter some folk). Walk back down the road (towards Upper Hulme) for 30m then turn left onto an unmetalled track leading to the Roaches Campground (signposted). Follow this for some 170m to just past the first bend then head straight up the steep hillside towards the crag using a narrow but well-marked path (10 minutes). The far left-hand and far right-hand sides of the crag, both set at slightly higher levels, require a few minutes more effort.

Area Map on Page 305.

Descent

Recess Chimney (Page 325)

The Pinnacles (Page 324)

Black Wall (Page 325)

Delstree (Page 326)

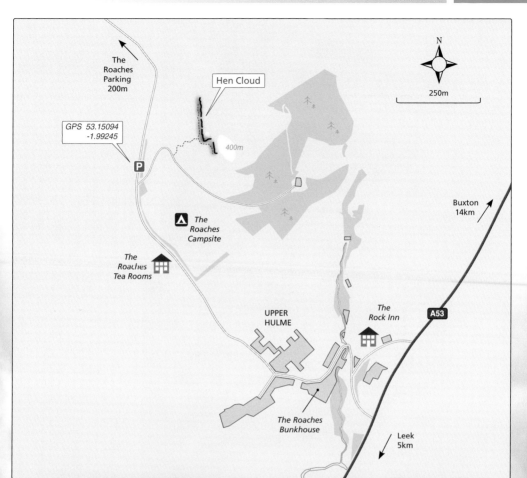

The Roaches Parking 200m

Hen Cloud

GPS 53.15094 -1.99245

N

250m

400m

P

The Roaches Campsite

The Roaches Tea Rooms

Buxton 14km

UPPER HULME

The Rock Inn

A53

The Roaches Bunkhouse

Leek 5km

Descent

Bachelor's Climb (Page 330)

Great Chimney (Page 331)

Central Climb (Pages 328 - 329)

P 10 Min

8 - 12m

Descent

N°	Name	P/B	Grade	✓
11	**Man Oh Man** *	🙂	E4 6a	☐
12	**Mandatory** (12 > 13) *	🙂 s	E5 6a	☐
13	**The Mandrake** *	😠	E5 6a	☐
14	**Mandrill** *	🙂	E5 6b	☐
15	**Victory** *	🙂	VS 4c	☐
16	**Blood Blisters** *	😠	E4 6b	☐
17	**Electric Chair** *	😠	E2 5c	☐

N°	Name	P/B	Grade	✓
5	**Master of Reality** ***	🙂	E6 6c	☐
6	**The Notch**	🙂	VS 4c	☐
7	**Master of Puppets** *	😠	E6 6b	☐
8	**Chicken** **	🙂	E1 5b	☐
9	**Chicken Direct** *	🙂	E4 6b	☐
10	**Piston Groove**	🙂	VS 5a	☐

N°	Name	P/B	Grade	✓
1	**November Cracks**	🙂	HS 4b	☐
2	**Bulwark** **	😠	E1 5b	☐
3	**Slowhand** **	🙂	E1 5b	☐
4	**Mindbridge** *	😠	E7 6c	☐

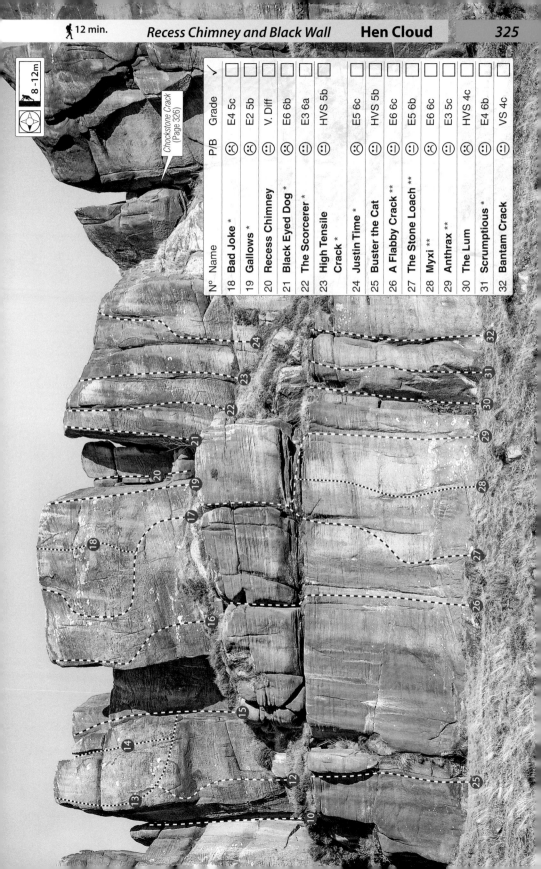

N°	Name	P/B	Grade	
18	**Bad Joke** *	😟	E4 5c	☐
19	**Gallows** *	😟	E2 5b	☐
20	**Recess Chimney**	🙂	V. Diff	☐
21	**Black Eyed Dog** *	😟	E6 6b	☐
22	**The Scorcerer** *	🙂	E3 6a	☐
23	**High Tensile Crack** *	🙂	HVS 5b	☐
24	**Justin Time** *	🙂	E5 6c	☐
25	**Buster the Cat**	🙂	HVS 5b	☐
26	**A Flabby Crack** **	🙂	E6 6c	☐
27	**The Stone Loach** **	🙂	E5 6b	☐
28	**Myxi** **	😟	E6 6c	☐
29	**Anthrax** **	🙂	E3 5c	☐
30	**The Lum**	🙂	HVS 4c	☐
31	**Scrumptious** *	😟	E4 6b	☐
32	**Bantam Crack**	🙂	VS 4c	☐

Chockstone Crack (Page 326)

🧭 8-12m

N°	Name	P/B	Grade	✓
1	**Chockstone Crack**	😐	Mod	☐
2	**The Better End** **	😐	E2 5c	☐
3	**The Raid** *	😐	E4 6a	☐
4	**En Rappel** **	🙁	HVS 4c	☐
5	**Caesarian** ***	😐	E4 6b	☐
6	**Catharsis** **	😐	E7 7a	☐
7	**Main Crack** **	😐	VS 5a	☐
8	**Delstree** ***	😐	HVS 5a	☐
9	**Levitation** *	🙁	E5 6a	☐
10	**Reunion Crack** **	😐	VS 5a	☐

12 -18m

Descent

Chicken E1 5b • Hen Cloud
Dominic Lee (Page 324)

25 -30m

Descent

Approach Info: Page 322

Nº	Name	P/B	Grade	✓
1	**Roof Climb** * P1 4b, P2 3b	🙂	VS 4b	☐
2	**The Long and** * **The Short** P1 5b, P2 5b	🙂	E1 5b	☐
3	**Anaconda** * P1 6a, P2 6b	🙂	E4 6b	☐
4	**Borstal Breakout** *** P1 6a, P2 6b	🙂	E4 6b	☐
5	**Final Crack** ***	🙂	HS 4b	☐

Nº	Name	P/B	Grade	✓
6	**Central Climb Direct** ** (6 > 8 > 6) P1 5a, P2 4c, P3 4a	🙂	VS 5a	☐
7	**B4XS** ***	☠	E7 6b	☐
8	**Central Climb** *** P1 4b, P2 4c, P3 4a	🙂	VS 4c	☐
9	**Encouragement** *** P1 5b, P2 5b	🙂	E1 5b	☐
10	**Jean the Bean** *	☹	E5 6b	☐
11	**K2** ** P1 4a, P2 4b	🙂	S 4b	☐

18 -30m

6 - 8m

Nº	Name	P/B	Grade	✓
12	**The Arête** **	😐	V. Diff	☐
13	**Modern** **	😐	HS 4b	☐
14	**Ancient** *	😐	V. Diff	☐
15	**Small Buttress** *	😊	HVS 5a	☐
16	**Bitching** *	😊	E1 5b	☐
17	**The Driven Bow** **	☹	E7 6c	☐
18	**Bow Buttress** *	😐	HV. Diff	☐
19	**Solid Geometry** **	☹	E1 5b	☐

N°	Name	P/B	Grade	✓
1	Left Vein **	B	F 5+	☐
2	Right Vein *	B	F 6A	☐
3	Stokes' Line *	☺	E2 6b	☐
4	This Poison *	☺	E3 6b	☐
5	Slimline *	☺	E1 5b	☐
6	Peter and the Wolf *	☹	E6 6b	☐
7	Fast Piping *	☺	E4 6b	☐
8	Hedgehog Crack **	☺	VS 4c	☐
9	Comedian ***	☺	E3 6a	☐
10	Frayed Nerve *	☹	E5 6b	☐
11	Second's Retreat *	☺	HVS 4c	☐

N°	Name	P/B	Grade	✓
12	Second's Advance *	☺	HVS 5b	☐
13	Corinthian ***	☺	E3 5c	☐
14	Hen Cloud Eliminate ***	☺	E1 5b	☐
15	Cool Fool *	☹	E6 6b	☐
16	Rib Crack *	☺	VS 4c	☐
17	Rib Chimney **	☺	S 4a	☐

N°	Name	P/B	Grade	✓
18	Caricature ***	☹ S	E5 6b	☐
19	Chiaroscuro **	☹	E6 6b	☐
20	Bachelor's Left-Hand ***	☺	HVS 5b	☐
21	Parallel Lines *	☹ S	E6 6c	☐
22	Bachelor's Climb ***	☺	VS 4c	☐

10 -18m

24

27

28

29

Bachelor's Climb
(Page 330)

25

26

26

30   31

23

Approach Info: Page 322

N°	Name	P/B	Grade	✓
26	**Rainbow Crack** *** (Two Possible Starts)	😊	VS 5a	☐
27	**Arêtenophobia** **	😟 ᔆ	E6 6b	☐
28	**Chameleon** (30 > 28) ***	😐	E4 6a	☐
29	**Saria** (30 > 29) *	😟	E5 6a	☐
30	**Left Twin Crack** *	😊	HS 4b	☐
31	**Right Twin Crack** *	😐	VS 4b	☐

N°	Name	P/B	Grade	✓
23	**Space Probe /** ** **Helter Skelter** P1 6a, P2 5c	😟	E4 6a	☐
24	**Night Prowler** **	☠	E6 6a	☐
25	**Great Chimney** ***	😊	S 4a	☐

Introduction: Not so much a crag as a group of crags, The Roaches is Staffordshire's major climbing attraction, and rivals anything on Peak Gritstone. The Main Crag, which is split into two distinct tiers (upper and lower), holds the greatest concentration of routes and is by far the most frequented area, while the nearby Five Clouds and Skyline crags are favoured by those seeking a little more privacy.

The variety of climbing styles found here is exceptional, with delicate slabs lying alongside thuggish cracks and some of the biggest roof climbs on Grit. In total there are some 400 routes on offer, ranging from extended boulder problems to routes of more than 30m in length, including a number of fine multi-pitch adventures. Our selection includes most of the major buttresses, but for a full resume of routes (not to mention the almost inexhaustible supply of bouldering here) consult the BMC *The Roaches* (2009) definitive guide.

Conditions and Aspect: Virtually all the Roaches crags have a southwesterly orientation, attracting sunshine from early afternoon onwards. The Skyline crags, together with the upper tier of the main crag are situated just below the ridgeline and are therefore quite exposed to wind, which makes these areas the fastest to dry after rain. Conversely, the Five Clouds and lower tier of the main crag lie somewhat further down the hillside and are consequently more sheltered (so take a little longer to dry). The rock on all these crags is, in general, impeccable, though certain routes feature varying degrees of vegetation and some of the cracks can be a little green and scrittly.

Approach - Main Crag: Turn off the A53 Leek to Buxton road into Upper Hulme, approximately 5km north of Leek. Follow the narrow road through the village and continue driving past the Roaches Tea Rooms and parking for Hen Cloud (Pages 322 - 331). Approximately 600m beyond the Tea Rooms an extensive series of lay-bys begin (P1), which continue for some 500m. In total there is space for 80 - 90 vehicles but, even so, on sunny weekends and bank holidays it is not unusual for these to be fully occupied by mid-morning. Parking anywhere other than in the designated spaces runs the risk of a fine. On foot, pass through 'Roaches Gate' and follow the broad footpath for 100m then fork left and continue upwards, passing Rock Hall, to reach the lower tier of the crag (5 minutes from P1). The upper tier is gained by continuing up the path via a rock 'staircase' to the left of *Raven Rock Gully* (8 minutes from P1).

Approach - The Skyline: From the left-hand end of the upper tier follow the path up to the top of the crag and then continue leftwards (north) along the upper path. The various buttresses constituting the Skyline crags are situated at between 100m and 900m from the Upper Tier and are best approached by keeping to the top path and then dropping down, rather than trying to navigate along the base of the crags. First time visitors will almost certainly find it difficult to identify the buttresses from above: a useful point of reference is Doxey's Pool (a curious pond, seemingly unfed by any streams) directly below which lies *Skyline Buttress* (Page 337). In addition, we have also provided GPS coordinates for the tops of key buttresses, which appear on the overview pictures on pages 334/335 and 338 (walking time 12 - 25 minutes from P1). *Note:* the three furthest buttresses, *Art Nouveau*, *Very Far Skyline* and *Hard Very Far Skyline* are actually better approached from the other end of the cliff-top path starting at Roach End (P3). This cuts the walking time to around 15 minutes.

Approach - The Five Clouds: From P1 pass through 'Roaches Gate' as if heading towards the main crag, but then turn immediately left onto a grassy track and follow this for approximately 350m to where it begins to steepen, by some old quarries (this path actually continues up to the left-hand end of the Upper Tier). Turn left here, onto a vague trail and follow this horizontally leftwards for some 250m to reach the first of the buttresses described — the 2nd Cloud (12 minutes from P1).

Approach - The Nth Cloud: From the upper end of the main parking area (P1) near the cottage, continue driving along the narrow road towards Roach End. After approximately 1.4km, and 100m before reaching the point where a left turn heads down to the village of Meerbrook, there is a wooden gate on the right. There is very limited parking on grass verges opposite the gate (P2 — do not block the gate!). Climb over the gate and head up a tractor-track to where the crag becomes clearly visible higher on the hillside then head directly up to it on vague paths (15 minutes).

Note: the Nth Cloud lies on Open Access land, which is privately owned and managed for both farming and wildlife conservation. Please behave in a responsible manner.

Area Map on Page 305.

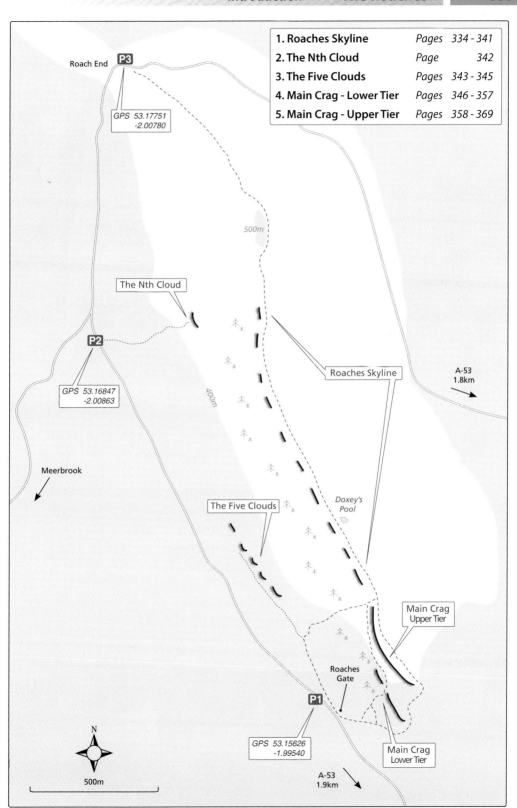

Roach End

P3

GPS 53.17751
-2.00780

500m

The Nth Cloud

Roaches Skyline

A-53
1.8km

P2

GPS 53.16847
-2.00863

400m

Meerbrook

The Five Clouds

Doxey's
Pool

Main Crag
Upper Tier

Roaches
Gate

P1

Main Crag
Lower Tier

GPS 53.15626
-1.99540

N

500m

A-53
1.9km

N°	Name	P/B	Grade	✓
1	**Willow Farm** **	🙂	E4 6a	☐
2	**Track of the Cat** ***	🙁	E5 6a	☐
3	**Nature Trail** **	🙁	E5 6b	☐
4	**Wings of Unreason** ***	🙂	E4 6a	☐
5	**Counterstroke of Equity** **	🙂 S	E6 6c	☐
6	**Counterstroke of Equity Direct** **	☠	E7 6c	☐

N°	Name	P/B	Grade	✓
7	**Prelude to Space** **	🙁	HVS 4c	☐
8	**Triple Point** *	🙁	E1 5c	☐
9	**Wild Thing** **	😐	E1 5c	☐
10	**Entropy's Jaw** ***	🙁	E5 6b	☐
11	**Script for a Tear** *	🙂	E6 6c	☐
12	**Mild Thing** *	😐	Diff	☐
13	**Art Nouveau** ***	🙁	E6 6c	☐

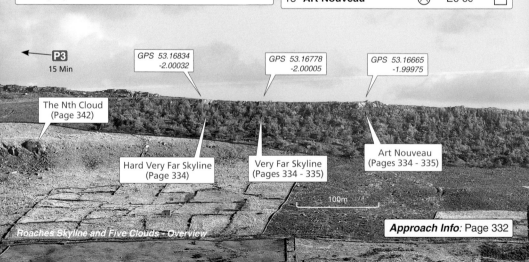

Approach Info: Page 332

Very Far Skyline

Approach / Descent

8   10   11

9   12

6m

Art Nouveau

13

Wings of Unreason E4 6a
The Roaches - Skyline Crags
Phil Borodajkewycz (Page 334)

Alpha Buttress
(Pages 336 - 337)

GPS 53.16271
-1.99623

Skyline Buttress
(Page 337)

Tower Buttress
(Pages 338 - 339)

P1 12 Min

Condor Buttress
(Page 340)

The Five Clouds (Pages 343 - 345)

Alpha Buttress - Left

8-10m

Approach / Descent

N°	Name	P/B	Grade	✓	N°	Name	P/B	Grade	✓
1	**Melaleucion ***	😐	VS 5a	☐	8	**Breakfast Problem ***	😐	V. Diff	☐
2	**Rodeo**	😐	E1 6a	☐	9	**Days Gone By ***	😐	S 4b	☐
3	**Devotoed ***	😐	VS 4c	☐	10	**San Melas *****	🙁	E3 5c	☐
4	**Alpha ***	😊	V. Diff	☐	11	**Hallow to our Men ***	😐	E4 6b	☐
5	**Alpha Arête ***	😐	S 4a	☐	12	**Mantis *****	😐	E1 5b	☐
6	**Breakfast Corner**	😐	Mod	☐	13	**Bounty Killer**	😐	VS 5a	☐
7	**Formative Years**	😐	E3 6a	☐	14	**Sennapod ***	😐	V. Diff	☐

Alpha Buttress - Right

8-10m

Skyline Buttress 80m →

N°	Name	P/B	Grade	✓
15	**Sennapod Crack**	😄	V. Diff	☐
16	**39th Step**	😄 S	E2 6a	☐
17	**Wallaby Wall** *	😄	HS 4b	☐
18	**Definitive Gaze** *	😐	E1 5c	☐
19	**Right-Hand Route** **	😐	S 4a	☐
20	**Looking for Today** *	😄	E1 5b	☐
21	**Pinnacle Crack**	😐	Diff	☐
22	**Split Personality**	😄	E1 5b	☐
23	**Pinnacle Arête** *	😐	VS 4c	☐
24	**Mantelshelf Slab** *	😐	VS 4b	☐
25	**Enigma Variation** **	😟	E2 5b	☐
26	**Karabiner Chimney** *	😐	HV. Diff	☐
27	**Karabiner Slab** *	😟	HVS 4c	☐
28	**Karabiner Cracks**	😐	Diff	☐
29	**Slab and Arête** **	😐	S 4a	☐
30	**Drop Acid** *	😟 S	E4 6a	☐
31	**Acid Drop** **	😟	E4 5c	☐
32	**Skytrain** *	😐	E2 5b	☐
33	**Slips** *	😐	E3 6b	☐

6m

21

22

23   Routes 24 - 33
10m

12 -14m

Approach /
Descent

30   31

25

29

26

33

24

27   32

Alpha Buttress
80m

28   Skyline Buttress

Tower Buttress - Left

12 -14m

10 -14m

Tower Buttress - Right

N°	Name	P/B	Grade	✓
1	**Tower Eliminate** *	😐	HVS 5b	☐
2	**Tower Face** *	🙁	E2 5b	☐
3	**Tower Chimney** *	😐	Diff	☐
4	**Perched Block Arête** **	😐	V. Diff	☐
5	**Perched Block Arête Direct Finish** *	😐	VS 4b	☐
6	**Perched Block Arête Right-Hand Finish** *	🙁	HVS 4c	☐
7	**Thrug** **	🙂	VS 5a	☐
8	**Bad Poynt** *	😐	Diff	☐

N°	Name	P/B	Grade	✓
9	**Oversight** *	😐	HV. Diff	☐
10	**Cold Man's Finger** *	😐	E1 5b	☐
11	**Ogden** **	😐	V. Diff	☐
12	**Ogden Arête** **	😐	HS 4c	☐
13	**Ogden Recess**	😐	V. Diff	☐
14	**Black Pig** **	😐	VS 4c	☐
15	**Spare Rib** *	🙁	VS 4b	☐
16	**Bad Sneakers** *	🙁	E3 5c	☐
17	**Spectrum**	😐	VS 4c	☐
18	**Middleton's Motion** *	😐	VS 4c	☐
19	**Strain Station**	🙁	E4 5c	☐

Tower Buttress (Page 338)

GPS 53.16034 -1.99379

Condor Buttress (Page 340)

P1 12 Min →

Trio Buttress (Pages 338 - 339)

***Approach Info*: Page 332**

Trio Buttress - Left

8 -10m

N°	Name	P/B	Grade	✓
20	**Topaz** **	🙂	E2 5b	☐
21	**Letter Box Cracks**	😐	VS 4c	☐
22	**Paul's Puffer** *	🙂	E4 6b	☐
23	**Pebbles on a** * **Wessex Beach**	🙂 S	E3 5c	☐
24	**Safety Net** ***	🙂	E1 5b	☐

N°	Name	P/B	Grade	✓
25	**Shortcomings** **	🙂	E1 5c	☐
26	**Left Twin Crack**	😐	HS 4b	☐
27	**Square Chimney**	😐	Diff	☐
28	**Trio Chimney** *	😐	V. Diff	☐
29	**Substance**	🙂	VS 4c	☐
30	**Lighthouse** *	🙁	V. Diff	☐
31	**Ralph's Mantleshelves**	😐	S 4a	☐

Trio Buttress - Right

8 -10m

Descent

6 - 14m

N°	Name	P/B	Grade	✓
4	Condor Chimney *	😊	V. Diff	
5	Nosepicker *	😣	E1 5a	
6	Time to be Had **	😊	HV. Diff	
7	Toxic Socks	😊	HVS 5b	

N°	Name	P/B	Grade	✓
8	Tobacco Road *	😊	VS 4c	
9	Wheeze *	😣	HVS 4c	
10	Bruno Flake *	😊	VS 4b	
11	Navy Cut	😊	V. Diff	
12	False Chicane	😊	V. Diff	
13	Chicane	😊	S 4a	
14	Lung Cancer	😊	S 4a	

N°	Name	P/B	Grade	✓
1	Condor Slab **	😊	VS 4c	
2	A.M. Anaesthetic *	😣	HVS 4c	
3	Cracked Arête *	😊	S 4a	

Descent

Descent

San Melas E3 5c • The Roaches - Skyline
Charlie Jefferson (Page 336)

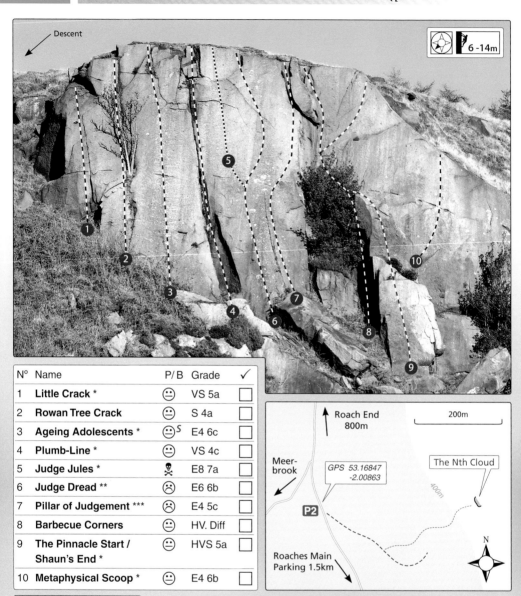

N°	Name	P/B	Grade	✓
1	**Little Crack** *	😐	VS 5a	☐
2	**Rowan Tree Crack**	😐	S 4a	☐
3	**Ageing Adolescents** *	😐 S	E4 6c	☐
4	**Plumb-Line** *	😐	VS 4c	☐
5	**Judge Jules** *	☠	E8 7a	☐
6	**Judge Dread** **	🙁	E6 6b	☐
7	**Pillar of Judgement** ***	🙁	E4 5c	☐
8	**Barbecue Corners**	😐	HV. Diff	☐
9	**The Pinnacle Start / Shaun's End** *	😐	HVS 5a	☐
10	**Metaphysical Scoop** *	😐	E4 6b	☐

Approach Info: Page 332

[Map]

Roach End
800m

200m

Meer-brook

GPS 53.16847
-2.00863

The Nth Cloud

P2

400m

Roaches Main
Parking 1.5km

N

The Fourth Cloud
(Page 343)

The Third Cloud
(Page 344)

The Second Cloud
(Page 345)

P1 12 min

The Five Clouds - Overview

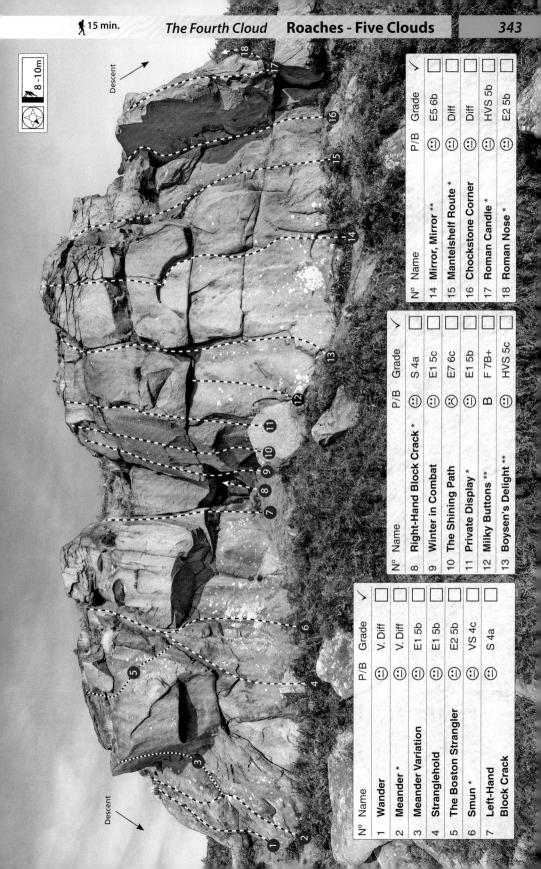

8-10m

Descent

Descent

N°	Name	P/B	Grade	✓
1	Wander	☺	V. Diff	☐
2	Meander *	☺	V. Diff	☐
3	Meander Variation	☺	E1 5b	☐
4	Stranglehold	☺	E1 5b	☐
5	The Boston Strangler	☺	E2 5b	☐
6	Smun *	☺	VS 4c	☐
7	Left-Hand Block Crack	☺	S 4a	☐

N°	Name	P/B	Grade	✓
8	Right-Hand Block Crack *	☺	S 4a	☐
9	Winter in Combat	☺	E1 5c	☐
10	The Shining Path	☹	E7 6c	☐
11	Private Display *	☺	E1 5b	☐
12	Milky Buttons **	B	F 7B+	☐
13	Boysen's Delight **	☺	HVS 5c	☐

N°	Name	P/B	Grade	✓
14	Mirror, Mirror **	☺	E5 6b	☐
15	Mantelshelf Route *	☺	Diff	☐
16	Chockstone Corner	☺	Diff	☐
17	Roman Candle *	☺	HVS 5b	☐
18	Roman Nose *	☺	E2 5b	☐

The Third Cloud

8 -14m

Descent

Fourth Cloud
(Page 343)
30m

Third Cloud - Right

Second Cloud
30m

N°	Name	P/B	Grade	✓
1	**Glass Back** *	😐	HV. Diff	☐
2	**Sands of Time** *	🙁S	E4 6a	☐
3	**Elastic Arm** *	😐	E1 5b	☐
4	**Persistence** *	B	F 6A	☐
5	**Who Needs ** Ready Brek?**	B	F 7C	☐
6	**Cloudbusting** **	😐S	E4 6b	☐
7	**Rubberneck** ***	😊	HVS 5a	☐
8	**Appaloosa Sunset** ***	🙁S	E3 5c	☐
9	**Eclipsed Peach** *	🙁	E4 6a	☐
10	**Laguna Sunrise** **	🙁	E6 6c	☐
11	**Bakewell Tart** *	😐	E2 5c	☐
12	**Crabbie's Crack Left-Hand** **	🙁	HVS 4c	☐
13	**Crabbie's Crack** ***	😊	HVS 5a	☐
14	**Flower Power Arête** **	😐	E2 5c	☐
15	**Icarus Allsorts** **	🙁	E4 6a	☐

Nº	Name	P/B	Grade	✓
16	**Jimmy Carter**	😊	S 3c	☐
17	**Stalin** *	😐	HV. Diff	☐
18	**Legends of** * **Lost Leaders**	🙁	E3 5c	☐
19	**Lenin**	😊	V. Diff	☐
20	**Yankee Jam** *	😐	HS 4c	☐
21	**Nadin's Secret Finger** **	B	F 7C	☐
22	**Finger of Fate** **	B	F 6A	☐
23	**The Outdoor** * **Pursuits Cooperative**	🙁	E1 5a	☐
24	**Communist Crack** **	😐	VS 5a	☐
25	**Marxist Undertones** *	😐	VS 5c	☐

Appaloosa Sunset E3 5c • The Roaches - Five Clouds
Charlie Jefferson (Page 344)

6 - 8m

< 10m >

Second Cloud - Right

16 17 18 19 20 21 22

Second Cloud - Left

23 24 25

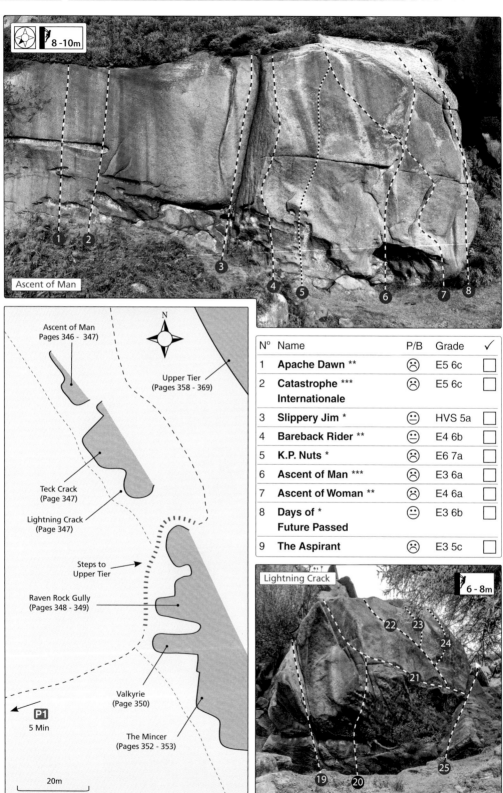

Ascent of Man

8 -10m

Nº	Name	P/B	Grade	✓
1	**Apache Dawn** **	☹	E5 6c	☐
2	**Catastrophe** *** **Internationale**	☹	E5 6c	☐
3	**Slippery Jim** *	😐	HVS 5a	☐
4	**Bareback Rider** **	🙂	E4 6b	☐
5	**K.P. Nuts** *	☹	E6 7a	☐
6	**Ascent of Man** ***	☹	E3 6a	☐
7	**Ascent of Woman** **	☹	E4 6a	☐
8	**Days of** * **Future Passed**	😐	E3 6b	☐
9	**The Aspirant**	☹	E3 5c	☐

Ascent of Man
Pages 346 - 347)

Upper Tier
(Pages 358 - 369)

Teck Crack
(Page 347)

Lightning Crack
(Page 347)

Steps to
Upper Tier

Raven Rock Gully
(Pages 348 - 349)

Valkyrie
(Page 350)

The Mincer
(Pages 352 - 353)

P1
5 Min

20m

Lightning Crack   6 - 8m

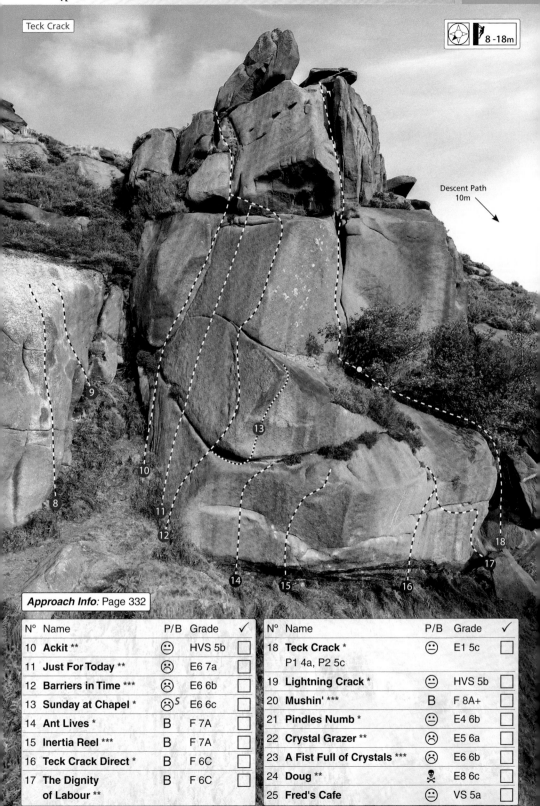

Teck Crack

 8 -18m

Descent Path
10m

Approach Info: Page 332

N°	Name	P/B	Grade	✓
10	**Ackit** **	😐	HVS 5b	☐
11	**Just For Today** **	🙁	E6 7a	☐
12	**Barriers in Time** ***	🙁	E6 6b	☐
13	**Sunday at Chapel** *	🙁 ˢ	E6 6c	☐
14	**Ant Lives** *	B	F 7A	☐
15	**Inertia Reel** ***	B	F 7A	☐
16	**Teck Crack Direct** *	B	F 6C	☐
17	**The Dignity** ** of Labour**	B	F 6C	☐

N°	Name	P/B	Grade	✓
18	**Teck Crack** * P1 4a, P2 5c	😐	E1 5c	☐
19	**Lightning Crack** *	😐	HVS 5b	☐
20	**Mushin'** ***	B	F 8A+	☐
21	**Pindles Numb** *	😐	E4 6b	☐
22	**Crystal Grazer** **	🙁	E5 6a	☐
23	**A Fist Full of Crystals** ***	🙁	E6 6b	☐
24	**Doug** **	☠	E8 6c	☐
25	**Fred's Cafe**	😐	VS 5a	☐

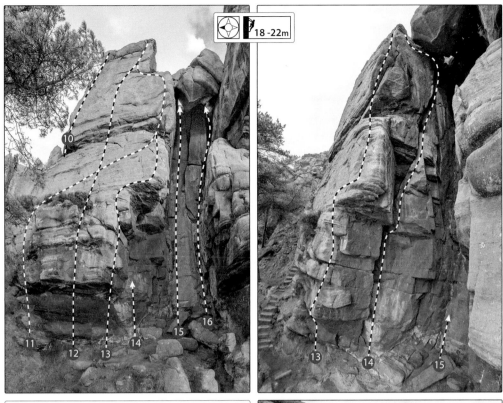

18 -22m

¹ See topo on Page 350 for lower section of *Via Dolorosa*

N°	Name	P/B	Grade	✓
1	**Yong Arête** *	☹	S 3c	☐
2	**Poisonous Python** *	😐	E1 5b	☐
3	**Yong** **	😊	HV. Diff	☐
4	**Something** * **Better Change**	☹	E2 5b	☐
5	**Wisecrack** *	😐	VS 4b	☐
6	**Hypothesis** **	😐	E1 5b	☐
7	**Destination Earth** **	☹	E7 6b	☐
8	**Cannonball Crack** *	😐	S 4b	☐
9	**Graffiti** *	😐	E1 5b	☐
10	**Dorothy's Dilemma** **	☹	E1 5a	☐
11	**Bengal Buttress** **	☹	HVS 4c	☐
12	**Schoolies** *	☹	E3 5c	☐
13	**Steps** *	😐	E5 6b	☐
14	**Crack of Gloom** **	😐	E2 5b	☐
15	**Raven Rock** **Gully Left-Hand** *	😐	VS 4b	☐
16	**Raven Rock Gully** **	😐	Diff	☐
17	**Sidewinder**	😐	E5 6a	☐
18	**Via Dolorosa** ¹ ***	😐	VS 4c	☐

10 -22m

Descent Path
20m

Pebbledash
(Page 352)

Via Dolorosa
(Page 349)

Climber: Andrew Gardner

Nº	Name	P/B	Grade	✓
1	**Valkyrie Direct** ** (1 > 3 > 1 > 3)	😐	HVS 5b	☐
2	**Matinee** **	😐	HVS 5b	☐
3	**Valkyrie** *** P1 4b, P2 4c	😐	VS 4c	☐
4	**Northern Comfort** **	😐	E6 6c	☐
5	**Licence to Run** **	😐	E4 6a	☐
6	**Licence to Lust** *	😐	E4 6a	☐
7	**Valkyrie Corner** *	😐	HS 4b	☐

Smear Test E3 6a • The Roaches - Lower Tier
Dom Proctor (Page 352)

14 -16m

Descent Path
25m

Valkyrie
(Page 350)

Valkyrie Corner
(Page 350)

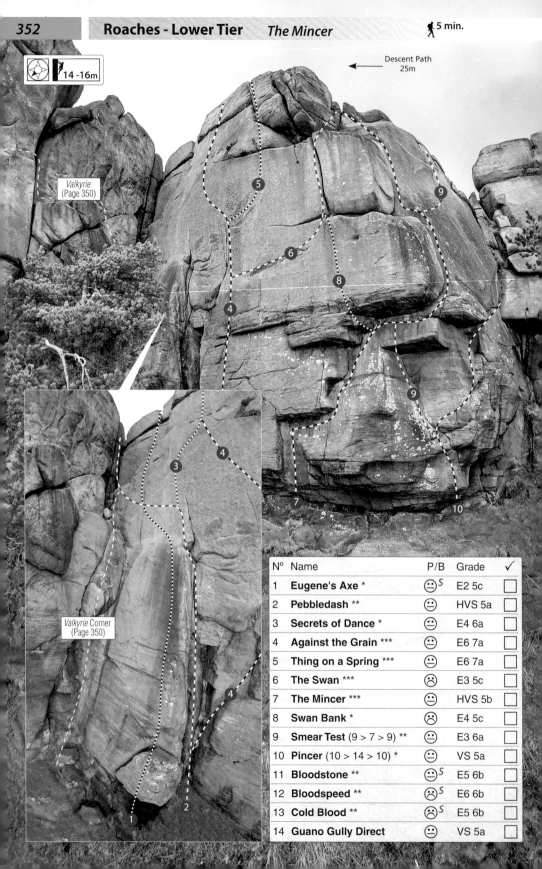

Nº	Name	P/B	Grade	✓
1	**Eugene's Axe** *	🙂 S	E2 5c	☐
2	**Pebbledash** **	🙂	HVS 5a	☐
3	**Secrets of Dance** *	😐	E4 6a	☐
4	**Against the Grain** ***	🙂	E6 7a	☐
5	**Thing on a Spring** ***	🙂	E6 7a	☐
6	**The Swan** ***	🙁	E3 5c	☐
7	**The Mincer** ***	🙂	HVS 5b	☐
8	**Swan Bank** *	🙁	E4 5c	☐
9	**Smear Test** (9 > 7 > 9) **	🙂	E3 6a	☐
10	**Pincer** (10 > 14 > 10) *	🙂	VS 5a	☐
11	**Bloodstone** **	🙂 S	E5 6b	☐
12	**Bloodspeed** **	🙁 S	E6 6b	☐
13	**Cold Blood** **	🙁 S	E5 6b	☐
14	**Guano Gully Direct**	🙂	VS 5a	☐

Upper Tier
(Pages 358 - 369)

Elegy Slab
(Page 354)

Kestrel Buttress
(Pages 354 - 355)

**Roaches Lower Tier
(Right) - Overview**

Valkyrie
(Page 350)

The Mincer
(Pages 352 - 353)

Rock Hall

The Prow
(Pages 356)

P1
2 Min

Approach Info: Page 332

12 -14m

Elegy Slab

10 -14m

Descent Path
25m

Descent
(Downclimb!)

Nº	Name	P/B	Grade	✓
1	**Guano Gully**	😐	VS 4c	☐
2	**Mousey's Mistake**	😐ˢ	E2 5b	☐
3	**A Little Peculiar** *	😐	E7 7b	☐
4	**Elegy** ***	🙁	E2 5c	☐
5	**Clive Coolhead...** **	🙁ˢ	E5 6b	☐
6	**The Bulger** *	😐	VS 4c	☐
7	**Fledgeling's Climb** *	🙁	S 4a	☐
8	**Battery Crack**	😐	VS 4b	☐
9	**Lucas Chimney** *	😐	S 4a	☐
10	**Hawkwing** ***	😐	E1 5b	☐
11	**Goldcrest** ***	🙁	E7 6c	☐
12	**Carrion** *	😐	E3 5c	☐

Nº	Name	P/B	Grade	✓
13	**Kestrel Crack** **	😐	VS 4b	☐
14	**Headless Horseman** *	🙁	E1 5b	☐
15	**Logical Progression** **	🙁	E7 6c	☐
16	**Sleepy Hollow** ***	☠	E10 7a	☐
17	**Flimney**	😐	S 4a	☐
18	**Death Knell** ***	🙁	E4 5c	☐
19	**Rhodren** *	😐	HVS 5b	☐
20	**Flake Chimney** *	😐	Diff	☐
21	**Straight Crack** *	😐	HS 4a	☐
22	**Punch** *	😐	E3 6b	☐
23	**Choka** *	🙁	E1 5c	☐

Kestrel Buttress - Left

Rock Hall

Kestrel Buttress - Right

10 -18m

Descent Path
20m

N°	Name	P/B	Grade	✓
1	**Circuit Breaker** *	😐	E3 6a	☐
2	**Hunky Dory** ***	😐	E3 6a	☐
3	**Prow Corner** *	😐	V. Diff	☐
4	**Corner Cracks** *	😐	HV. Diff	☐
5	**Chalkstorm** **	🙁	E4 5c	☐
6	**Prow Cracks** *	🙂	V. Diff	☐
7	**Prow Cracks Variations** *	😐	HV. Diff	☐
8	**Commander Energy** ***	😐	E2 5c	☐
9	**Sumo Cellulite** *	😐	E4 6a	☐
10	**Rocking Stone Gully**	😐	V. Diff	☐
11	**Captain Lethargy**	😐	HV. Diff	☐
12	**Sifta's Quid** *	😐	HS 4b	☐
13	**Obsession Fatale** ***	☠	E8 6b	☐
14	**Piece of Mind** ***	☠	E6 6b	☐
15	**Thin Air** ***	☠	E5 6a	☐
16	**Final Destination** *	☠	E8 6c	☐

🧭 ▮ 8-12m

Descent

N°	Name	P/B	Grade	✓
1	**Rooster** *	😊	HV. Diff	☐
2	**Chicken Run** *	🙁	S 4a	☐
3	**Fern Crack** **	😊	S 4b	☐
4	**Demon Wall** * P1 4b, P2 5a	🙁	VS 5a	☐
5	**Perverted Staircase**	😊	VS 5a	☐
6	**Simpkins' Overhang** *	🙁	E4 5c	☐
7	**Inverted Staircase** *** (Two Pitches)	😐	Diff	☐
8	**The Tower of** * **Bizarre Delights**	😊	E3 5c	☐
9	**Heather Slab** *	🙁	S 3c	☐

Roaches Upper Tier - Overview

Inverted Staircase
(Page 358)

Wombat
(Page 359)

Maud's Garden
(Page 360)

Damacus Crack
(Page 361)

Central Massif
(Page 361)

Approach Info: Page 332

10 min.

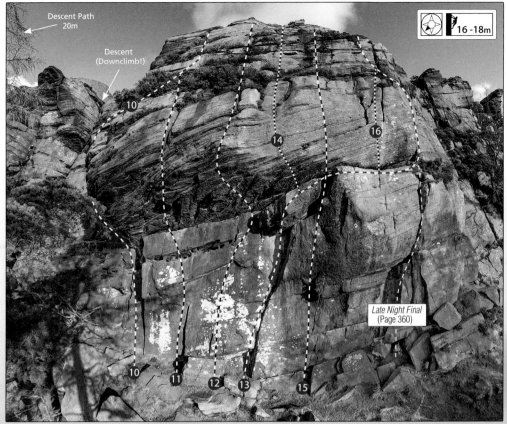

16 - 18m

Descent Path
20m

Descent
(Downclimb!)

Late Night Final
(Page 360)

N°	Name	P/B	Grade	✓
10	**Capitol Climb** *	🙂	HS 4a	☐
11	**Wombat** **	🙂	E2 5b	☐
12	**Live Bait**	🙁	E4 5c	☐

N°	Name	P/B	Grade	✓
13	**West's Wallaby** **	😐	VS 4c	☐
14	**Walleroo** **	😄	E2 5c	☐
15	**Between the Lines** *	😐	E4 6a	☐
16	**Wallaby Direct** *	😐	HVS 5a	☐

Crack and Corner
(Pages 366 - 367)

Blushing Buttress
(Page 368)

The Great Slab (Pages 362 - 365)

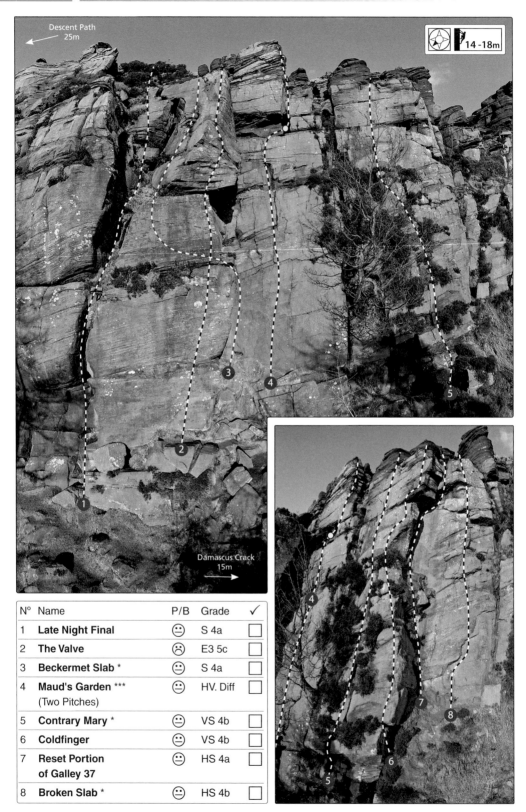

14 -18m

Descent Path
25m

Damascus Crack
15m

N°	Name	P/B	Grade	✓
1	**Late Night Final**	😐	S 4a	☐
2	**The Valve**	🙁	E3 5c	☐
3	**Beckermet Slab** *	😐	S 4a	☐
4	**Maud's Garden** *** (Two Pitches)	😐	HV. Diff	☐
5	**Contrary Mary** *	😐	VS 4b	☐
6	**Coldfinger**	😐	VS 4b	☐
7	**Reset Portion of Galley 37**	😐	HS 4a	☐
8	**Broken Slab** *	😐	HS 4b	☐

Damascus Crack

Central Massif

Nº	Name	P/B	Grade	✓
9	**Dawn Piper** *	😐	HVS 5b	☐
10	**Runner Route** *	🙁	HS 4b	☐
11	**Ging**	😐 S	E1 5c	☐
12	**Damascus Crack** ** (Together With Left-Hand Finish) P1 4b ☺, P2 4b ☺	😐	VS 4b	☐
13	**Third Degree Burn**	🙁	E2 5b	☐
14	**Libra** *	😐	HVS 4c	☐
15	**Central Massif**	🙁	Diff	☐
16	**Aqua** *	😐	VS 4b	☐
17	**Quickbrew** *	😐	E2 5c	☐
18	**Tealeaf Crack** *	😐	S 4a	☐

14 -24m

Descent
(Downclimb!)

N°	Name	P/B	Grade	✓
1	**Rotunda Buttress** *	😐	VS 4c	☐
2	**Rotunda Gully**	😐	Mod	☐
3	**Bachelor's Buttress** **	🙁	HVS 4c	☐
4	**Gypfast** *	😐	E4 5c	☐
5	**Saul's Crack** ***	😊	HVS 5a	☐
6	**Humdinger** *	😐	E1 5b	☐
7	**Jeffcoat's Chimney Variations** * P1 4a 🙁, P2 4c 😊	😐	HS 4c	☐
8	**Jeffcoat's Chimney** ** (Two Pitches)	😐	V. Diff	☐

N°	Name	P/B	Grade	✓
9	**Jeffcoat's Buttress Variation** *** (8 > 9 > 10) P1 4b, P2 3c	😐	HS 4b	☐
10	**Jeffcoat's Buttress** *** P1 5a, P2 3c	😐	HS 5a	☐
11	**Hanging Around** *	😐	HVS 5b	☐
12	**Ruby Tuesday** ** P1 5b, P2 4b, P3 5b	🙁	E2 5b	☐

Approach Info: Page 332

Ruby Tuesday
(Page 362)

Nº	Name	P/B	Grade	✓
1	**Black and Tans** * Variations (1 > 3 > 1)	😐	HVS 5a	☐
2	**Black Velvet** (3 > 2) ***	😐	S 4a	☐
3	**Black and Tans** *** P1 4a 😊, P2 4a ☹	😟	S 4a	☐
4	**Diamond Wednesday** *	😐	HVS 5a	☐
5	**Hollybush Crack** **	😐	VS 4b	☐
6	**Technical Slab** (6 > 5) **	😟	HS 4a	☐
7	**Gilted** *	😟	E5 6a	☐

Nº	Name	P/B	Grade	✓
8	**Painted Rumour** ***	😟	E6 6a	☐
9	**Pedestal Route Left-Hand** *	😐	S 4a	☐
10	**Pedestal Route** *** (10 > 5) (Two Pitches)	😐	HV. Diff	☐
11	**Loculus Lie** ** (12 > 11 > 8)	😟	E5 6a	☐
12	**The Sloth** ***	😐	HVS 5a	☐

20 - 24m

Descent Path
25m →

Skin and Wishbones
(Page 366)

N°	Name	P/B	Grade	✓
13	**New Fi'nial** (12 > 13) **	🙁	E6 6b	☐
14	**Central Route** **	🙁	VS 4b	☐
15	**99% of Gargoyles** *	🙁	E5 6b	☐
	Look like Bob Todd			
16	**Right Route** ***	🙂	V. Diff	☐
	(Two Pitches)			

N°	Name	P/B	Grade	✓
17	**Right Route Right** *	🙂	VS 4b	☐
18	**Kelly's Shelf** *	🙂	S 4b	☐
19	**Laughing all the** *	🙁	E4 6a	☐
	Way to the Blank			
20	**Kelly's Direct** *	🙂	E1 5b	☐

N°	Name	P/B	Grade	✓
1	**Skin and Wishbones** ***	☹	E8 7a	☐
2	**Paralogism** ***	☹	E7 6c	☐
3	**Antithesis** **	😐 S	E5 6c	☐
4	**Bed of Nails** *	☹	E3 5b	☐
5	**Easy Gully Wall** *	😐	S 4a	☐
6	**Jelly Roll** * P1 4b, P2 4a	😐	VS 4b	☐

🧭   📏 10 -20m

The Sloth (Page 364)

Right Route (Page 365)

Approach Info: Page 332

N°	Name	P/B	Grade	✓
7	**Magic Child**	😐	HVS 5a	☐
8	**Ped X-ing** *	😐	E3 5c	☐
9	**Roscoe's Wall** **	😐	HVS 5b	☐
10	**Round Table** **	😟	E1 5b	☐
11	**Crack and Corner** ***	😐	HS 4c	☐
	P1 4c, P2 (Walk), P3 4a			
12	**Babbacombe Lee** *	😐	E1 5b	☐
13	**Hangman's Crack** *	😟	S 4a	☐

12m

Descent Path
10m →

N°	Name	P/B	Grade	✓
12	Calcutta Crack **	😊	HS 4b	☐
13	Mistral *	😐	E2 6a	☐
14	Calcutta Buttress *	😊	VS 5b	☐
15	The Spectatorship Of the Proletariat *	😞	E5 6b	☐
16	Genetix	😐	E3 6a	☐
17	Calcutta Crab Dance **	😊	HS 4c	☐
18	Stop…Carry On!	😊	HVS 5a	☐

N°	Name	P/B	Grade	✓
5	Gully Wall	😊	VS 4b	☐
6	The Rib	😊	Diff	☐
7	Rib Direct	😊	HS 4b	☐
8	Grilled Fingers	😞	HVS 4c	☐
9	Rib Wall	😊	V. Diff	☐
10	Sparkle	😊	VS 4b	☐
11	Sign of the Times *	😊	E1 5c	☐

N°	Name	P/B	Grade	✓
1	Scarlet Wall *	😞	HS 4a	☐
2	War Wound *	😐	E1 6a	☐
3	Left-Hand Route **	😊	HS 4b	☐
4	Right-Hand Route **	😊	HS 4c	☐

Calcutta Buttress

Blushing Buttress

Descent

6 - 12m

Black and Tans (Pitch 2) S 4a
The Roaches - Upper Tier
Andrzej Malinowski
(Page 364)

Area 3
Castle Naze &
Windgather Rocks

Introduction: These two fine crags lie at the western borders of the Peak District, on a last gasp of rugged Derbyshire moorland before the hills give way to the gentler plains of Cheshire. Castle Naze offers some excellent crack and groove climbing (not to mention the occasional smooth slab) mostly in the Severe to HVS range, as well as a handful of more engaging challenges.

A few miles to the west, the steep, juggy walls of Windgather host a delightful selection of short but spectacular routes, mainly in the lower grades, though difficult-to-arrange protection on certain climbs means novice leaders need to choose carefully. Both crags are set in lofty hilltop positions, offering panoramic views across the surrounding landscape.

Conditions and Aspect: Both cliffs face due west and are fully exposed to the prevailing

weather, be it afternoon sunshine or storms blowing in from the Irish Sea. Their hilltop positions mean seepage is minimal and this, combined with their open aspects and lack of tree cover, allows the crags to dry very rapidly after periods of rain.

Approach - Castle Naze: There are two alternatives. Approaching from the north or west: from the B5470 Chapel-en-le-Frith to Whaley Bridge road, turn onto Combs Road approximately 1.5km west of Chapel. Follow this through the village of Combs, passing the Beehive Inn, then continue uphill on the now narrow lane (Ridge Lane leading into Cowlow Lane) with the crag in full view ahead. Where the lane levels out there are two small lay-bys with room for around six vehicles (P1). Do not park anywhere else as wide farm vehicles and machinery frequently use this lane. On foot, walk 40m

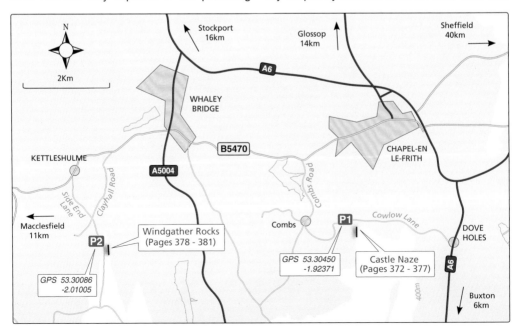

up the road to a stile on the right. Cross this and follow the obvious path steeply uphill to reach the far left-hand end of the crag (5 minutes).

Approaching from the south or east: in the village of Dove Holes turn onto Station Road and follow this, crossing the railway line, for approximately 500m before turning left onto Cowlow Lane. Continue along the now narrow lane for just over 2km to reach P1.

Approach - Windgather: The crag overlooks the village of Kettleshulme, which is situated on the B5470 Whaley Bridge to Macclesfield road. Approaching from Whaley Bridge, approximately 300m after passing a signpost marking the boundary of Cheshire, turn left onto Clayhall Road (signposts for Goyt Valley and Saltersford) and follow the narrow lane steeply uphill for about 2km to lay-bys directly below the crag (P2). Approaching via Macclesfield it is quicker to turn right onto Side End Lane (the first right turn on entering Kettleshulme) and follow this to its junction with Clayhall Road. From P2 cross the stile and follow the fenced-in 'alley' (a solution agreed between the land-owner and the Peak District National Park Authority to provide access with minimal disturbance to grazing livestock) to the base of the crag (2 minutes).

Note: although the majority of worth-while climbs at Castle Naze and Windgather Rocks are featured in our selection, we do not offer 100% coverage. Those wishing to avail themselves of further information should consult the BMC *The Roaches* guidebook (2009).

High Buttress Arête Diff
Windgather Rocks • Helen Jackson (Page 381)

6 -10m

N°	Name	P/B	Grade	✓		N°	Name	P/B	Grade	✓
1	**Pinnacle Crack**	😐	V. Diff	☐		6	**The Fifth Horseman** *	☹	HVS 5a	☐
2	**Pinnacle Arête** *	😐	V. Diff	☐		7	**Icebreaker**	☹	E2 5b	☐
3	**Sheltered Crack** *	🙂	V. Diff	☐		8	**V-Corner**	😐	S 4b	☐
4	**Slanting Crack** *	😐	S 4a	☐		9	**Thin Crack** *	🙂	VS 5a	☐
5	**Overhanging** * **Chockstone Crack**	😐	V. Diff	☐		10	**Muscle Crack** *	😐	V. Diff	☐
						11	**Bloody/Block Crack** * (Two Possible Starts)	😐	S 4a	☐

Descent

Descent
(Downclimb!)

P1
5 min

Main Crag - Left (Pages 372 - 373)

Main Crag - Right
(Page 374)

Approach Info: Page 370

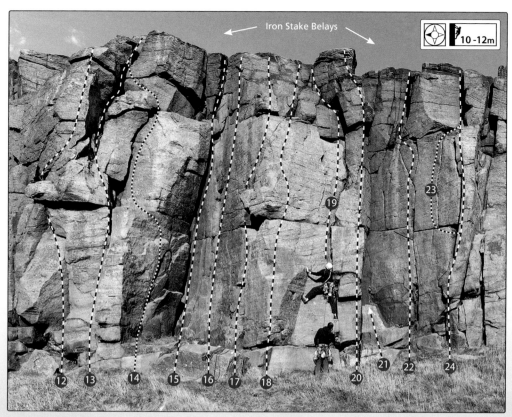

N°	Name	P/B	Grade	✓
12	**The Nose** *	😟	VS 4b	☐
13	**The Nithin** *	😊	S 4a	☐
14	**Flake Crack** *	😐	HS 4b	☐
15	**Main Corner**	😐	S 4a	☐
16	**The Flywalk** *	😐	S 4a	☐
17	**The Niche** **	😊	S 4a	☐

N°	Name	P/B	Grade	✓
18	**Niche Arête** **	😟	VS 5a	☐
19	**Studio** **	😐	HS 4b	☐
20	**Nursery Arête** *	😐	HVS 5b	☐
21	**A.P. Chimney** *	😐	HS 4a	☐
22	**Pod Crack** *	😊	E2 6a	☐
23	**Pitoned Crack**	😐	HVS 5b	☐
24	**Pilgrim's Progress** **	😐	HS 4b	☐

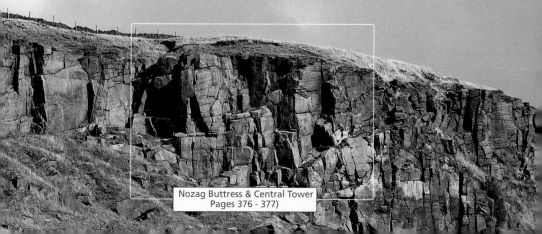

Nozag Buttress & Central Tower
Pages 376 - 377)

8 - 12m

Descent
(Downclimb!)

Iron Stake Belays

Pod Crack
(Page 373)

Nº	Name	P/B	Grade	✓
1	**Little Pillar** *	☺	VS 4b	☐
2	**Ledgeway** *	☺	HVS 5a	☐
3	**No Name**	☺	S 4b	☐
4	**Keep Buttress** *	☺	HVS 5a	☐

Nº	Name	P/B	Grade	✓
5	**Keep Corner** *	☺	S 4a	☐
6	**Keep Arête** **	☹	VS 4b	☐
7	**Scoop Direct** **	☺	HVS 5a	☐
8	**Scoop Face** ***	☹	HVS 5a	☐
9	**Scoop Face Direct** **	☺	E1 5b	☐

Nº	Name	P/B	Grade	✓
10	**Scoop Wall** *	☺	E1 5b	☐
11	**Footstool Left**	☺	S 4a	☐
12	**Piano Stool**	☺	HVS 5b	☐
13	**Footstool Right** *	☺	HV. Diff	☐
14	**Combs Climb** *	☺	S 4a	☐

Nozag VS 4c • Castle Naze
Clare Muir (Page 377)

Nº	Name	P/B	Grade	✓
1	**The Two-Step**	😐	V. Diff	☐
2	**Fat Man's Chimney**	😐	Mod	☐
3	**Come On Eileen**	😐	E2 5c	☐
4	**Plankton** *	☹	E4 6a	☐
5	**Assorted Pond Life**	😐	HVS 5a	☐

Nº	Name	P/B	Grade	✓
6	**Deep Crack**	😐	V. Diff	☐
7	**Deep Chimney**	😐	HV. Diff	☐
8	**Unbirthday Climb** *	😐	E1 5b	☐
9	**Birthday Climb** *	😐	HVS 5b	☐

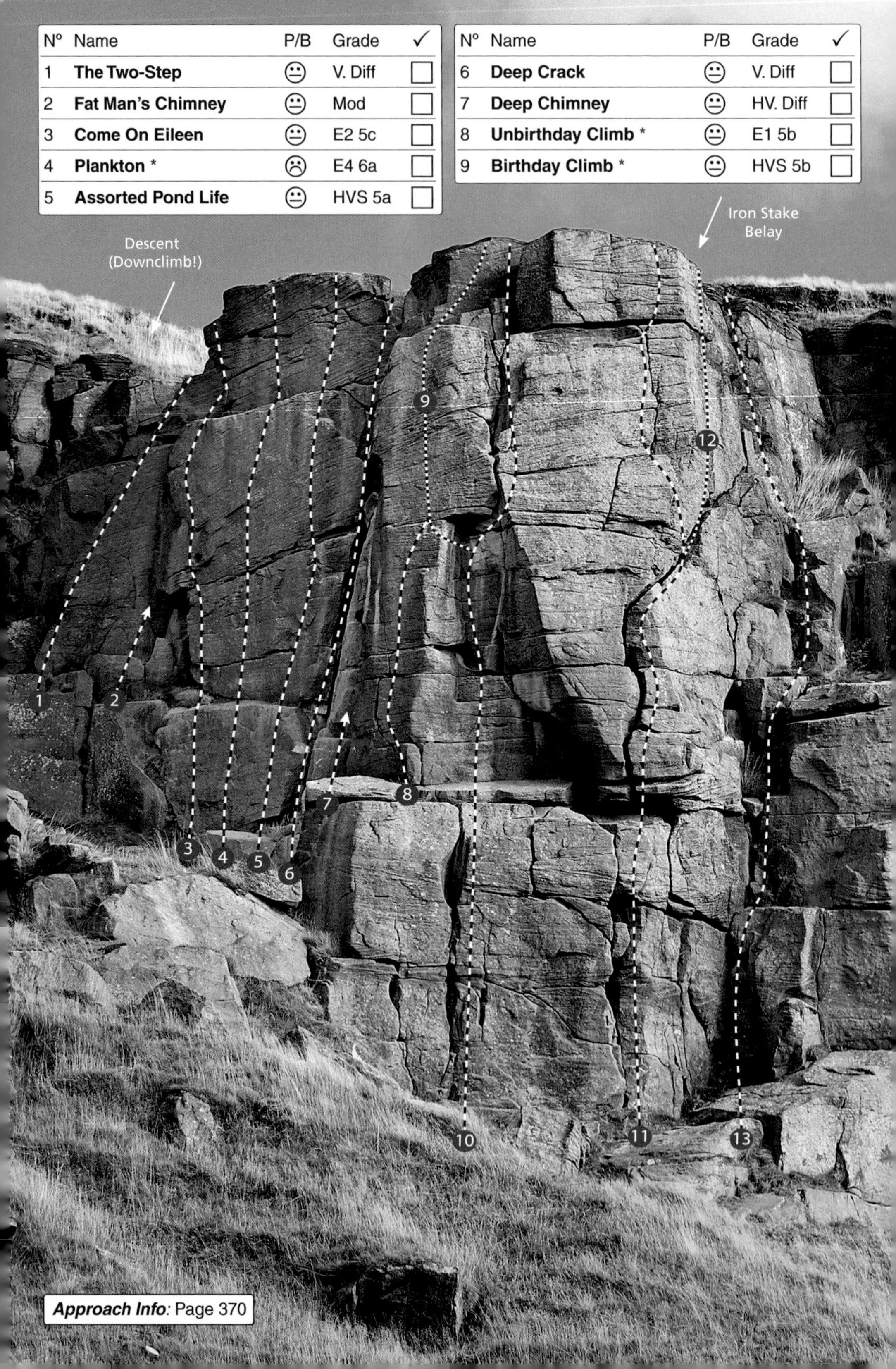
Descent
(Downclimb!)
Iron Stake
Belay
1
2
3
4
5
6
7
8
9
10
11
12
13

***Approach Info**: Page 370*

N°	Name	P/B	Grade	✓
10	**The Crack** ***	😊	VS 4b	☐
11	**Nozag** ***	😐	VS 4c	☐
12	**Zigzag Crack** **	😊	HS 4b	☐
13	**Zig-a-Zag-a** *	😐	V. Diff	☐
14	**Long Climb**	😐	V. Diff	☐

N°	Name	P/B	Grade	✓
15	**Central Tower** *	😐	V. Diff	☐
16	**Atropine** **	😐	VS 4b	☐
17	**Belladonna** **	😐	E1 5c	☐
18	**Primadonna** **	🙁	E4 6a	☐
19	**The Ugly Bloke** *	🙁	E3 6a	☐
20	**Green Crack** *	😐	S 4a	☐

Iron Stake
Belay

12 -16m

8-10m

Descent

North Buttress

N°	Name	P/B	Grade	✓
1	**The Rib**	😊	VS 5a	☐
2	**The Rib Right-Hand**	😊	S 4a	☐
3	**The Staircase ***	😊	Mod	☐
4	**Green Slab ***	😊	S 4b	☐
5	**Black Slab ***	😊	S 4a	☐

N°	Name	P/B	Grade	✓
6	**Green Crack ** **	😐	S 4a	☐
7	**North Buttress Arête ** **	😞	VS 4c	☐
8	**North Buttress *** **Arête Indirect**	😐	S 4a	☐
9	**Chimney and Crack ***	😐	HV. Diff	☐

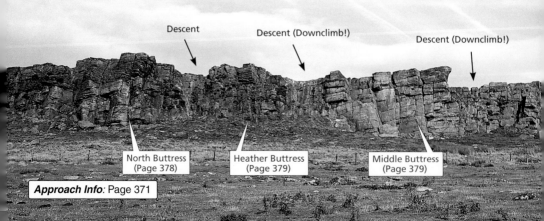

Descent

Descent (Downclimb!)

Descent (Downclimb!)

North Buttress
(Page 378)

Heather Buttress
(Page 379)

Middle Buttress
(Page 379)

Approach Info: Page 371

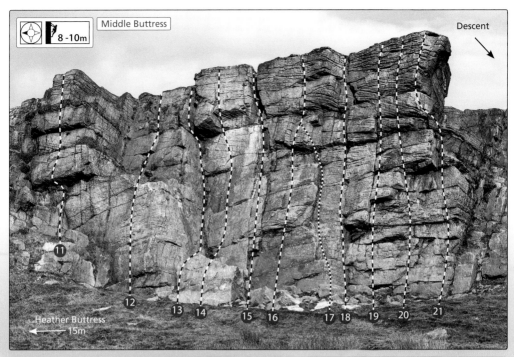

Middle Buttress

8-10m

Descent

11

12

Heather Buttress
← 15m

13 14   15 16   17 18 19 20   21

Heather Buttress

10

N°	Name	P/B	Grade	✓
10	**Heather Buttress** *	😐	V. Diff	☐
11	**Taller Overhang**	😐	VS 5a	☐
12	**Small Wall**	😕	S 4b	☐
13	**The Other Corner**	😐	Mod	☐
14	**Portfolio** *	😐	HVS 5b	☐
15	**Wall Climb** *	😕	HV. Diff	☐
16	**Centre Route** *	😖	S 4a	☐
17	**The Slant Start** *	😐	HV. Diff	☐
18	**Chockstone Chimney** *	😐	Diff	☐
19	**Mississippi Crack** **	😊	S 4a	☐
20	**The Medicine** *	😦	HS 4a	☐
21	**Middle Buttress Arête** *	😐	V. Diff	☐

Descent
(Downclimb!)

Descent (Downclimb!)

Descent

High Buttress
(Pages 380 - 381)

Buttress Two
(Pages 380 - 381)

Buttress One
(Page 381)

South Buttress
(Page 381)

Approach Info: Page 371

N°	Name	P/B	Grade	✓
1	**Bulging Arête**	🙂	S 4a	☐
2	**The Corner**	🙂	Diff	☐
3	**Toe Nail** *	🙁	V. Diff	☐
4	**Zigzag** *	🙁	Diff	☐
5	**Footprint** *	🙁	V. Diff	☐
6	**Nose Direct** **	🙂	HV. Diff	☐
7	**High Buttress** ** **Arête Direct**	🙂	HV. Diff	☐
8	**High Buttress Arête** **	🙂	Diff	☐
9	**Heather Face** *	🙂	HV. Diff	☐
10	**Rib and Slab**	🙂	Mod	☐
11	**Buttress Two Gully** *	🙂	Mod	☐
12	**Leg Stump** *	🙁	Diff	☐
13	**Middle and Leg** *	🙂	Diff	☐
14	**The Centre** *	🙁	HV. Diff	☐
15	**Squashed Finger** *	😊	HV. Diff	☐
16	**Struggle** *	😊	VS 4c	☐
17	**Corner Crack** *	😊	V. Diff	☐
18	**Aged Crack** *	🙂	S 4a	☐
19	**Traditional** *	🙂	HS 4a	☐
20	**Broken Groove** *	😊	Diff	☐
21	**Cheek**	🙂	VS 5a	☐
22	**Face Route 2**	🙂	Diff	☐
23	**Face Route 1** *	🙁	V. Diff	☐
24	**First's Arête** *	🙂	V. Diff	☐

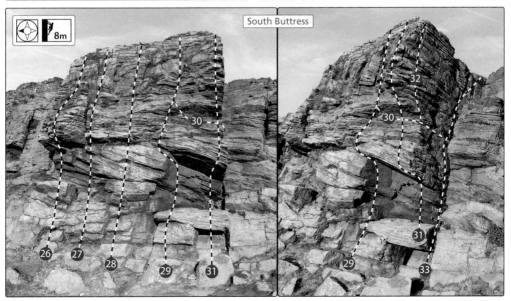

Buttress One

N°	Name	P/B	Grade	✓
25	**Side Face**	🙂	S 4a	☐
26	**Leg Up**	🙂	HVS 5a	☐
27	**Route 2** *	🙂	VS 4b	☐
28	**Route 1.5** *	🙁	HVS 4c	☐
29	**Editor's Note** *	🙂	VS 5a	☐
30	**Route 1** (33 > 30 > 29) *	🙂	HS 4a	☐
31	**Arête Direct** *	🙂	E1 5b	☐
32	**Route 1 Direct** *	🙂	HVS 5a	☐
33	**South Crack** *	🙂	Diff	☐

South Buttress

Area 4
Kinder Scout

Ivory Tower E1 5b • Upper Tor
Adam Brown & James Turnbull (Page 399)

Introduction: The high moorland plateau of Kinder Scout adds yet another dimension to Peak Gritstone climbing, its outcrops providing some memorable routes in magnificent, remote surroundings. The caveat is that, with minimum approach times of barely less than an hour, this is most definitely not 'convenience' climbing. Depending on your point of view, these lengthy, thigh-pumping walk-ins will either greatly appeal or put you off entirely, but ultimately they keep the hordes at bay and add to that 'big day out' feeling for those thus inclined.

Kinder climbing can roughly be split into three general areas: the Northern Edges, the Southern Edges and the Downfall Area. Each offers a different experience and outlook, and in each there are good routes and bad. Our brief selection features several of the major crags in each area and offers routes to suit a wide range of tastes and abilities.

Situated at an altitude of between 500m and 600m, the climbing season on most of these crags invariably revolves around the summer months, when the peat bogs are at their driest and the moors alive with the vibrant purple hues of blooming heather. Break out those walking boots!

Note: climbers wishing to fully explore Kinder's treasure trove of crags should consult the superb BMC *Over The Moors* guidebook (2012).

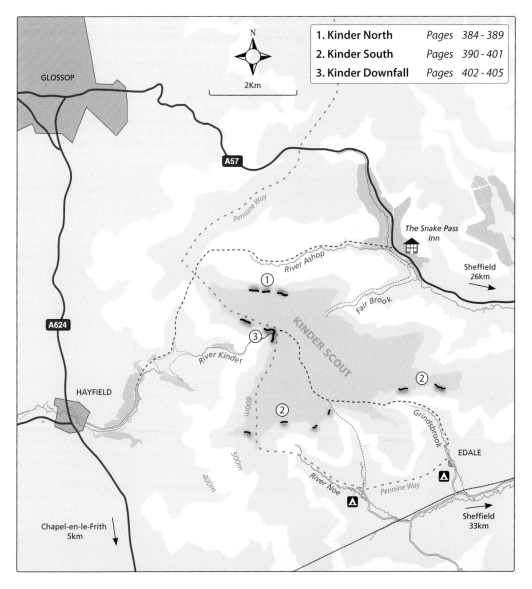

1. Kinder North	*Pages*	*384 - 389*
2. Kinder South	*Pages*	*390 - 401*
3. Kinder Downfall	*Pages*	*402 - 405*

Introduction: Kinder's northern escarpment is several kilometres in length. Through much of its range it is rather broken but in amongst the mediocrity lie several standout crags offering good rock, great routes and magnificent situations, easily enough to compensate for the lengthy approaches required to reach them.

Conditions and Aspect: As the name suggests, the orientation is predominantly north so don't expect much sunshine or warmth. In fact, bring a down jacket for belaying, even in July! In our selection of routes the rock is generally excellent and reasonably fast drying, though the deeper cracks may be a little damp and dirty after periods of rain. In other words, come in summer or don't come at all.

Approaches: Park in one of several lay-bys just below the Snake Pass Inn on the A57 (P1). Cross the road with care and then pass the fence using one of two wooden stiles (one is directly opposite the Snake Pass Inn car park, the other about 250m down the road — which you take will depend on which lay-by you park in). Follow paths down and left through pine trees to reach a wooden bridge crossing the River Ashop. On the far side of the bridge continue following the main path in a southerly direction for approximately 120m to where it abruptly swings to the right and proceeds up a prominent 'clough' (narrow valley) — Fair Brook. Follow the well-marked path all the way up the clough to where it reaches the plateau (about 50 minutes to here) then turn right and continue along the well-marked path, which traverses the rim of the plateau above the crags.

The first area described — *Brothers' Buttresses* lies about 10 minutes from where the Fair Brook path reaches the plateau (1 hour from P1). The *Mustard Walls* and *Twisted Smile* buttresses lie a further 10 minutes along the edge.

On first acquaintance with the Kinder North edges it is not particularly easy to identify these crags from the upper path. For this reason GPS coordinates for the main buttresses are shown on the topos and/or overview pictures.

Note: after climbing on these crags some people opt for a more direct and slightly quicker return to the road, descending the very steep trackless slope below the edge to reach the Ashop Clough path, which leads back to the A57, reaching it some 300m above the Snake Pass Inn.

Area Map on Page 383.

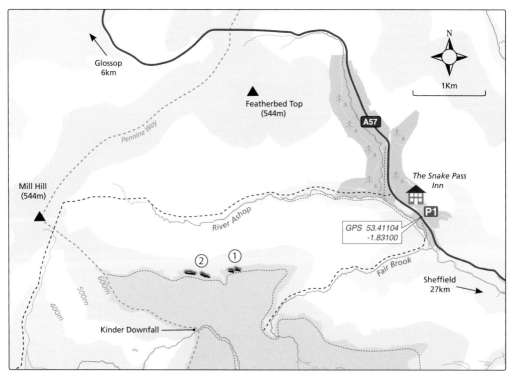

Jester Cracks HVS 5a
Kinder North • Dom Proctor (Page 389)

Big Brother Buttress

GPS 53.40474 -1.86569

14 - 18m

← Approach / Descent

Approach Info: Page 384

Little Brother Buttress 10m →

N°	Name	P/B	Grade	✓
1	**Sliding Chimney**	😐	S 4a	
2	**Legacy** ***	😐	HVS 5a	
3	**War and Peace** *	😐	E5 6b	
4	**Spacerunner** *	😐	E4 6a	
5	**Intestate** (2 > 5) ***	😐	E1 5b	
6	**Intestate Direct** * (7 > 6 > 5)	😐	E1 6a	
7	**Big Brother** ***	😐	E2 6a	
8	**Brothers' Eliminate** **	😐	HVS 5a	
9	**Kinsman** *	😐	E4 6b	
10	**Squatter's Rights** *	😐	E4 6b	
11	**Little Boy Blue** *	😐	E2 6a	
12	**Dirty Trick**	😐	VS 5a	
13	**A Round Tuit**	🙁	E2 5b	

N°	Name	P/B	Grade	✓
14	**Round Chimney**	😐	V. Diff	
15	**Razor Crack** **	😐	S 4a	
16	**The Les** ** Dawson Show	😐	E3 6a	
17	**Growth Centre** *	😐	E4 6b	
18	**Dunsinane** **	😐	VS 4c	
19	**The Savage Breast** *	😐	E1 5b	
20	**Not so Happy** * Larry's Gearbox	😐	E2 6a	
21	**Motherless Children** *	😐	E1 5c	
22	**Pot Belly** *	😐	E2 5c	
23	**Tum Tum**	😐	HVS 5b	

Little Brother Buttress

12 -14m

Ashop Clough • Kinder Scout

6 - 16m

Descent

Descent

1
2
3
4
5
5
6
7
7
8
9

12 - 16m

11
10

13
12
14

GPS 53.40449
- 1.87927

Descent

Descent
(Downclimb!)

GPS 53.40464
-1.88059

Routes 1 - 9

Routes 10 & 11

Routes 12 - 14

Routes 15 - 24

N°	Name	P/B	Grade	✓
1	**Banjo Crack**	😐	S 4a	☐
2	**Daddy Crack** *	😐	HVS 5a	☐
3	**Mummy Crack** *	😐	E1 5b	☐
4	**Totally Spastic** *	😐	E6 6c	☐

N°	Name	P/B	Grade	✓
5	**Wicked Uncle Ernie** *	🙁	E4 6a	☐
6	**Campus Chimney**	😐	V. Diff	☐
7	**I'm Pink Therefore I'm Ham** *	😐	E2 5c	☐
8	**Mustard Walls** **	😐	E2 5b	☐
9	**Wholegrain** *	😐	E1 5b	☐
10	**Wire Brush Slab** *	🙁	E2 5b	☐
11	**Tweeter and the Monkey Man** *	😐	E3 6a	☐
12	**Exodus** **	😐	VS 4c	☐
13	**Twice Bitten** *	😐	E6 6c	☐
14	**Highball That You Bastards** ***	☠	E7 6b	☐
15	**Jester Cracks** ***	😐	HVS 5a	☐
16	**Grit Liars In Our Midst** *	😐	E1 5b	☐
17	**Monkey Madness** **	🙁	E6 6c	☐
18	**Suspension**	😐	VS 4c	☐
19	**Gremlin Groove**	😐	HVS 5b	☐
20	**Candle in the Wind** **	😐	E2 5c	☐
21	**Twisted Smile** ***	😐	HVS 5a	☐
22	**Count Dracula** *	😐	E1 5b	☐
23	**Harlequin** **	😐	E3 6a	☐
24	**Woe is Me**	😐	S 4a	☐

10 -16m

Descent (Downclimb!)

Approach Info: Page 384

Introduction: This is Kinder's sunnier, friendlier side, where the rock is generally drier and cleaner than on other parts of the moor and climbing is not strictly limited to the mid-summer months. Some of the crags here are very fine indeed, offering routes as good as any in the region, but with the added bonus of magnificent views out across the Edale Valley.

Conditions and Aspect: Orientations vary between east, southeast and southwest, and the fact that some of the crags lie slightly below the edge of the upper plateau means that, even on windy days, conditions can be much more favourable than their elevated altitude would suggest. A fine early spring will see most of the crags described here in good condition, with the proviso that some of the cracks may still be a bit dirty.

Approach - Upper Edale Rocks, The Pagoda, Crowden Towers and *Crowden Clough Face:* View map on page 392. From the large pay and display car park at the entrance to Edale village (P4) continue driving west for approximately 1.2km then turn right (signpost for Upper Booth) onto a narrow road and follow this for another 600m to a large parking area on the left (P2). On foot, continue along the road for approximately 800m to reach Upper Booth Farm. For *Upper Edale Rocks, The Pagoda* and *Crowden Towers:* continue along the narrow road for 700m to Lee Farm, from where the Pennine Way footpath leads up past the famously steep Jacob's Ladder zigzags to reach the Kinder Plateau. At the first major junction of paths fork right onto the flagstone-paved track heading for Kinder Downfall. About 400m further on the path splits again at a huge cairn: keep left here, still heading towards the Downfall. *Upper Edale Rocks* is the smart little crag situated just to the left of the path, approximately 250m from the previous junction (50 min. from P2). For *The Pagoda* and *Crowden Towers,* fork right at the aforementioned huge cairn and continue eastwards along the main rim path. *The Pagoda* towers above the path approximately 1km from the cairn (60 min. from P2). *Crowden Towers* is reached by continuing along the main path for a further 250m then dropping down rightwards on vague trails meandering through the weird and wonderful boulder field known as The Wool Packs. The crag lies some 200m below the main path (70 min. from P2). *Note:* a slightly faster, though more tiring, approach to both *The Pagoda* and *Crowden Towers* is possible via the Crowden Clough footpath (see below).

For *Crowden Clough Face:* just after the entrance to Upper Booth Farm the road passes over a stream (Crowden Clough). Immediately after this a wooden gate gives access to a well-marked footpath, which is followed up the ever-steepening clough. In its upper reaches the path breaks out of the streambed and leads up and left, heading directly for the attractive buttresses of *Crowden Clough Face* (50 min).

Approach - Upper Tor and **Nether Tor***:* The ideal parking place is just outside the Old Nag's Head Inn (P3) in the heart of Edale village, but spaces here are very limited and rarely vacant. Otherwise use the large pay and display car park (currently £5 for a full day) situated some 750m back down the road (P4).

Continued on Page 392 ▷

Flash Wall VS 5a • Nether Tor
Pete O'Donovan (Page 400)

◁ *Continued from Page 390*
Walk up through the village then turn right onto the major Grindsbrook footpath. After 150m turn right again and follow a wide, grassy trail leading steeply uphill towards the Ringing Roger rocks. Shortly before reaching the plateau a smaller (though still well-marked) path cuts off leftwards: follow this into, and up, the line of a streambed (Golden Clough) to reach the main east-west rim path traversing the southern edge of the plateau. Follow this westwards for some 200m to reach a distinctive conical boulder featuring a large, natural thread. Immediately beyond this turn left and follow a vague trail downhill, passing a large perched boulder, and then rightwards (facing out) to the base of *Nether Tor* (50 min from P3, 60 min from P4). For *Upper Tor:* continue westwards along the rim path for approximately 1km before dropping down a vague trail to the base of the crag (60 min. from P3).

Note: *Upper Tor* can also be reached by following the Grindsbrook footpath all the way to the plateau then heading east along the southern rim path (60 min).

Area Map on Page 383.

Moorland restoration work (lime spreading)
Kinder Scout

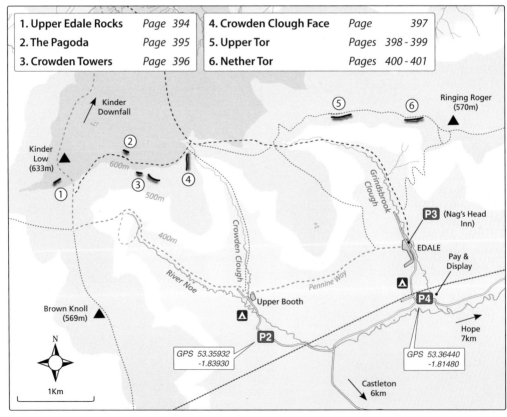

Kinder Downfall

Kinder Low (633m)

② 600m

③ 500m

① ④

Kinder Downfall

⑤ ⑥

Ringing Roger (570m)

Grindsbrook Clough

P3 (Nag's Head Inn)

EDALE

Pay & Display

Crowden Clough

Pennine Way

River Noe

Upper Booth

Brown Knoll (569m)

N

P2

GPS 53.35932 -1.83930

Hope 7km

P4

GPS 53.36440 -1.81480

Castleton 6km

1Km

Brutality E1 5b
Upper Tor • Dave Brown (Page 399)

N°	Name	P/B	Grade	✓
8	Winter's Block *	😐	E2 5b	☐
9	Hand of the Medici *	😐	E4 6a	☐
10	Creme Eggs *	😐	E5 6c	☐
11	Layback Crack	😐	S 4a	☐
12	Our Doorstep	😐	VS 4c	☐
13	Stigmata **	😐	E5 6b	☐
14	Trivial Pursuits (12 > 14) *	😐	VS 4c	☐
15	The Mentalist Cupboard ***	😐	E7 6c	☐
16	Help Meee! **	😐	E5 6a	☐

N°	Name	P/B	Grade	✓
1	Pencil Slim *	😐	VS 5a	☐
2	Avator *	😐	E1 5b	☐
3	Jacob's Bladder *	😐	E2 6a	☐
4	Traverse and Crack *	😐	V. Diff	☐
5	Well Suited **	😐	E3 6a	☐
6	Bending Crack *	😐	V. Diff	☐
7	The Great Big Bender	😐	S 4a	☐

20

19

18

17

N°	Name	P/B	Grade	✓
17	Morrison's Route *	🙂	S 4a	☐
18	Hartley's Route **	🙂	E2 5c	☐
19	Hereford's Route ***	🙂	HVS 5a	☐
20	Dewsbury's Route *	😐	E3 5c	☐

14 - 18m

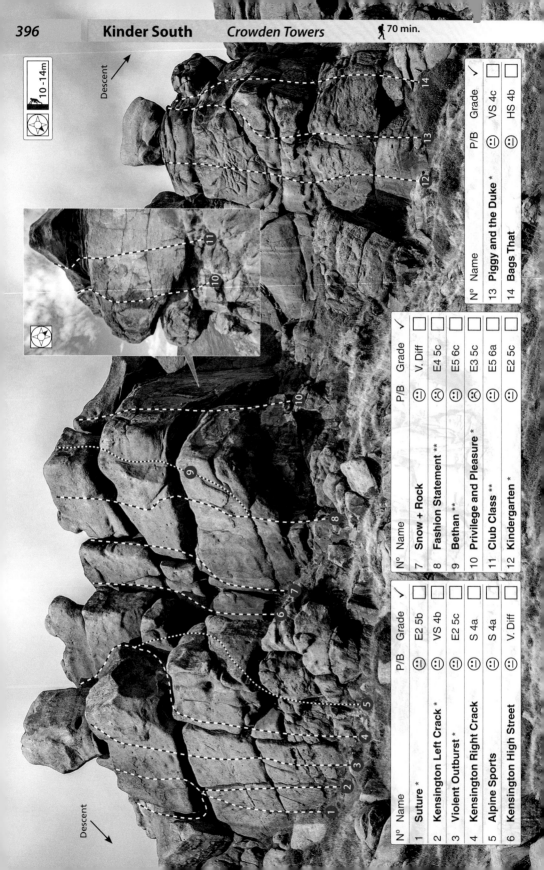

10 - 14m

Descent

Descent

N°	Name	P/B	Grade	✓
1	Suture *	😊	E2 5b	☐
2	Kensington Left Crack *	😊	VS 4b	☐
3	Violent Outburst *	😊	E2 5c	☐
4	Kensington Right Crack	😊	S 4a	☐
5	Alpine Sports	😊	S 4a	☐
6	Kensington High Street	😊	V. Diff	☐

N°	Name	P/B	Grade	✓
7	Snow + Rock	😊	V. Diff	☐
8	Fashion Statement **	😬	E4 5c	☐
9	Bethan **	😊	E5 6c	☐
10	Privilege and Pleasure *	😣	E3 5c	☐
11	Club Class **	😊	E6 6a	☐
12	Kindergarten *	😊	E2 5c	☐

N°	Name	P/B	Grade	✓
13	Piggy and the Duke *	😊	VS 4c	☐
14	Bags That	😊	HS 4b	☐

12-18m

Descent

N°	Name	P/B	Grade	✓
1	**Night Flight** *	😐	E4 6b	☐
2	**Olympus Explorer** *	😐	E2 5c	☐
3	**Indianapolis Slab** *	😐	VS 4c	☐
4	**Grassy Chimney**	😐	V. Diff	☐
5	**Sons of the Desert** **	🙁	E7 6b	☐
6	**Groove Rider** **	🙁	E7 6b	☐
7	**Arabia** ***	😐	E3 5c	☐
8	**Central Route** **	😐	VS 4c	☐
9	**Asparagus** **	😐	E1 5b	☐
10	**Andromeda** **	🙁	E4 6b	☐
11	**Middle Chimney** *	😐	V. Diff	☐
12	**Windy Miller** *	😐	E5 6a	☐
13	**Chimney and Slab Variation** *	😐	HV. Diff	☐

N°	Name	P/B	Grade	✓
1	**Diamond Arête** *	🙂	E3 5c	☐
2	**Chockstone Chimney** *	🙂	Diff	☐
3	**Plumbertime** **	🙂	E4 6b	☐
4	**Life on the** * **Hard Shoulder**	🙂	E2 5c	☐
5	**Upper Tor Wall** ***	🙂	HS 4b	☐
6	**Hiker's Chimney** *	🙂	HS 4b	☐
7	**Hitching a Ride**	🙂	E2 5c	☐
8	**The Mansion of** **Broken Hearts**	🙂	E1 5c	☐
9	**Hiker's Crack** *	🙂	S 4a	☐
10	**Hiker's Gully Left**	🙂	HV. Diff	☐
11	**Hiker's Gully Right**	🙂	S 4a	☐
12	**Hitch Hiker** *	🙂	VS 4b	☐
13	**Three Flakes of Man** **	🙂	E1 5c	☐
14	**Grunter** *	🙂	VS 4b	☐
15	**The Punter** *	🙂	E1 5b	☐

🧭 ⛏ 10 -22m

N°	Name	P/B	Grade	✓
16	**Snorter**	😐	VS 4c	☐
17	**Pinnacle Gully**	😐	Diff	☐
18	**Scalped Flat Top**	😐	E2 5c	☐
19	**Brain Drain**	😐	E1 5b	☐
20	**The Rock of Sir Walter**	😐	E1 5c	☐
21	**The Ivory Tower** ***	😐	E1 5b	☐
22	**Artillery Chimney** *	😐	HS 4b	☐
23	**Promontory Groove** *	😐	HV. Diff	☐
24	**Cave Rib** *	😐	E2 5b	☐
25	**Cave Gully**	😐	S 4a	☐
26	**Brutality** **	😐	E1 5b	☐
27	**Greenfingers**	😐	VS 4c	☐
28	**Robot** *	😐	E2 5c	☐
29	**Do the Rocksteady** *	😐	E7 6c	☐
30	**Robert** ***	😐	E2 5c	☐
31	**The Cheesemonger** *	🙁	E6 6b	☐
32	**Pedestal Wall** *	😐	S 4a	☐

Robert E2 5c • Upper Tor
James Turnbull (Page 399)

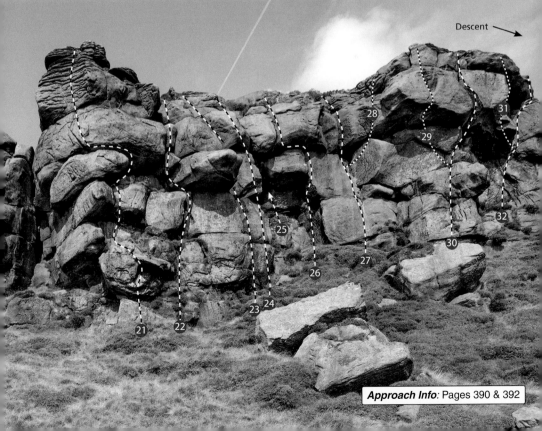

Descent ➜

Approach Info: Pages 390 & 392

N°	Name	P/B	Grade	✓
1	**Beautiful Losers** *	😐	E3 5c	☐
2	**Beautiful Losers Direct** **	😐	E4 6a	☐
3	**Fortune Favours** ** **The Brave**	😐	E4 6a	☐
4	**Moneylender's Crack** ***	😐	VS 5a	☐
5	**Mortgage Wall** *	😐	HVS 5b	☐
6	**Broken Chimney** *	😐	V. Diff	☐
7	**Edale Bobby** ***	🙁	E4 6a	☐
8	**Square Cut**	😐	HS 4b	☐

N°	Name	P/B	Grade	✓
9	**Crimson Wall** *	😐	E2 5c	☐
10	**Snooker Route** *	😐	VS 5a	☐
11	**Hot Flush Crack** *	😐	E1 6a	☐
12	**Flash Wall** ***	🙂	VS 5a	☐
13	**The Thieves' Kitchen** **	😐	E2 5c	☐
14	**Recoil Rib** **	🙁	E3 5c	☐
15	**The Crown**	😐	HVS 5b	☐
16	**Edale Flyer** *	😐	VS 4c	☐

14 -22m

14 -16m

Descent for
Routes 1 - 17

Routes 9 - 17

Approach Info: Pages 390 & 392

N°	Name	P/B	Grade	✓
17	**T' Big Surrey** **	😖	E5 6b	☐
18	**Free Wall** *	😐	VS 4c	☐
19	**Free Style** *	😄	E1 5b	☐
20	**Wee-Kinder Weekender** *	😄	E4 6b	☐
21	**Atmistpheric** *	😐	VS 4c	☐
22	**Quickstep** *	😄	HVS 5b	☐
23	**Three Step** *	☺	HS 4b	☐
24	**Rucksack** *	😐	HS 4b	☐

Routes 18 - 24

To Plateau →

Introduction: Perhaps the most spectacular physical feature on the moor, the Downfall area offers a dramatic and unique arena in which to climb Gritstone. It offers a selection of fine, atmospheric routes on rock, which although not quite as clean as that found on the southern fringes of the moor, is perfectly acceptable on our selected crags, at least in dry weather.

Conditions and Aspect: The Downfall waterfall is often frozen in winter, while for much of the spring and autumn its spray keeps the nearby rock routes out of condition. Even in summer, those wishing to climb on the west-facing *Downfall Crag* should wait for near drought-like conditions. Climbs on the east/southeast-facing *Amphitheatre*, set a little further away from the waterfall, are not quite so prone to dampness, but a few days of dry summer weather is nevertheless requisite before planning a visit.

Approaches: Although the Downfall crags can be approached from the south via the Pennine Way footpath (1¼ hour) and the north via Fair Brook and then the 'Short Crossing' (1¼ hour), the best way is probably from the west: from the village of Hayfield, 8km south of Glossop, take Kinder Road (the turnoff is just right of the Packhorse Inn) for approximately 1.4km to reach the Bowden Bridge pay and display car park (P5). On foot, follow the narrow road on the left bank of the stream for 800m to where it swings right and crosses the stream at a

bridge. Here, pass through a metal gate and continue along the 'Concession Bridleway' for 400m to reach a cobbled path leading up to Kinder Reservoir. Continue along the left-hand side of the reservoir to reach the far end. Just beyond this a signpost marks the start of William Clough. Ignore this, instead crossing the stream at a small wooden bridge to the foot of a well-marked path leading up the hillside. Follow this all the way up to reach the Pennine Way footpath on the western rim of the plateau then turn right on this and continue towards The Downfall. Walk rightwards until approximately 200m before reaching the Downfall itself (where the River Kinder meets the edge). Here a vague trail cuts off to the right and leads down to the foot of the *Amphitheatre* crags (1 hour 15 minutes from P5). The *Downfall Crag* is situated below and to the right. *Note 1:* the final descent-path to the *Amphitheatre* is the only walking way down from the rim hereabouts (all others involve down-climbing or scrambling) but it is not easy to find on first acquaintance. For this reason we have provided a GPS co-ordinate on the topo on page 404, marking the top of the path. *Note 2:* For reasons of optimising layout our usual practise of describing crags in left-to-right order has been reversed here: the *Downfall Crag* appears first (opposite) followed by the the *Amphitheatre* on pages 404 - 405.

Area Map on Page 384.

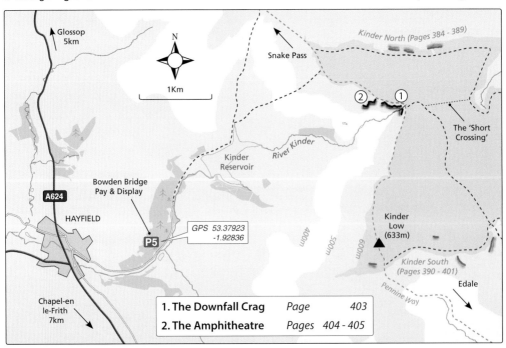

1. The Downfall Crag	*Page*	403
2. The Amphitheatre	*Pages*	404 - 405

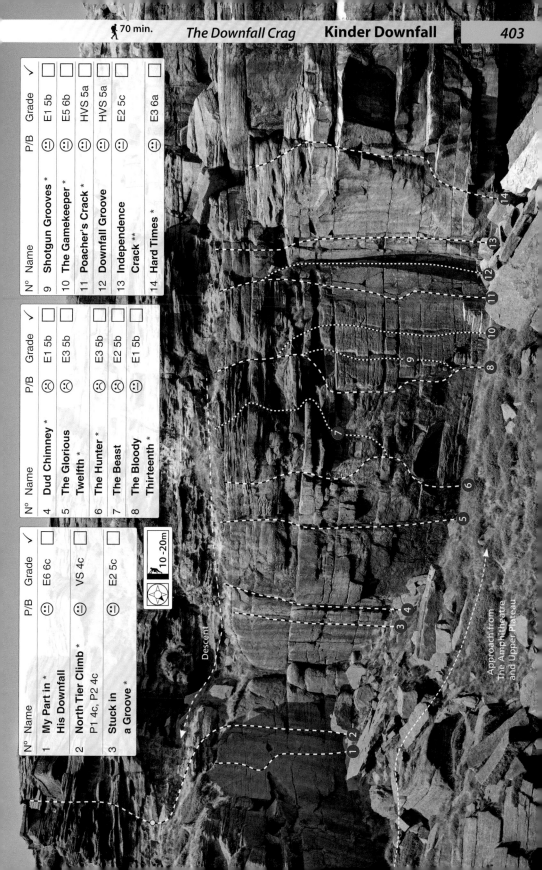

N°	Name	P/B	Grade	✓
9	Shotgun Grooves *	🙂	E1 5b	☐
10	The Gamekeeper *	🙂	E5 6b	☐
11	Poacher's Crack *	🙂	HVS 5a	☐
12	Downfall Groove	🙂	HVS 5a	☐
13	Independence Crack **	🙁	E2 5c	☐
14	Hard Times *	🙂	E3 6a	☐

N°	Name	P/B	Grade	✓
4	Dud Chimney *	🙂	E1 5b	☐
5	The Glorious Twelfth *	🙂	E3 5b	☐
6	The Hunter *	🙁	E3 5b	☐
7	The Beast	🙁	E2 5b	☐
8	The Bloody Thirteenth *	🙂	E1 5b	☐

N°	Name	P/B	Grade	✓
1	My Part in * His Downfall	🙂	E6 6c	☐
2	North Tier Climb * P1 4c, P2 4c	🙂	VS 4c	☐
3	Stuck in a Groove *	🙁	E2 5c	☐

10–20m

Descent

Approach from
The Amphitheatre
and Upper Plateau

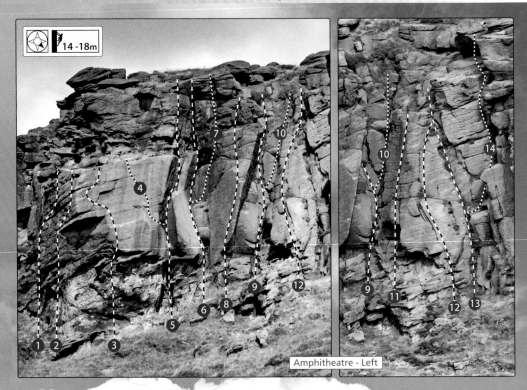

Amphitheatre - Left

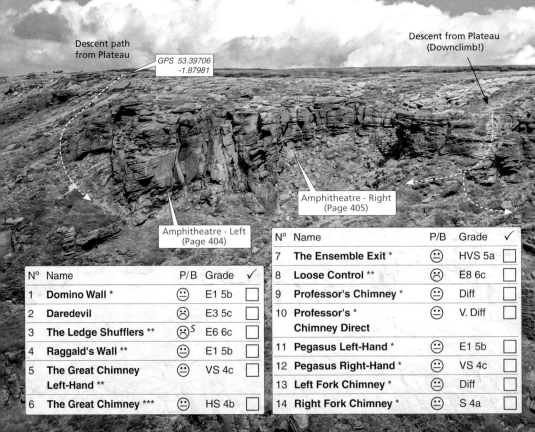

Descent path from Plateau

GPS 53.39706 -1.87981

Descent from Plateau (Downclimb!)

Amphitheatre - Right (Page 405)

Amphitheatre - Left (Page 404)

N°	Name	P/B	Grade	✓
1	Domino Wall *	🙂	E1 5b	☐
2	Daredevil	🙁	E3 5c	☐
3	The Ledge Shufflers **	🙁ˢ	E6 6c	☐
4	Raggald's Wall **	🙂	E1 5b	☐
5	The Great Chimney Left-Hand **	🙂	VS 4c	☐
6	The Great Chimney ***	🙂	HS 4b	☐

N°	Name	P/B	Grade	✓
7	The Ensemble Exit *	🙂	HVS 5a	☐
8	Loose Control **	🙁	E8 6c	☐
9	Professor's Chimney *	🙂	Diff	☐
10	Professor's Chimney Direct	🙂	V. Diff	☐
11	Pegasus Left-Hand *	🙂	E1 5b	☐
12	Pegasus Right-Hand *	🙂	VS 4c	☐
13	Left Fork Chimney *	🙂	Diff	☐
14	Right Fork Chimney *	🙂	S 4a	☐

Amphitheatre - Right

N°	Name	P/B	Grade	✓
17	**Zigzag Crack** *	😐	HV. Diff	☐
18	**Spin Up** *	😐	E2 5b	☐
19	**Toss Up** *	😐	HVS 5a	☐
20	**Chockstone Chimney** *	😐	V. Diff	☐
21	**The Last Fling** **	😐	E2 5b	☐
22	**Amphitheatre Crack** *	😐	S 4b	☐
23	**Amphitheatre** * **Face Climb**	☹	HS 4a	☐
24	**Five Ten**	😐	S 4a	☐

N°	Name	P/B	Grade	✓
15	**Rodeo** *	😐	VS 4c	☐
16	**Zigzag** ***	😐	V. Diff	☐

Downfall Crag
(Page 403)

Kinder Downfall

East Rib HVS 5a
Shining Clough • Tom Adams (Page 418)

Area 5
The Longdendale Valley

Introduction: Meaning the 'long wooded valley', Longdendale marks the border between north-west Derbyshire and Greater Manchester. Historically significant, its string of six reservoirs once helped power the great textile mills in nearby Tintwistle and Glossop, and now provide drinking water to millions of local homes. Its main thoroughfare, the A628 'Woodhead' road, is by far the busiest of the trans-Pennine 'A' routes linking Sheffield and Manchester, but once away from the valley-bottom the area has a quiet, lonely feel to it.

There are three standout crags in the valley: Laddow Rocks, Tintwistle Knarr and Shining Clough, each offering a distinctly different climbing experience, but together comprising an area of exceptional interest and beauty.

Note: Our selection of routes on these cliffs is just that — a selection. For full information about all the routes on these and other crags in the area consult the BMC *Over The Moors* guidebook (2012).

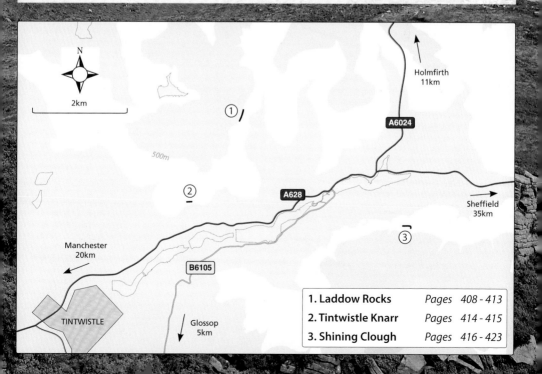

1. Laddow Rocks	*Pages*	*408 - 413*
2. Tintwistle Knarr	*Pages*	*414 - 415*
3. Shining Clough	*Pages*	*416 - 423*

Tower Face VS 5a • Laddow Rocks
Jez Martin & Helen Jackson
(Page 413)

Introduction: Laddow Rocks is a long, rambling crag in a high moorland setting, much loved and frequented by the leading Gritstone pioneers of the early 20th century. For those seeking mid-grade classics with a remote, mountain-like feel to them, we strongly urge you to follow in their footsteps.

Conditions and Aspect: Situated at an altitude of almost 500m this is not a crag for uncertain weather. On fine days, however, its east/south-easterly orientation ensures plenty of early sunshine and this, combined with very little run-off from the moorland above, means most of the better routes dry out rapidly in the summer months.

Approach: Park in the large, free car park at Crowden on the A628, approximately 5km east of the village of Tintwistle. Walk up past the Camping and Caravan Site and continue on to the Crowden Outdoor Education Centre (the former Youth Hostel). Just beyond the parking area for this building a narrow but well-marked path begins (no signpost). Follow this for approximately 350m to a junction with a larger path — the Pennine Way. Follow this rightwards, gradually steepening, until it eventually reaches the plateau of Saddleworth Moor and traverses above the crag (which has been visible in profile from some distance). For the first two buttresses *(Southern Arête* and *Easter Ridge)* drop down a steep, grassy slope on the left (looking in) of the crag. All other routes are best approached by continuing along the upper path until just beyond the far right-hand side of the crag then descending a well-marked path to the base of *Tower Face* (45 - 50 minutes from P). A narrow trail runs back leftwards below the crag as far as *Gallic Buttress*.

Area Map on Page 407.

N°	Name	P/B	Grade	✓
1	**Southern Arête** **	🙂	V. Diff	☐
2	**Easter Ridge** **	🙂	E2 5b	☐
3	**Easter Bunny** *	🙁	E2 5b	☐
4	**Gallic Breath** *	🙁	E2 5c	☐
5	**Route 4**	🙂	S 4a	☐
6	**2nd Holiday**	🙂	Mod	☐
7	**Route 3**	🙂	V. Diff	☐
8	**Tuppence Ha'penny** *	🙂	V. Diff	☐
9	**Route 2**	🙂	HV. Diff	☐
10	**1st Holiday**	🙂	V. Diff	☐
11	**Route 1** *	🙂	V. Diff	☐
12	**Route Minus 1**	🙂	HVS 5b	☐

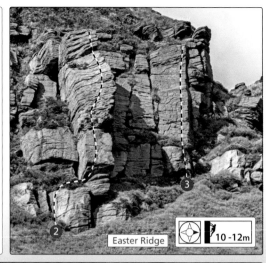

Easter Ridge   10 -12m

12m

Southern Arête

10 -12m

Route 1 Buttress

P
50 min

Approach / Descent

Southern Arête
(Page 410)

Easter Ridge
(Page 410)

Route 1 Buttress
(Page 410)

Staircase
(Page 411)

N°	Name	P/B	Grade	✓
13	**A Chimney**	😐	Diff	☐
14	**A Crack**	😐	S 4a	☐
15	**Couch Potatoes**	😐	HVS 5b	☐
16	**Omicron Buttress** *	😐	HV. Diff	☐

N°	Name	P/B	Grade	✓
17	**Staircase** **	😐	Mod	☐
18	**Pillar Ridge** **	😐	HS 4b	☐

GPS 53.51099
-1.91543

Approach / Descent

Tower Face
Page 415)

Long Climb
(Page 414)

Priscilla Ridge
(Page 413)

V Arête
(Page 413)

Approach Info: Page 410

Long Climb (Pitch 2) S 4a
Laddow Rocks • Helen Jackson & Jez Martin (Page 414)

N°	Name	P/B	Grade	✓
1	**V Arête** *	🙂	HS 4c	☐
2	**Siren's Rock** *	😐	S 4a	☐
3	**Priscilla Ridge** ***	☹️	HVS 5a	☐
4	**Priscilla** *	😐	HVS 5a	☐

18 -20m

← V Arête 30m

18 -30m

N°	Name	P/B	Grade	✓
1	**Long Climb** *** P1 4a, P2 4a	😐	S 4a	☐
2	**Leaf Buttress** (1 > 2) ** P1 4a 😊, P2 4c 😐	😐	VS 4c	☐
3	**Leaf Crack** (1 > 3) P1 4a, P2 4b *	😐	HS 4b	☐
4	**Little Crowberry** **	😐	S 4a	☐
5	**Long Chimney Ridge** *	😐	HV. Diff	☐

Approach Info: Page 410

N°	Name	P/B	Grade	✓
6	**Tower Face** ***	🙂	VS 5a	☐
7	**Modern Times** *	😐	E3 5c	☐
8	**Tower Arête** **	🙂	HVS 5a	☐
9	**North Climb** *	🙂	V. Diff	☐
10	**The Pongo Finish** **	😐	V. Diff	☐
11	**North Wall** **	🙂	HS 4b	☐
12	**Cave Arête** (12 > 14) ** P1 4b, P2 4b	🙂	VS 4b	☐
13	**Cave Arête Indirect** ** P1 5b, P2 5a	😐	E1 5b	☐
14	**Cave Crack** ** P1 5a, P2 4b	🙂	HVS 5a	☐

16 - 18m

Introduction: This fine former-quarry offers excellent crack and groove climbing, together with a smattering of delicate faces and arêtes, mostly in the higher grades. In recent years the crag would seem to have suffered a gradual decline in popularity, but fashions come and go and Tintwistle certainly warrants its place in this selection of Peak Gritstone venues.

Note: only the main bay of the quarry is described here. Details of the routes in the left and right bays can be found in the BMC *Over The Moors* guidebook (2012).

Conditions and Aspect: South-facing and sheltered, Tintwistle is the only one of our Longdendale crag selection where out-of-summer visits make sense. That said, after wet weather many of the routes, and especially the crack-lines, can suffer from seepage, and may require several dry days to fully come back into condition. As witnessed by our topo photographs, from April to September the combination of sunshine and water provides excellent growing conditions for the cliff's plant life. Don't let this deter you from visiting this excellent crag as the better routes are little affected.

Approach: Park in a gated clearing on the A628 Woodhead Road, just west of a conifer plantation and approximately 2km east of Tintwistle village. Space is limited to just 4 - 5 vehicles and there are no viable alternatives. On foot, follow the old quarry track winding up the hillside and through the forest to where it passes within 30m of the quarry (20 minutes).

Area Map on Page 407.

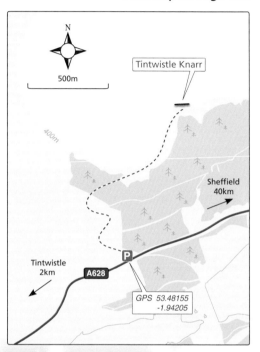

Routes 1 - 10

Routes 11 - 14

N°	Name	P/B	Grade	✓
1	**Levi** *	😣	E1 5b	☐
2	**Leprechaun**	😐	VS 4c	☐
3	**Scimitar** **	😐	HVS 5b	☐
4	**Poteen** **	😐	E1 5b	☐
5	**Sinn Fein** **	😦	E3 5c	☐
6	**The Old Triangle** *	😐	HVS 5a	☐
7	**Nil Carborundum Illigitimum** **	😣	E4 6a	☐
8	**The Arête** ***	😐	E2 5c	☐
9	**The Little Spillikin** *	😐	E3 6a	☐
10	**O'Grady's Incurable Itch** *	☠ S	E8 6c	☐
11	**Kershaw's Krackers** *	😐	E1 5c	☐
12	**Stiff Little Fingers**	😐 S	E1 5b	☐
13	**Nosey Parker** **	😐	E4 6a	☐
14	**Black Michael**	😐	HVS 5a	☐

15-20m

Note: several climbs are situated between routes 12 &13 but recent rockfalls have rendered these unsafe.

Introduction: Longdendale's best crag (by a considerable margin) Shining Clough is actually one the best summer Gritstone venues in the whole region. Its monolithic buttresses host some belting routes, amongst which lie several of the finest VS/HVS climbs in the Peak.

Note: only selected routes on the upper tier of Shining Clough's two levels are described here. For full details of all its routes consult the BMC *Over The Moors* guidebook (2012).

Conditions and Aspect: Predominantly north-facing and set at an altitude of some 450m, Shining Clough is best enjoyed on fine days between May and September. As with most high-lying, north-facing Gritstone crags, expect a certain degree of lichen and a little dirt in cracks and chimneys, especially early in the season.

Approach: From the A628 turn onto the B6105 road to Glossop and follow this for 350m before turning left into a small car park near the southwest corner of Woodhead Reservoir. On foot, pass through a double-width wooden gate then follow a single-lane road leftwards for approximately 1.2km to reach a gated cattle grid bearing a 'Private No-Access' signpost. Turn right here and take a grassy path up to the top left-hand corner of the field, where a rickety stile enables one to cross the wire fence. Continue up and leftwards along the now narrow path, crossing a small stream and a second stile (also decrepit) to enter the narrow ravine, which gives the crag its name. Approximately 50m beyond a rusty metal gate on the right bank of the brook, the path crosses over to the left bank, and another 50m further on, close to the largest of several fine oak trees, commences to climb steeply up and leftwards out of the ravine and then continues diagonally left across the hillside to the base of the crag. The path out of the ravine is very vague to begin with (follow the oaks!) but becomes much better defined as it nears the crag (40 minutes).

Area Map on Page 407.

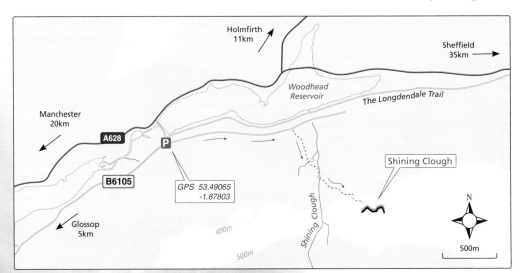

East Buttress
(Pages 420 - 421)

Bloodrush (Page 423)

Pisa Buttress
(Page 424)

Big Wall
(Page 424)

The Pinnacle
(Page 425)

Galileo E1 5b • Shining Clough
Tom Adams (Page 424)

N°	Name	P/B	Grade	✓
1	**Orang Arête** *	😐	VS 4b	☐
2	**Grape Escape** *	😐	E2 5c	☐
3	**Monkey Puzzle** *	😐	VS 4c	☐
4	**East Rib** ***	😐	HVS 5a	☐
5	**East Rib Direct** *	😞	E4 6a	☐
6	**Atherton Brothers** **	😐	S 4a	☐
7	**Flaming Eliminate** *	😐	HVS 5a	☐
8	**Phoenix Climb** ***	😐	VS 4c	☐

N°	Name	P/B	Grade	✓
9	**Via Principia** ***	😐	S 4a	☐
10	**Subsidiary Chimney**	😐	S 4a	☐
11	**Ave** *	😐	VS 4c	☐
12	**Powerplay**	😐	E2 6a	☐
13	**Little Red Pig**	😐	HVS 5b	☐
14	**Vanishing Groove**	😐	S 4a	☐

8 - 25m

Pisa Super Direct HVS 5a • Shining Clough
Tom Adams (Page 424)

N°	Name	P/B	Grade	✓
1	Satyr *	☹	E4 5c	☐
2	Bloodrush ***	☹ S	E6 6b	☐
3	Saucius Digitalis ***	🙂	E4 6b	☐
4	Nagger's Delight *	🙂	HVS 5a	☐
5	Naaden **	😐	E1 5b	☐
6	Yerth *	🙂	E2 5c	☐
7	Cistern Groove	🙂	V. Diff	☐

Route No. 1
5m

N°	Name	P/B	Grade	✓
1	**Galileo** ***	😊	E1 5b	☐
2	**Pisa Direct** **	😐	HVS 5a	☐
3	**Pisa Super Direct** *** (3 > 2 > 3)	😊	HVS 5a	☐
4	**Stable Cracks** **	😐	VS 4b	☐
5	**The Big Wall** **	😊	E3 6a	☐
6	**Cover me in Chocolate and Feed Me to the Lesbians** **	😐	E6 6c	☐
7	**Big Bad Wall** *	😐	E4 6a	☐

14 -22m

N°	Name	P/B	Grade	✓
8	**Holme Moss** *	😊	E1 5b	☐
9	**Gremlin Groove** **	😊	VS 4c	☐
10	**Gremlin Wall** *	😊	VS 5a	☐
11	**Artifact** *	😊	VS 4c	☐

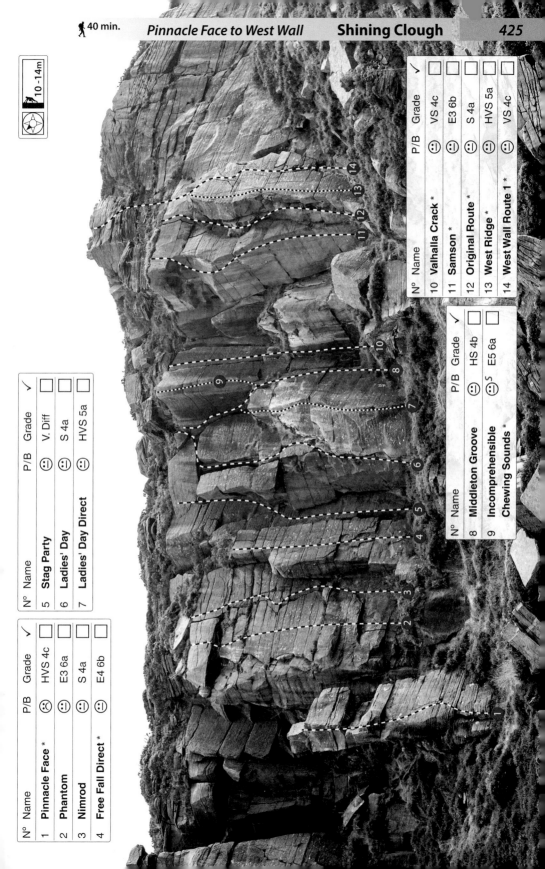

🧭 🚠 10 - 14m

N°	Name	P/B	Grade	✓
5	**Stag Party**	😀	V. Diff	☐
6	**Ladies' Day**	😀	S 4a	☐
7	**Ladies' Day Direct**	😀	HVS 5a	☐

N°	Name	P/B	Grade	✓
1	**Pinnacle Face** *	😵	HVS 4c	☐
2	**Phantom**	😀	E3 6a	☐
3	**Nimrod**	😀	S 4a	☐
4	**Free Fall Direct** *	😀	E4 6b	☐

N°	Name	P/B	Grade	✓
10	**Valhalla Crack** *	😀	VS 4c	☐
11	**Samson** *	😀	E3 6b	☐
12	**Original Route** *	😀	S 4a	☐
13	**West Ridge**	😀	HVS 5a	☐
14	**West Wall Route 1** *	😀	VS 4c	☐

N°	Name	P/B	Grade	✓
8	**Middleton Groove**	😀	HS 4b	☐
9	**Incomprehensible Chewing Sounds** *	😀ˢ	E5 6a	☐

Introduction: The Chew Valley links West Yorkshire with Greater Manchester and is the most northerly of the Peak District climbing areas featured in this guidebook.

Although hosting several exceptional crags, for some reason 'The Chew' has never attained the popularity of the Eastern Edges or Staffordshire Grit, which, given the quality of the climbing, is frankly rather baffling. One can only assume that the masses are either ignorant of its considerable attractions or else put off by the rather stiff walk-ins to many of the crags. Those who do venture here will encounter some cracking routes in wonderfully atmospheric surroundings.

The landscape hereabouts is tremendously impressive, many of the cliffs overlooking deep valleys whose heather-clad hillsides reach a steepness rarely found outside Britain's mountain areas. This was tragically illustrated in the severe winter of 1963 when several well-known local climbers perished in an avalanche.

Note: only the most notable crags in the valley make our selection and climbers wishing to acquaint themselves with the full range of Chew climbing should consult the BMC *Over The Moors* guidebook (2012).

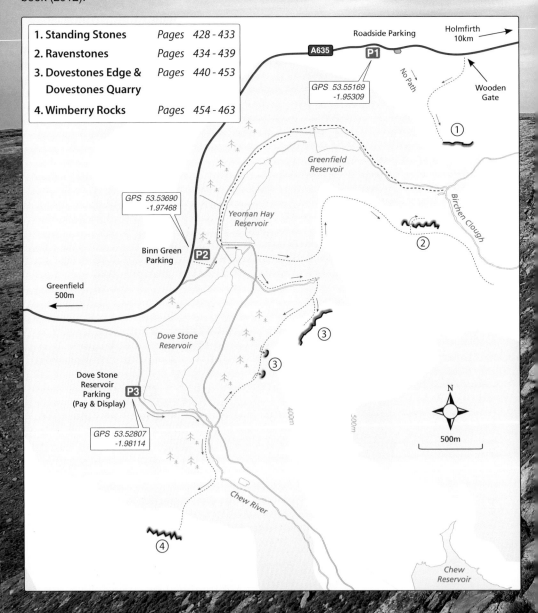

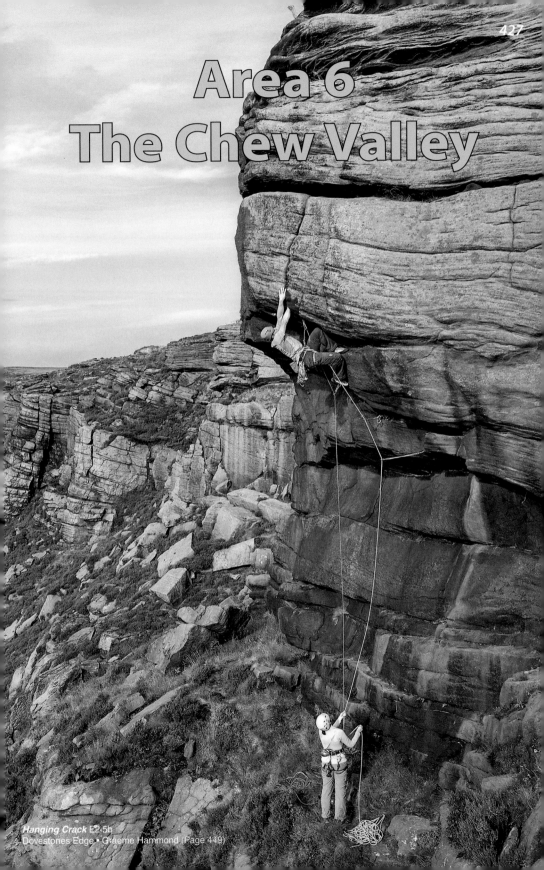

Area 6
The Chew Valley

Hanging Crack E2 5b
Dovestones Edge • Graeme Hammond (Page 449)

Introduction: A fine, sunny, friendly-feeling crag, somewhat unusual for the Chew. Its square-cut, angular features are reminiscent of some of the former quarries appearing in this book, but the terrain immediately below the crag — a chaos of hillocks and depressions together with thousands of tons of gritstone blocks — reveal the true nature of Standing Stones' formation: landslip.

Fortunately, the rock still standing is, by and large, excellent, providing some really enjoyable climbing, especially in the VS to E1 range. However, the grassy, blocky topouts on many routes require care and provide few solid belay points. Either move well back from the edge or pre-place a fixed rope. There is (at the time of writing) a metal stake in place above the centre of the main cliff, about 15m back from the edge.

Conditions and Aspect: South-facing and sheltered from cold northerly winds, Standing Stones is about as close to a three-season destination as it gets in the Chew. That said, the grass on certain routes holds water after periods of rain. On windless summer days midges can be a major problem.

Approach: Although the crag lies on CRoW (Countryside and Rights of Way Act 2,000) land, access, and especially the approach, remains a sensitive issue. There is a huge lay-by on the left-hand side of the A635 Holmfirth to Greenfield road, situated just west of the road's highpoint (approximately 4.5km east of Greenfield) which used to offer extensive parking, but has recently been fenced off by the landowner. Instead, park about 200m further down the hill (towards Greenfield) where an area of hard-standing on the left makes it just possible to pull off the road (P1).

Walk back up the road to the aforementioned huge lay-by. From the back of this follow the vaguest of trails across the otherwise pathless moorland, heading roughly for a small but prominent rocky outcrop on the skyline — Adam's Cross. Pass below and to the right of this and continue in the same direction, soon joining a more prominent path/track, until approximately 900m from the road. You should now be directly above the crag but still won't be able to see it. Either descend the steep hillside to the right (facing out) then traverse across to the base of the wall, or, better, walk along the top of the crag and descend a gully just right (facing in) of the *Main Wall* (25 min).

Note: the better defined track/path reached after crossing the trackless moorland actually leads all the way back to the main road (at a gate) some 500m east of the large, blocked lay-by, and may provide a slightly faster, easier means off approach, particularly after wet weather when the moor can be very boggy. The downside to this is that reaching the start of the track requires a much longer walk along the verges of the busy A635.

Area Map on Page 426.

P1 25 Min.

GPS 53.54406 -1.94387

Lower Right Wall (Page 432)

The Twin Faces (Page 433)

The Main Wall (Pages 430 - 431)

Fairy Nuff VS 4c • Standing Stones
John Allen (Page 428)

Nº	Name	P/B	Grade	✓
1	**Digital Dilemma** *	😐	E3 6a	☐
2	**Guillotine** *	😐	S 4b	☐
3	**Fallen Heroes** ***	😐	E1 5b	☐
4	**Brainchild** **	😐	E4 6a	☐
5	**Vivien** **	😐	S 4a	☐

Nº	Name	P/B	Grade	✓
6	**Scratchnose Crack** **	😐	VS 5a	☐
7	**Twin Crack Corner** ***	😐	VS 4b	☐
8	**False Prospects** * (8 > 9 > 8)	😐	HVS 5b	☐
9	**Fairy Nuff** ***	😐	VS 4c	☐
10	**Leprechauner** *	😐	HVS 5a	☐

N°	Name	P/B	Grade	✓
11	**Kremlin Wall** **	🙂	E1 5c	☐
12	**Laybackadaisical** *	🙂	VS 4b	☐
13	**Obyoyo** *	🙂	HVS 5b	☐
14	**The Trouble with Women is...** ** (14 > 15 > 14)	🙂	E1 5b	☐

N°	Name	P/B	Grade	✓
15	**Womanless Wall** ***	🙂	VS 4c	☐
16	**Stuck** *	🙁	E4 6a	☐
17	**Unstuck** *	🙂	E4 6b	☐

Iron Belay Stake 15m back from edge

Lower Right Wall (Page 432) 15m →

Approach Info: Page 428

The Twin Faces 30m

10-14m

Nº	Name	P/B	Grade	✓
1	Pocked Wall **	☺☺	VS 4b	☐
2	Touch of Spring *	☺☺	HS 4b	☐
3	Yorkshire Longfellow *	☺☺	E3 5c	☐
4	Prolapse **	☺☺	E2 5c	☐
5	The Ghoul	☺☺	E2 5b	☐
6	The Slanting Horror *	☺☺	VS 4c	☐
7	Wits' End **	☺☺	E1 5c	☐
8	Tranquility *	☺☺	E1 5b	☐
9	Fish-meal and Revenge *	☻✗	E5 6a	☐
10	The Diamond *	☺☺	E3 5b	☐

Approach Info: Page 428

N°	Name	P/B	Grade	✓
1	**Wobbling Corner**	😐	HV. Diff	☐
2	**Piece of Pie** **	😐	HVS 5b	☐
3	**Right of Pie** *	😊	E3 5c	☐
4	**Fat Old Sun** *	😐	E1 5b	☐
5	**Jiggery Pokery** *	😊	E1 5b	☐
6	**Small c.** *	😟	E2 5b	☐
7	**17 Shades**	😐	S 4a	☐
8	**The Annoying Little Man** *	😊	E4 6b	☐
9	**Kon-Tiki Korner** *	😊	HS 4b	☐
10	**Gut Feeling** *	😐	E3 6b	☐
11	**The Ocean's Border** **	😊	E3 6a	☐
12	**Dredger** *	😊	E2 6b	☐
13	**Ocean Wall** ***	😐	E1 5b	☐

Introduction: An excellent and impressive, if somewhat esoteric crag; its austere monolithic buttresses sitting high above Greenfield Reservoir in a position of splendid isolation. The setting is truly remarkable (even for the Chew) giving a feeling of remoteness out of all proportion to its distance from the road. For such a visually imposing crag it will come as something of a relief to lesser mortals to know that, alongside a selection of tremendously impressive E5 - E7 routes, lie a number of equally fine and atmospheric easier climbs, not the least of which are those ascending the free-standing pinnacle of *The Trinnacle* (named after its tri-cornered formation).

Note: only the main crag is covered here. For a full description of the extensive eastern and western sections of the crag consult the BMC *Over the Moors* guidebook (2012).

Conditions and Aspect: Predominantly north-facing (some of the buttress sidewalls have east or west orientations) and windswept, Ravenstones is no place for inclement weather. High summer is the best time to visit and even then, after periods of rain the cracks may need a couple of days to thoroughly dry out.

Approach: Park at Binn Green pay and display (P2 — at the time of writing there is actually no machine) on the A635, approximately 2km east of the village of Greenfield. Follow a footpath downhill through pines (large wooden signpost: Dovestone/Peak National Park) to reach a single-track road. Turn left on this (signpost: Dovestone and Yeoman Hey Circular Walks) and follow this to the dam separating Dove Stone and Yeoman Hey Reservoirs. Cross this and continue along the track, passing a cattle grid. About 60m after the grid a grassy path cuts off to the left: follow this steeply uphill, passing a stile, to eventually reach the wild and desolate upper moor. There are now a number of vague trails heading off in different directions: the shortest way leads directly across the moor, but the most scenic path is the one keeping close to the left-hand edge of the plateau, overlooking the valley below. Follow this for approximately 1km until directly above the crag. As a marker, look out for the top of an impressive freestanding obelisk — *The Trinnacle* (a GPS coordinate for this appears on the overview picture below). There is also a short wooden post hammered into the ground beside the path here. Descend an easy gully to left (looking out) of *The Trinnacle* to the base of the wall (50 minutes from P2).

Note: this is not the approach recommended in other guidebooks. Instead, they suggest continuing all the way along the northern edges of Yeoman Hey and Greenfield reservoirs to where the track ends at Birchen Clough tunnel, directly below the crag (3km from P2 to here). 'All' that remains is the final ascent to the base of the crag, either directly up the horrifically steep, leg-destroying heather slope, or by following a tortuous path up (and sometimes in) Birchen Clough until above a distinctive waterfall, from where it's possible to traverse the hillside back rightwards (60 minutes? from P2).

Area Map on page 426.

50 Min.
P2 →

Wedgewood Crack
(Pages 438 - 439)

GPS 53.53978
-1.94578

The Drainpipe
(Pages 436 - 437)

Descent /
Approach

The Trinnacle
(Page 439)

No Time to Pose E6 6b
Ravenstones • Neil Furniss (Page 438)

Nil Desperandum S 4a
Ravenstones • Katy Coutts (Page 437)

N°	Name	P/B	Grade	✓
1	**Green Wall** **	😐	VS 4b	☐
2	**Nil Desperandum** **	😐	S 4a	☐
3	**Pulpit Ridge** ***	🙁	E1 5a	☐
4	**Over the Moors** ***	🙁	E5 6b	☐
5	**Black Mountain Collage** ***	🙁	E7 6c	☐
6	**The Bigger Picture** ***	🙁	E7 6c	☐

N°	Name	P/B	Grade	✓
7	**The Drainpipe** **	😐	S 4a	☐
8	**Guerilla Action** **	🙁	E2 5b	☐
9	**Wecome to Greenfield, Gateway to the Valley** **	😐	E3 6a	☐
10	**Undun Crack** *	😐	VS 4c	☐

12 -16m

Approach Info: Page 434

N°	Name	P/B	Grade	✓
1	**No Time to Pose** ***	☹	E6 6b	☐
2	**Jelly Full of** *** **Bad Berries**	😐	E6 6c	☐
3	**Napoleon's Direct** *	😐	E2 5c	☐
4	**Mark 1** *	😐	V. Diff	☐
5	**Mark 2**	😐	V. Diff	☐

N°	Name	P/B	Grade	✓
6	**The Derivatives** **	😐	HV. Diff	☐
7	**Rizla** (7 > 10) **	😐	HVS 5a	☐
8	**Rollup** *	☹	E2 5c	☐
9	**Stranger than Friction** **	☹	E3 5c	☐

14 -22m

Approach Info: Page 434

Trinnacle - East

Trinnacle - West

N°	Name	P/B	Grade	✓
10	**Wedgewood Crack** **	😐	VS 4c	☐
11	**Wall of China** **	😐	E4 6b	☐
12	**True Grit** ***	😐	E3 5c	☐
13	**Sniffer Dog** **	😊	E1 5b	☐
14	**West Wall Traverse** *	😐	VS 4b	☐
15	**Spilon** *	😐	VS 4c	☐
16	**Trinnacle East** **	😊	HVS 5a	☐
17	**The Left Monolith** ***	😐	HS 4b	☐
18	**Trinnacle Chimney** *	😐	Mod	☐
19	**The Right Monolith** *	😐	HVS 5a	☐
20	**Trinnacle West** *	😐	E1 5b	☐

Introduction: Dovestones Edge is another of the Chew's high-lying summer venues offering a fine selection of low to middle grade routes. The views from the edge are expansive and magnificent, adding to the mountain-like feel of the place. The rather stiff approach apparently deters many, for it's a rare day when more than a couple of teams are in evidence at the crag — all the better for those who do make the effort.

The nearby Quarries present a rather different climbing experience. The largest of these, the vast, rambling central quarry, is home to some of the longest routes on Gritstone, but its apparent (and real!) instability scares away all but the most adventurous of climbers. The Lower Left and Lower Right Quarries, however, offer some excellent routes on far more solid rock, though it should be said that the Lower Left still harbours its fair share of dodgy blocks and is not a place for those opposed to the odd rattly flake.

Note: only selected routes from the Edge and Quarries are covered here. For a full resume consult the BMC *Over The Moors* guidebook (2012).

Conditions and Aspect: The Edge faces northwest and sits at an altitude of over 400m, factors making April to October the only period when a visit should even be considered. Sunny from mid-afternoon onwards, but expect a little dirt and dampness in the cracks and breaks after wet weather, especially on the less popular routes. The two quarries we feature also have a west/northwest orientation, but their lower alti-tude and more sheltered position means that in dry conditions the season can be slightly longer.

Approach – Dovestones Edge and The Lower Left Quarry: Park at Binn Green pay and display (at the time of writing there is actually no machine) on the A635, approximately 2km east of the village of Greenfield (P2). Follow a footpath downhill through pine trees (large wooden signpost: 'Dovestone/Peak National Park') to reach a single-track road. Turn left on this (signpost: 'Dovestone and Yeoman Hey Circular Walks') and follow it to the dam separating Dovestone and Yeoman Hey Reservoirs. Cross this and continue along the track, passing a cattle grid. Continue for 250m to just before the Ashway Gap picnic area then turn left and follow a wide path up the left-hand side of the watercourse to reach a concrete and metal bridge where the Birchin Clough Tunnel (entrance below Ravenstones) emerges. Cross the bridge and the follow a well-marked grassy track rightwards next to a wire fence.

For Dovestones Edge: about 15m after the bridge cross the fence using a stile and head directly up the steep, trackless hillside to reach the base of the crag (40 minutes from P2).

For the Lower Left Quarry: as for Dovestones Edge but continue rightwards along the path by the fence for approximately 400m until directly below the quarry. Cross the fence using the second of two stiles then follow the line of least resistance up to the crag (25 minutes from P2).

Approach – The Lower Right Quarry: Park in

Nasal Buttress
(Pages 442 - 443)

Answer Crack
(Page 448)

Matchstick Crack
(Page 444)

June Climb
(Page 447)

Hanging Crack
(Page 449)

the Dove Stone Reservoir pay and display car park (P3 — £1.30 for a full day), the entrance to which lies approximately 600m east of the village of Greenfield on the A635 Holmfirth road. *Note:* turning onto the car park approach road is only permitted for traffic coming from the west (Greenfield) — those approaching from the east (Holmfirth) will need to drive as far as the first roundabout in Greenfield and then double back. From the top end of the car park continue walking along the road, passing the buildings of the Dovestone Sailing Club. Approximately 600m from the parking area there is a bridge crossing a small river (Chew Brook). Immediately after this turn left onto a secondary trail (signpost: Ashway Gap) and follow this for about 200m, to where a grassy path cuts off to the right. Follow this along the border of a plantation of pine trees until it reaches a large metal gate with a stile on its left. Pass through this and take the left-hand forestry track up through and then beyond the plantation to reach a decrepit wooden stile in the wire fence directly below the quarry. Cross this and take the easiest line — first leftwards, then back right, up to the base of the crag (25 minutes from P3).

Note: one can also approach from the Binn Green car park (P2) by using the same approach as for the Lower Left Quarry and then continuing rightwards for a further 250m (30 minutes).

Area Map on Page 426.

Slipoff Slab VS 4b
Dovestones Edge
Graeme Hammond (Page 448)

Central Quarries
(Not Described)

Lower Right Quarry
(Pages 452 - 453)

Lower Left Quarry
(Pages 450 - 451)

P3
Dove Stone Reservoir
Parking
25 Min.

N°	Name	P/B	Grade	✓
1	**Nasal Buttress** ***	🙂	HS 4b	☐
2	**Nasal Buttress** ** **Right-Hand**	🙂	VS 4c	☐
3	**Eight Hours!**	☹	E1 5a	☐
4	**Crack and Chimney** **	🙂	Mod	☐

N°	Name	P/B	Grade	✓
5	**Palpitation** *	☹	E1 5a	☐
6	**Mother's Pride**	☹	E1 5b	☐
7	**Capstone Chimney** *	🙂	Mod	☐

14 -18m

Descent

Descent
(Downclimb!)

Matchstick Crack
(Page 444) 10m →

N°	Name	P/B	Grade	✓
8	**Central Tower** **	😐	V. Diff	☐
9	**Tower Arête** *	😐	VS 4c	☐
10	**Left Embrasure** **	😐	VS 4b	☐
11	**Right Embrasure** *	😐	VS 4c	☐

Approach Info: Page 440

10 - 14m

Descent →

Nº	Name	P/B	Grade	✓
1	**Matchstick Crack** *	🙂	S 4a	☐
2	**Maggie** **	😐	HVS 5a	☐
3	**Dennis** *	😐	E1 6a	☐
4	**Grim Wall** *	😐	HVS 5a	☐
5	**Noddy's Wall** **	😐	VS 4b	☐
6	**Swan Crack** **	😐	HV. Diff	☐

Swan Crack HV. Diff • Dovestones Edge
Vicky Jennings & Billy Greenough (Page 444)

Answer Crack HV. Diff
Dovestones Edge • Rebecca Hammond (Page 448)

Descent

Answer Crack
(Page 448)
15m

N°	Name	P/B	Grade	✓
6	**June Climb** *	☺	Diff	☐
7	**Austin Maxi** *	☺	E2 5c	☐
8	**June Wall** *	☺	VS 5b	☐
9	**June Ridge** *	☺	HS 4b	☐
10	**Dogsbody**	☺	E2 5c	☐

N°	Name	P/B	Grade	✓
1	**Rib and Wall** *	☺	S 4a	☐
2	**Mammoth Slab** **	☺	HVS 4c	☐
3	**Ferdie's Folly** **	☹	E2 5b	☐
4	**Kaytoo**	☺	VS 4c	☐
5	**Asinine** *	☺	E1 6b	☐

8 - 16m

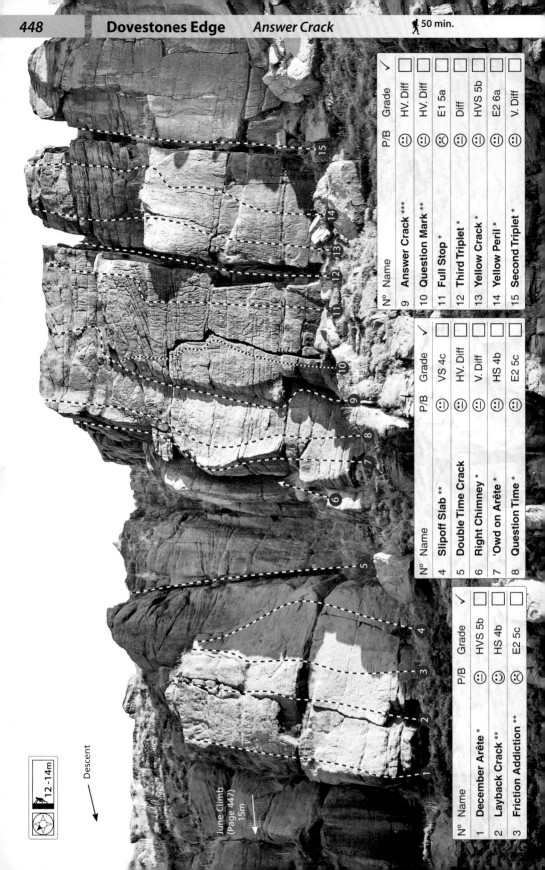

12-14m

Descent

June Climb
(Page 447)
15m

N°	Name	P/B	Grade	✓
9	Answer Crack ***	🙂	HV. Diff	☐
10	Question Mark **	🙂	HV. Diff	☐
11	Full Stop *	🙁	E1 5a	☐
12	Third Triplet *	🙂	Diff	☐
13	Yellow Crack *	🙂	HVS 5b	☐
14	Yellow Peril *	🙂	E2 6a	☐
15	Second Triplet *	🙂	V. Diff	☐

N°	Name	P/B	Grade	✓
4	Slipoff Slab **	🙂	VS 4c	☐
5	Double Time Crack	🙂	HV. Diff	☐
6	Right Chimney *	🙂	V. Diff	☐
7	'Owd on Arête *	🙂	HS 4b	☐
8	Question Time *	🙂	E2 5c	☐

N°	Name	P/B	Grade	✓
1	December Arête *	🙂	HVS 5b	☐
2	Layback Crack **	🙂	HS 4b	☐
3	Friction Addiction **	🙁	E2 5c	☐

🧗 10 - 14m

Approach Info: Page 440

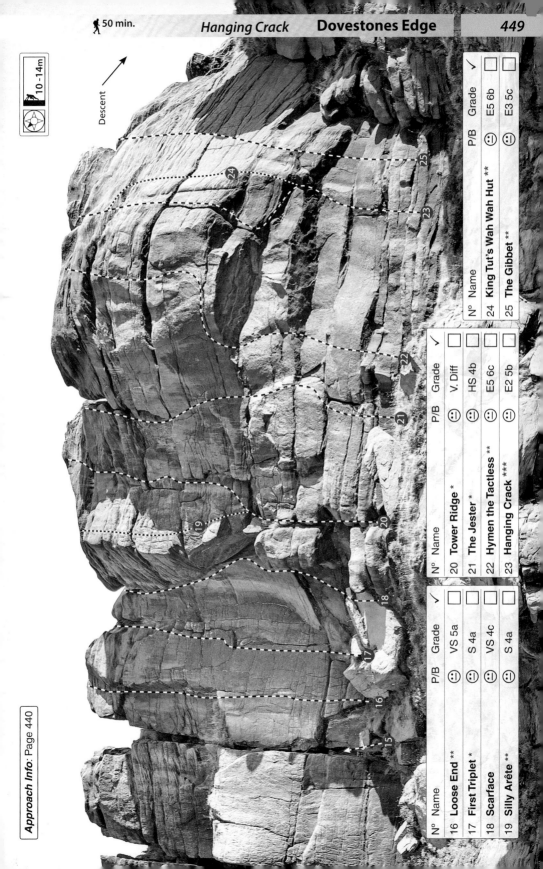

Descent

N°	Name	P/B	Grade	✓
20	Tower Ridge *	😊	V. Diff	☐
21	The Jester *	😊	HS 4b	☐
22	Hymen the Tactless **	😊	E5 6c	☐
23	Hanging Crack ***	😊	E2 5b	☐

N°	Name	P/B	Grade	✓
24	King Tut's Wah Wah Hut **	😊	E5 6b	☐
25	The Gibbet **	😊	E3 5c	☐

N°	Name	P/B	Grade	✓
16	Loose End **	😊	VS 5a	☐
17	First Triplet *	😊	S 4a	☐
18	Scarface	😊	VS 4c	☐
19	Silly Arête **	😊	S 4a	☐

12-20m

N°	Name	P/B	Grade	✓
1	**Tweedledee** *	😐	HVS 5a	☐
2	**Tweedledum** **	😐	E2 6a	☐
3	**Birthday Layback** *	😐	VS 4c	☐
4	**Gatepost Crack** ***	😐	E1 5b	☐
5	**Age Concern** *	😐	E2 6a	☐
6	**White Wall** * **Direct**	😐	E1 5b	☐

1 - 6

7 - 16

Approach Info: Page 440

Nº	Name	P/B	Grade	✓
7	**Alumina Cracks** *	😐	VS 4c	☐
8	**Black Cracks** *	😐	HVS 5a	☐
9	**Mottled Groove** *	😐	HS 4b	☐
10	**Blanco Direct** *	☹	VS 4b	☐
11	**Mindbender** **	😐	HVS 5a	☐
12	**Draft Bass** *	😐	E2 5c	☐

Nº	Name	P/B	Grade	✓
13	**Daft Brass** *	☹	E5 6a	☐
14	**Amen Corner** * (15 > 14 > 11 > 14) P1 5a, P2 5b	😐	E1 5b	☐
15	**Tottering Groove**	😐	VS 4c	☐
16	**Ultima Ratio** *	😐	S 4a	☐

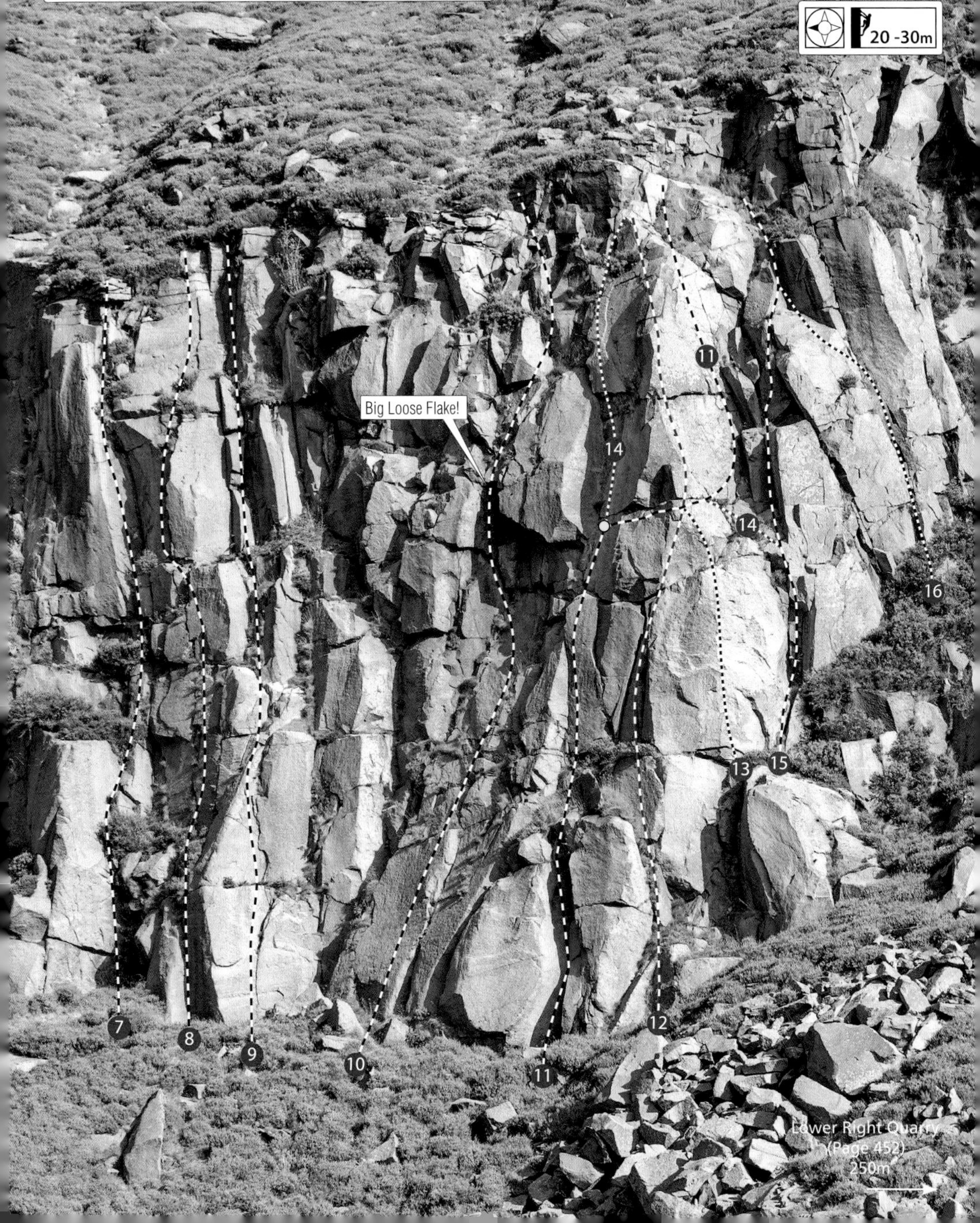

20 -30m
Big Loose Flake!
11
14
14
16
13
15
7
8
9
10
11
12
Lower Right Quarry
(Page 452)
250m

15m

Descent

Approach Info: Page 441

Note: The BMC definitive guidebook describes a metal belay stake in place on the heathery slope above these routes, but if it's still there it's damn hard to locate! Other cliff-top belays are just possible, but difficult to arrange. Pre-inspection is strongly advised.

Nº	Name	P/B	Grade	✓
1	Ace of Spades **	☺	HVS 5a	☐
2	Jet Lag *	☺ S	E5 6b	☐
3	Tiny Tim **	☺	VS 4c	☐
4	Bob Hope ***	☺	E4 6a	☐
5	Pedestal Corner *	☺	VS 4c	☐
6	Scuttle Buttin' **	⦿X	E7 6c	☐
7	Five Day Chimney *	☺	E2 5c	☐

Ace of Spades HVS 5a
Dovestones Quarry • Lena Drapella (Page 452)

The Trident E1 5b
Wimberry Rocks • Andy Gardner (Page 459)

Introduction: By far the best crag in the Chew Valley (at least for routes in the higher grades) Wimberry is actually amongst the finest on Peak Gritstone. Viewed from below, its architecture is stunning — a series of deep, powerful grooves and axe-like arêtes piercing the skyline like the serrated back of some fossilized dinosaur. Closer up, the purity and beauty of many of Wimberry's lines becomes apparent: perfect cracks, and blank-looking faces and arêtes, the latter only made possible by the presence of numerous tiny pebbles and ripples.

In recent years Wimberry has been the scene of some of the most audacious ascents on grit — routes of mind-blowing seriousness and difficulty, which only the most accomplished should even contemplate attempting. Ultimately though, whichever grade you climb, this is not a crag for the faint hearted — a full day here will leave you battered and bruised, though (hopefully!) very fulfilled.

Note: our selection concentrates on the main (left and central) section of crag. For a full resume of all routes, as well as information covering the extensive bouldering to be found on the slopes below the cliff, consult the BMC *Over The Moors* guidebook (2012).

Conditions and Aspect: Wimberry's northerly orientation and bold hilltop position make it the perfect summer crag, though even then it can still be green. Barring even more drastic climate change than we are currently experiencing, during the winter months (November to March) the crag is strictly off-limits. Conversely, even at this altitude there can be days of perfect stillness in mid-summer and on these occasions midge repellent is an absolute must. Unfortunately, Wimberry's short season means certain routes quickly become dirty and may need a good clean before being attempted.

Approach: Park in the Dove Stone Reservoir pay and display car park (P3, £1.30 for a full day at the time of writing) the entrance to which lies approximately 600m east of the village of Greenfield on the A635 Holmfirth road.

Note: turning onto the car park approach road is only permitted for traffic coming from the west (Greenfield). Those approaching from the east (Holmfirth) will need to drive as far as the first roundabout in Greenfield and then double back. From the far end of the car park continue walking along the road, passing the buildings of the Dovestone Sailing Club. Approximately 600m from the parking area there is a bridge crossing a small river (Chew Brook): immediately before this turn right onto a well-marked footpath following the riverbank. After 20m turn right again onto a smaller path heading diagonally uphill, and follow this for approximately 400m to where it splits, just before a wire fence. Take the right-hand fork, leading uphill to where it joins a horizontal trail, just before a wooden stile. There are now two options:

1) Starting just to the right of the stile, follow a vague trail, which winds its way up the hillside passing between the many large boulders.

2) Cross the stile and continue leftwards for about 30m to reach a well-marked footpath leading directly uphill, keeping just left of a dry streambed. Both ways lead to the left-hand side of the crag and both ways ensure a good leg pump! (30 - 40 minutes from P3).

Area Map on page 426.

Freddie's Finale
(Pages 456 - 457)

The Trident
(Page 459)

Blasphemy
(Pages 460 - 461)

Appointment with Fear
(Pages 462 - 463)

N°	Name	P/B	Grade	✓
1	**Short Crack** *	😊	VS 5a	☐
2	**Pinball Wizard** **	😐	E1 5c	☐
3	**Blind Faith** *	🙁	E3 6a	☐
4	**Eight Metre Corner** *	😐	Diff	☐
5	**Poltergeist**	😐	VS 4b	☐
6	**Blocked Chimney** *	😐	V. Diff	☐
7	**Arête du Coeur**	🙁	E4 5c	☐
8	**Ornithologist's** ** **Corner**	😊	VS 4c	☐
9	**Surprise Arête** *	🙁	HVS 4c	☐
10	**One Way Ticket** *	🙁	E2 5b	☐
11	**Surprise** **	😐	VS 4c	☐

Approach Info: Page 455

Nº	Name	P/B	Grade	✓
12	**The Yellow Bellied Gonk** *	😐	E4 6a	☐
13	**Overhang Chimney** *	😐	V. Diff	☐
14	**Freddie's Finale** ***	😊	E1 5b	☐
15	**Double Take** ***	😊	E6 6b	☐
16	**Wimberry Overhang** **	😐	E7 6c	☐
17	**Space Shuffle** **	🙁	E5 6a	☐
18	**Space Oddity** *	😐	E5 6c	☐
19	**Hanging Groove** **	😐	VS 4c	☐
20	**Hanging Groove Right-Hand** *	😐	VS 4c	☐

8 -18m

Route 1 HS 4b • Wimberry Rocks
Lena Drapella (Page 462)

N°	Name	P/B	Grade	✓
1	**Order of the Phoenix** **	🙁 S	E8 6c	☐
2	**Coffin Crack** **	🙂	VS 4c	☐
3	**Berlin Wall** **	🙁	E6 6c	☐
4	**Sectioned** ***	🙁 S	E8 6c	☐

N°	Name	P/B	Grade	✓
5	**Neptune's Tool** ***	😐	E6 6c	☐
6	**Wristcutter's Lullaby** (5 > 6) ***	😐	E6 6c	☐
7	**The Trident** ***	🙂	E1 5b	☐
8	**MaDMAn** ***	☠	E8 6b	☐
9	**Cheltenham Gold Cup** *	🙂	E6 6c	☐

🧭 🧗 15 -20m

Bertie's Bugbear
(Page 460)

Nº	Name	P/B	Grade	✓
1	**Bertie's Bugbear** ***	☺	S 4a	☐
2	**The Sick-Bay Shuffle** **	☹	E3 5b	☐
3	**Thorn in the Sidewall**	🙂	E6 6a	☐

Nº	Name	P/B	Grade	✓
4	**Dangermouse** **	☹	E9 7a	☐
5	**Piety** ***	☹	E2 5c	☐
6	**Blasphemy** ***	🙂	E2 5c	☐
7	**Blue Light's Crack** **	🙂	HVS 5b	☐

15 -20m

Cheltenham Gold Cup
(Page 459)

Blasphemy E2 5c • Wimberry Rocks
Dan Barbour (Page 460)

N°	Name	P/B	Grade	✓
1	**The Possessed** **	😣	E7 6b	☐
2	**Sacrilege** **	😐	E2 5c	☐
3	**Starvation Chimney** **	😊	HV. Diff	☐
4	**Baron Greenback** ***	😞	E10 7a	☐
5	**Route 1** ***	😐	HS 4b	☐
6	**Appointment With Fear** ***	☠ S	E7 6b	☐
7	**Unknown Stones** ***	☠ S	E9 6c	☐
8	**Appointment With Death** ***	☠ S	E9 6c	☐
9	**Route 2** ***	😊	VS 5a	☐
10	**Halina** **	😞	E2 5c	☐

8 -18m

N°	Name	P/B	Grade	✓
11	**Michael Knight * Wears a Chest Wig**	😦	E7 6c	☐
12	**Twin Cracks ***	😐	S 4b	☐
13	**Squirmer's Chimney ****	😊	S 4a	☐
14	**Consolation Prize ******	😦	E5 6a	☐
15	**Disconsolate ****	☠	E6 6a	☐
16	**Slab Gully**	😊	V. Diff	☐
17	**Slab Climb ***	😊	S 4a	☐
18	**Herringbone Slab ****	😦	HVS 4c	☐
19	**Groove and Chimney**	😊	Diff	☐
20	**Tap Dance ***	😐	E3 5c	☐
21	**Charm ****	😊	E3 5c	☐
22	**The Climb * With no Name**	😦	E5 6a	☐

Approach Info: Page 455

Borstal Breakout (Pitch 1) E4 6b
Hen Cloud • Dan Barbour (Page 328)

Route	Grade	Crag	Page	Route	Grade	Crag	Page
E5				**E4** (continued)			
Bat Out of Hell	E5 6a	Higgar Tor	186	Silent Spring	E4 5c	Burbage South	182
Caricature	E5 6b	Hen Cloud	330	Snug as a	E4 6b	Stanage	153
Catastrophe Internationale	E5 6c	The Roaches	346	Thug on a Jug			
Chip Shop Brawl	E5 6c	Stanage	77	Tea for Two	E4 6a	Millstone	203
Consolation Prize	E5 6a	Wimberry	463	The Brush Off	E4 5c	Rivelin Edge	45
Curving Arête	E5 6b	Black Rocks	302	The Knock	E4 6a	Burbage South	175
Edge Lane	E5 5c	Millstone	199	The Rasp Direct	E4 6a	Higgar Tor	186
Entropy's Jaw	E5 6b	The Roaches	334	The Strangler	E4 5c	Stanage	110
Goliath	E5 6a	Burbage South	179	Traveller in Time	E4 6a	Ramshaw	312
Goosey Goosey Gander	E5 6a	Stanage	83	Usurper	E4 6a	Curbar	252
Green Death	E5 6b	Millstone	199	Wings of Unreason	E4 6a	The Roaches	334
Hairless Heart	E5 5c	Froggatt	232	**E3**			
Jermyn Street	E5 6a	Millstone	207	Appaloosa Sunset	E3 5c	The Roaches	344
London Wall	E5 6a	Millstone	205	Arabia	E3 5c	Kinder South	397
Moon Crack	E5 6b	Curbar	238	Ascent of Man	E3 6a	The Roaches	346
Moonshine	E5 6b	Curbar	252	Boot Hill	E3 5c	Cratcliffe Tor	291
Offspring	E5 6b	Burbage South	182	Cave Wall	E3 5c	Froggatt	225
Over the Moors	E5 6b	Ravenstones	437	Censor	E3 5c	Stanage	142
Pebble Mill	E5 6b	Burbage South	178	Comedian	E3 6a	Hen Cloud	330
Perfect Day	E5 6b	Gardom's	263	Corinthian	E3 5c	Hen Cloud	330
Pool Wall	E5 6b	Lawrencefield	210	Crocodile	E3 5c	Gardom's	265
Profit of Doom	E5 6b	Curbar	251	D.I.Y.	E3 6a	Stanage	100
Rigid Digit	E5 6b	Curbar	251	Demon Rib	E3 5c	Black Rocks	302
Shirley's Shining Temple	E5 7a	Stanage	99	Emerald Crack	E3 6a	Chatsworth	284
Silk	E5 6c	Stanage	102	Fern Hill Indirect	E3 5c	Cratcliffe Tor	291
Strapadichtomy	E5 6b	Froggatt	222	Golden Days	E3 6b	Black Rocks	303
The Great Arête	E5 5c	Millstone	199	Great Slab	E3 5b	Froggatt	232
Thin Air	E5 6a	The Roaches	356	Great West Road	E3 5b	Millstone	199
Tierdrop	E5 6b	Ramshaw	315	Hunky Dory	E3 6a	The Roaches	356
Track of the Cat	E5 6a	The Roaches	334	Impossible Slab	E3 5c	Stanage	93
Ulysses or Bust	E5 6b	Curbar	238	Nutcracker	E3 5c	Cratcliffe Tor	291
White Wand	E5 6a	Stanage	105	Orang-Outang Direct	E3 5c	Stanage	82
E4				Requiem	E3 6a	Cratcliffe Tor	292
Auto da Fe	E4 6a	Rivelin Edge	47	Right Eliminate	E3 5c	Curbar	254
Autumn Wall	E4 6a	Wharncliffe	35	San Melas	E3 5c	The Roaches	336
Bob Hope	E4 6a	Dovestones Qu.	452	Saville Street	E3 6a	Millstone	193
Borstal Breakout	E4 6b	Hen Cloud	328	Sentinel Crack	E3 5c	Chatsworth	282
Caesarian	E4 6b	Hen Cloud	326	The Archangel	E3 5b	Stanage	104
Calvary	E4 6a	Stanage	119	The Asp	E3 6a	Stanage	132
Chameleon	E4 6a	Stanage	143	The Lamia	E3 5c	Stanage	82
Chameleon	E4 6a	Hen Cloud	331	The Swan	E3 5c	The Roaches	352
Death Knell	E4 5c	The Roaches	354	Time for Tea	E3 5c	Millstone	203
Don	E4 5c	Stanage	104	Tippler Direct	E3 6a	Stanage	142
Downhill Racer	E4 6a	Froggatt	230	True Grit	E3 5c	Ravenstones	439
Edale Bobby	E4 6a	Kinder - South	400	Twikker	E3 5c	Millstone	196
Flute of Hope	E4 6a	Higgar Tor	186	Waterloo Sunset	E3 5c	Gardom's	266
Indoor Fisherman	E4 6a	Froggatt	221	**E2**			
Moon Walk	E4 6a	Curbar	238	Big Brother	E2 6a	Kinder North	386
Nectar	E4 6b	Stanage	82	Billy Whiz	E2 5c	Lawrencefield	211
No More Excuses	E4 6b	Stanage	88	Blasphemy	E2 5c	Wimberry	460
Off with his Head	E4 6b	Stanage	122	Brown's Eliminate	E2 5b	Froggatt	235
Old Friends	E4 6a	Stanage	95	Commander Energy	E2 5c	The Roaches	356
Peaches	E4 6b	Birchen	273	Count's Buttress	E2 5c	Stanage	98
Pillar of Judgement	E4 5c	The Roaches	342	Daydreamer	E2 6b	Stanage	98
Ramshaw Crack	E4 6a	Ramshaw	317	Elder Crack	E2 5b	Curbar	251
Reticent Mass Murderer	E4 6b	Cratcliffe Tor	287	Elegy	E2 5c	The Roaches	354
Saucius Digitalis	E4 6b	Shining Clough	423	Erb	E2 5c	Millstone	196

Route	Grade	Crag	Page	Route	Grade	Crag	Page
E2 (continued)				**E1** (continued)			
Fern Hill	E2 5c	Cratcliffe Tor	291	The Vice	E1 5b	Stanage	77
Five Finger Exercise	E2 5c	Cratcliffe Tor	291	Three Pebble Slab	E1 5a	Froggatt	227
Foord's Folly	E2 6a	Ramshaw	320	Tower Chimney	E1 5b	Stanage	108
Gumshoe	E2 5c	Ramshaw	314	**HVS**			
Hanging Crack	E2 5b	Dovestones E.	449	B.A.W.'s Crawl	HVS 5a	Stanage	122
Insanity	E2 5c	Curbar	252	Bachelor's Left-Hand	HVS 5b	Hen Cloud	330
Knightsbridge	E2 5c	Millstone	201	Baldstones Arête	HVS 4c	Stanage	309
Orang-Outang	E2 5c	Stanage	82	Blizzard Ridge	HVS 5a	Rivelin Edge	42
Lichen	E2 5b	Chatsworth	282	Bond Street	HVS 5a	Millstone	205
Original Route	E2 5c	Baldstones	309	Brooks' Crack	HVS 5a	Burbage South	175
Piety	E2 5c	Wimberry	460	Chequers Buttress	HVS 5a	Froggatt	235
Promontory Traverse	E2 5b	Black Rocks	297	Congo Corner	HVS 5b	Stanage	126
Quietus	E2 5c	Stanage	93	Crabbie's Crack	HVS 5a	The Roaches	344
Regent Street	E2 5c	Millstone	207	Croton Oil	HVS 5a	Rivelin Edge	44
Robert	E2 5c	Kinder South	399	David	HVS 4c	Burbage South	179
Suspense	E2 5c	Lawrencefield	210	Delstree	HVS 5a	Hen Cloud	326
The Arête	E2 5c	Tintwistle	417	East Rib	HVS 5a	Shining Clough	420
The Big Crack	E2 5b	Froggatt	235	Eliminator	HVS 5b	Stanage	144
The Count	E2 5c	Stanage	99	Goliath's Groove	HVS 5b	Stanage	104
The Dangler	E2 5c	Stanage	142	Great Buttress	HVS 5a	Dovestone Tor	57
The Plain Sailing	E2 6a	Birchen	272	Great North Road	HVS 5a	Millstone	201
Midshipman				Great Portland Street	HVS 5b	Millstone	205
The Rasp	E2 5b	Higgar Tor	186	Green Crack	HVS 5b	Curbar	252
The Sentinel	E2 5b	Burbage North	164	Harding's Super	HVS 5a	Stanage	133
Tower Face Direct	E2 5b	Stanage	109	Direct Finish			
Undercut Crack	E2 5c	Bamford	64	Hereford's Route	HVS 5a	Kinder South	395
Wuthering	E2 5b	Stanage	132	Jester Cracks	HVS 5a	Kinder North	389
E1				Kelly's Overhang	HVS 5b	Stanage	92
Blizzard Ridge Direct	E1 5b	Rivelin Edge	42	Legacy	HVS 5a	Kinder North	386
Dark Continent	E1 5c	Stanage	126	Lyon's Corner House	HVS 5a	Millstone	196
Dexterity	E1 5b	Millstone	194	Maupassant	HVS 5a	Curbar	252
Embankment Rt. 3	E1 5b	Millstone	203	Neb Buttress	HVS 5a	Bamford	68
Embankment Rt. 4	E1 5b	Millstone	203	Neb Buttress Direct	HVS 5a	Bamford	68
Encouragement	E1 5b	Hen Cloud	328	Pisa Super Direct	HVS 5a	Shining Clough	424
Fallen Heroes	E1 5b	Standing Stones	430	Plexity	HVS 5a	Millstone	193
Flying Buttress Direct	E1 5b	Stanage	140	Priscilla Ridge	HVS 5a	Laddow	413
Freddie's Finale	E1 5b	Wimberry	457	Queersville	HVS 5a	Stanage	138
Galileo	E1 5b	Shining Clough	424	Right Unconquerable	HVS 5a	Stanage	119
Gatepost Crack	E1 5b	Dovestones Qu.	450	Right-Hand Tower	HVS 5a	Stanage	84
Great Buttress Arête	E1 5b	Wharncliffe	29	Rubberneck	HVS 5a	The Roaches	344
Hawkwing	E1 5b	The Roaches	354	Saul's Crack	HVS 5a	The Roaches	362
Hen Cloud Eliminate	E1 5b	Hen Cloud	330	Scoop Face	HVS 5a	Castle Naze	374
Intestate	E1 5b	Kinder North	386	Sorrell's Sorrow	HVS 5a	Curbar	238
L'Horla	E1 5b	Curbar	252	Suicide Wall	HVS 5b	Cratcliffe Tor	292
Left Unconquerable	E1 5b	Stanage	119	Sunset Slab	HVS 4b	Froggatt	224
Long Tall Sally	E1 5b	Burbage North	168	Surgeon's Saunter	HVS 5b	Stanage	78
Mantis	E1 5b	The Roaches	336	Terrazza Crack	HVS 5b	Stanage	82
Millsom's Minion	E1 5b	Stanage	114	The Blurter	HVS 5b	Stanage	90
Millwheel Wall	E1 5b	Burbage South	181	The Crippler	HVS 5a	Ramshaw	320
Moyer's Buttress	E1 5b	Gardom's	262	The Eye of Faith	HVS 5b	Gardom's	263
Ocean Wall	E1 5b	Standing Stones	433	The Knight's Move	HVS 5a	Burbage North	165
Pulpit Ridge	E1 5a	Ravenstones	437	The Mincer	HVS 5b	The Roaches	352
Safety Net	E1 5b	Birchen	339	The Peapod	HVS 5b	Curbar	254
The Ivory Tower	E1 5b	Kinder South	399	The Scoop	HVS 5b	Stanage	125
The Link	E1 5b	Stanage	126	The Sloth	HVS 5a	The Roaches	364
The Tippler	E1 5b	Stanage	142	Titanic Direct	HVS 5a	Stanage	96
The Trident	E1 5b	Wimberry	459	Tody's Wall	HVS 5a	Froggatt	226

Route	Grade	Crag	Page
HVS (continued)			
Tower Face	HVS 5a	Stanage	109
Twisted Smile	HVS 5a	Kinder North	389
Valkyrie	HVS 5a	Froggatt	228
Whillans Pendulum /	HVS 5b	Stanage	136
Black Magic			
Zapple	HVS 5b	Yarncliffe	216
Zapple Left-Hand	HVS 5a	Yarncliffe	216
VS			
Altar Crack	VS 4c	Rivelin Edge	49
Apple Arête	VS 4b	Gardom's	266
Bachelor's Climb	VS 4c	Hen Cloud	330
Bel Ami	VS 4b	Curbar	252
Birch Tree Wall	VS 5a	Black Rocks	302
Birch Tree Wall Variations	VS 5a	Black Rocks	302
Byne's Crack	VS 4b	Burbage North	175
Cave Innominate	VS 5a	Stanage	133
Central Climb	VS 4c	Hen Cloud	328
Delectable Variation	VS 4c	Lawrencefield	212
Ellis's Eliminate	VS 4c	Stanage	134
Fairy Nuff	VS 4c	Standing Stones	430
Fern Crack	VS 5a	Stanage	102
Flash Wall	VS 5a	Kinder South	400
Gargoyle Flake	VS 4c	Bamford	64
Great Harry	VS 4c	Lawrencefield	210
Hargreaves' Original	VS 4c	Stanage	136
Hawk's Nest Crack	VS 4c	Froggatt	225
Hell Crack	VS 4c	Stanage	125
High Neb Buttress	VS 4c	Stanage	94
Himmelswillen	VS 4c	Wharncliffe	32
Inaccessible Crack	VS 4c	Stanage	93
Inverted V	VS 4b	Stanage	134
Lean Man's Climb	VS 5a	Black Rocks	298
Lean Man's Superdirect	VS 5a	Black Rocks	300
Martello Buttress	VS 4c	Stanage	125
Mississippi Buttress Direct	VS 4c	Stanage	127
Moneylender's Crack	VS 5a	Kinder South	400
Nelson's Nemesis	VS 4b	Birchen	279
Nozag	VS 4c	Castle Naze	377
Obscenity	VS 4c	Burbage North	168
Phoenix Climb	VS 4c	Shining Clough	420
Quien Sabe?	VS 4c	Bamford	63
Rainbow Crack	VS 5a	Hen Cloud	331
Route 1	VS 4c	Dovestone Tor	58
Route 2	VS 5a	Wimberry	462
Sand Buttress	VS 4c	Black Rocks	298
Saul's Arête	VS 4c	Stanage	104
The Brain	VS 4c	Curbar	242
The File	VS 4c	Higgar Tor	187
The Great Chimney	VS 4c	Kinder Downfall	404
Left - Hand			
The Mall	VS 4c	Millstone	205
Titanic	VS 4c	Stanage	96
Tower Face	VS 5a	Laddow	415
Twin Crack Corner	VS 4b	Standing Stones	430
Valkyrie	VS 4c	The Roaches	350
Via Dolorosa	VS 4c	The Roaches	349
Wall End Slab	VS 5a	Stanage	102

Route	Grade	Crag	Page
VS (continued)			
Womanless Wall	VS 4c	Standing Stones	431
Wrinkled Wall	VS 4c	Bamford	67
HS			
Amazon Crack	HS 4b	Burbage North	168
April Crack	HS 4b	Stanage	136
Brown's Crack	HS 4b	Bamford	63
Christmas Crack	HS 4a	Stanage	136
Crack and Corner	HS 4c	The Roaches	367
Final Crack	HS 4b	Hen Cloud	328
Green Gut	HS 4a	Froggatt	235
Jeffcoat's Buttress	HS 5a	The Roaches	362
Jeffcoat's	HS 4b	The Roaches	362
Buttress Variation			
Manchester Buttress	HS 4b	Stanage	147
Mutiny Crack	HS 4b	Burbage North	161
Nasal Buttress	HS 4b	Dovestones E.	442
P.M.C. 1	HS 4a	Curbar	251
Paradise Wall	HS 4b	Stanage	114
Robin Hood's Right-	HS 4a	Stanage	134
hand Buttress Direct			
Route 1	HS 4b	Wimberry	462
The Great Chimney	HS 4b	Kinder Downfall	404
The Left Monolith	HS 4b	Ravenstones	439
Three Tree Climb	HS 4b	Lawrencefield	210
Tower Face	HS 4b	Wharncliffe	33
Upper Tor Wall	HS 4b	Kinder South	398
S			
Balcony Buttress	S 4a	Stanage	128
Bertie's Bugbear	S 4a	Wimberry	460
Bishop's Route	S 4a	Stanage	134
Black and Tans	S 4a	The Roaches	364
Black Hawk Hell Crack	S 4a	Stanage	144
Black Velvet	S 4a	The Roaches	364
Crack and Corner	S 4b	Stanage	148
Great Chimney	S 4a	Hen Cloud	331
Long Climb	S 4a	Laddow	414
Phallic Crack	S 4a	Ramshaw	314
Powder Monkey Parade	S 4b	Birchen	274
Puttrell's Progress	S 4a	Wharncliffe	30
Sail Chimney	S 4a	Birchen	273
Via Principia	S 4a	Shining Clough	421
HV. Diff			
Answer Crack	HV. Diff	Dovestones E.	448
Central Buttress	HV. Diff	Black Rocks	296
Flying Buttress	HV. Diff	Stanage	140
Heather Wall	HV. Diff	Froggatt	226
Maud's Garden	HV. Diff	The Roaches	360
N.M.C. Crack	HV. Diff	Gardom's	266
Pedestal Route	HV. Diff	The Roaches	364
V.Diff			
Boomerang	V. Diff	Ramshaw	316
Heaven Crack	V. Diff	Stanage	125
Hollybush Crack	V. Diff	Stanage	138
Right Route	V. Diff	The Roaches	365
Zigzag	V. Diff	Kinder Downfall	405
Diff			
Inverted Staircase	Diff	The Roaches	358

Suicide Wall HVS 5b
Cratcliffe Tor • Frances Taylor (Page 292)

Note: If a route name doesn't appear where you expect to find it try searching for the same climb preceded by 'The' (under 'T'). Conversely, sometimes the exact opposite works.

Cave Arête HVS 5a
Stanage Edge • Charlie Fell (Page 133)

Upper Tor Wall HS 4b
Kinder South • James Turnbull (Page 398)

Green Crack HVS 5b
Curbar Edge • Andy Janezko (Page 252)

Lyon's Corner House HVS 5a • Millstone Edge
Ian Hylands (Page 196)

Caesarean E4 6b
Hen Cloud • James McHaffie (Page 326)

Notes: